Plantes d'appartement à fleurs

VOYAGE À TRAVERS L'UNIVERS
LES ENFANTS DÉCOUVRENT...
LES CHEFS-D'ŒUVRE DE LA PEINTURE
LES MYSTÈRES DE L'INCONNU
TIME-LIFE HISTOIRE DU MONDE
BONNE FORME, SANTÉ ET DIÉTÉTIQUE
LA BONNE CUISINE SANTÉ
LE MONDE DES ORDINATEURS
PEUPLES ET NATIONS
L'ENCYCLOPÉDIE TIME-LIFE DU BRICOLAGE
LA PLANÈTE TERRE
LA GRANDE AVENTURE DE LA MER
CUISINER MIEUX

L'ENCYCLOPÉDIE TIME-LIFE DU JARDINAGE

Plantes d'appartement à fleurs

par

JAMES UNDERWOOD CROCKETT

et

les Rédacteurs des Éditions TIME-LIFE

Illustrations à l'aquarelle par

Allianora Rosse

ÉDITIONS TIME-LIFE, AMSTERDAM

L'ENCYCLOPEDIE TIME-LIFE DU JARDINAGE

RÉDACTEUR EN CHEF DE LA COLLECTION: Robert M. Jones

COMITÉ DE RÉDACTION POUR PLANTES D'APPARTEMENT A FLEURS:

Rédacteur adjoint: Carlotta Kerwin
Maquette: Leonard Wolfe
assisté de Anne B. Landry
Secrétariat de rédaction: Marie Gordon Goldman, Paula Pierce, Kelly Tasker
Chef documentaliste: Joan Mebane
Documentalistes: Diane Asselin, Muriel Clarke, Evelyn Constable, Helen Fennell, David Harrison, Susan Jonas, Gail Hansberry, Sandra Streepey, Mollie Webster, Gretchen Wessels
Illustration: Vincent Lewis

ÉDITION EUROPÉENNE
Rédacteur en chef pour l'Europe: Kit van Tulleken
Directeur de la photographie: Pamela Marke
Directeur artistique: Louis Klein
Chef documentaliste: Vanessa Kramer
Révision du texte: Ilse Gray
Chargée de la réalisation de l'ouvrage: Ellen Brush
Documentation: Jasmine Taylor, Milly Trowbridge
Maquette: Joyce Mason
Secrétariat de rédaction: Jeanne Holland

Secrétariat de rédaction pour l'édition française:
Michèle Le Baube, Cécile Dogniez

Traduction de l'anglais par Yvette Gogue

Fourth French printing, 1989.

ISBN: 2-7344-0471-0

L'AUTEUR: Le regretté **James Underwood Crockett** fut un éminent horticulteur américain; il a écrit de nombreux ouvrages sur le jardinage. Licencié de l'École d'Agriculture de Stockbridge de l'université du Massachusetts, il vécut en Californie, à New York, au Texas et en Nouvelle-Angleterre, où il cultiva une grande variété de plantes. Il fut le conseiller de nombreux pépiniéristes.

CONSEILLER, ÉDITION EUROPÉENNE: **Frances Perry** fait autorité en matière de jardinage; ses livres et ses causeries radiophoniques lui ont valu une réputation internationale. Elle est membre de la société Linné, et fut la première femme élue au Conseil de la Société Royale d'Horticulture de Grande-Bretagne; elle en est devenue vice-présidente et a reçu la décoration si convoitée que représente la Victoria Medal of Honour de cette Société. Elle a donné des conférences en Australie, en Nouvelle-Zélande et en Amérique et a herborisé dans diverses régions du monde.

CONSEILLERS GÉNÉRAUX POUR L'EUROPE: **Roy Hay** est un spécialiste de l'horticulture, connu pour ses articles dans les publications de langue anglaise, et en particulier pour sa colonne hebdomadaire du *Times,* ainsi que pour sa participation mensuelle à *l'Ami des Jardins,* une publication française. Il continue une tradition familiale dans le domaine du jardinage; Thomas Hay, son père, fut surintendant dans bon nombre de parcs royaux à Londres (1922-1940). M. Hay lui-même est officier de l'Ordre du Mérite agricole de Belgique et de France. **André Leroy,** conseiller de rédaction pour l'édition française, est ingénieur en chef honoraire des parcs et jardins de Paris. Il a conduit les travaux de restauration du parc de Sceaux, du parc de Bagatelle et de la Roseraie de L'Haÿ-les-Roses. Depuis 1958, il est conseiller technique pour la revue *Mon Jardin et ma Maison.* **Dieneke van Raalte** a étudié l'horticulture et l'art du jardinage au Collège de Jardinage de Fredriksoord en Hollande. Fervente collaboratrice des revues européennes de jardinage, elle est l'auteur de nombreux ouvrages hollandais sur le jardinage. **Hans-Dieter Ihlenfeldt** est professeur de Botanique à l'Institut de Botanique Générale et de Jardinage d'Hambourg. Coéditeur de nombreux manuels de botanique, il a publié de nombreux écrits ou articles dans des journaux scientifiques. **Heinrich Nothdurft,** conservateur en chef des Jardins Botaniques, donne des conférences à l'Institut de Botanique de Hambourg. Il est coauteur du manuel de la Flore de l'Europe centrale *(Mitteleuropäische Pflanzenwelt).*

CONSEILLERS GÉNÉRAUX: Dr. O.W. Davidson, North Brunswick, N.J. Le personnel du jardin botanique de Brooklyn: Robert S. Tomson, directeur adjoint; Thomas R. Hofmann, préposé à la germination; George Kalmbacher, spécialiste de la taxinomie des plantes; Edmund O. Moulin, horticulteur. Mrs. Joy Logee Martin, Logee's Greenhouses, Danielson, Conn.

L'ILLUSTRATRICE: Parmi les 126 délicieuses et précises aquarelles qui figurent dans le présent ouvrage, 120 (à partir de la page 100) sont dues au talent d'**Allianora Rosse,** une spécialiste de la peinture des fleurs. Formée à l'Académie des Arts de la Haye, en Hollande, Mlle Rosse a illustré de nombreux livres de jardinage grâce à ses aquarelles qui représentent des buissons, des arbres et des fleurs.

COUVERTURE: Trois des milliers de Violettes du Cap, l'une des plantes d'appartement à fleurs les plus répandues. A condition qu'on leur accorde un peu d'attention, elles porteront pratiquement en permanence des bouquets de fleurs bleues, roses, blanches ou violettes.

Des passages de ce livre ont été écrits par Henry Moscow. Une aide précieuse a été apportée par les personnes et différents services de Time Inc. dont les noms suivent: Norman Airey, Fabrication; Benjamin Lightman, Bibliothèque; Doris O. Neil, Service iconographique; George Karas, Laboratoire photographique; Murray J. Gart, TIME-LIFE News Service; et les correspondants Jane Beatty (Philadelphie), Edward Deverill (San Diego), Michelle Dimkich (Houston), Jane Estes (Seattle), Martha Green (San Francisco), Rosemary Lewis (Los Angeles), Ann Natanson (Rome), Jeff Nesmith (Atlanta), David Snyder (La Nouvelle-Orléans), Sue Wymelenberg (Boston).

XXXXX

TABLE DES MATIÈRES

Agréments de la culture en intérieur 1

« Ma famille vit dans une véritable jungle », déclara un jour l'une de mes filles à un ami de passage. Certes, elle exagérait, mais il est vrai que, chez moi, je partage mon bureau avec une orchidée odorante, un grenadier nain, une primevère, une fougère, plusieurs potées de Violettes du Cap roses et blanches, toujours fleuries, un énorme poinsettia blanc, en pleine floraison, et de nombreux spécimens exotiques parés de vives couleurs, aux noms latins interminables. Je dois dire également que, jusqu'à l'arrivée des peintres à la maison, de belles plantes grimpantes encadraient la grande baie du salon.

Les magnifiques plantes dont je m'entoure recréent le décor naturel auquel j'aspire. Que nous soyons de la ville ou de la campagne, nous éprouvons presque tous ce besoin, qu'il nous est d'ailleurs loisible de satisfaire, indépendamment de notre cadre de vie, et même en l'absence d'un étroit rebord de fenêtre. Mon propre jardin intérieur est composé de plantes du monde entier, qui s'épanouissent dans plusieurs pièces de mon pavillon du Massachusetts. J'ai vu une fois de superbes Violettes du Cap qui avaient poussé dans une cave ! Le fleuriste m'apprit qu'il les avait cultivées à la lumière artificielle, technique qu'exploitent d'année en année un plus grand nombre d'horticulteurs. Même les forêts de béton des villes finissent par ressembler un tant soit peu aux jardins suspendus de Babylone. Des plantes grimpantes tropicales se ramifient à hauteur de plafond dans les salons et les halls de réception des gratte-ciel. Des fleurs ornent les fenêtres des bureaux, et toutes sortes de potées égaient les tables de travail que l'on a reléguées dans les coins les plus sombres.

A cette diversité des lieux de culture des plantes en pots s'ajoute celle des espèces cultivées. On peut, chez soi, cultiver, sous une forme ou une autre, avec quelque espoir de succès, presque tous les types de plantes n'ayant pas besoin d'une période de repos en hiver. La plante d'appartement doit s'acclimater, par rapport au milieu ambiant extérieur, à une luminosité réduite en intensité et à une température plus élevée, due au chauffage des appartements à la mauvaise saison. Il faut que ses racines parviennent aussi à se développer dans un milieu insuffisamment humide et un espace relativement restreint. En contrepartie, la plante d'appartement n'a pas à résister à l'assaut des intempéries : vents, pluies diluviennes et brusques changements de températures. Les maladies et

Dans la serre de la résidence de Mark Twain, à Hartford (Connecticut), des cyclamens pourpre rosé, des jacinthes bleues, des gloxinias rouges et des bégonias roses entourent une fontaine miniature. Au premier plan, à droite, trône un hortensia rose.

les parasites représentent également un moindre danger, et on peut compter sur tout amoureux des plantes pour s'occuper de leur approvisionnement en eau et en éléments nutritifs. Si des espèces aussi variées que les fougères et les plantes grimpantes, les arbustes et les plantes miniatures poussent bien dans un intérieur, ce sont cependant les plantes à fleurs qui donnent au foyer son cachet personnel, en exprimant la beauté de la nature dans son essence. Leur nombre a d'ailleurs de quoi surprendre! Cet ouvrage traitant spécifiquement des plantes florifères vous donnera une description détaillée de plus de 150 espèces, dans la partie encyclopédique qui débute à la page 97.

LES ORIGINES

Depuis longtemps déjà, le plaisir que l'on peut tirer de la culture des plantes d'appartement séduit — et déroute — les hommes. Les Minoens, dont la civilisation s'épanouit en Crète plusieurs millénaires av. J.-C., auraient entretenu des plantes en pots. La civilisation minoenne s'éteignit aux environs de 1100 av. J.-C., mais elle laissa, entre autres vestiges, des vases admirablement décorés et munis de trous de drainage. Grecs, Indiens, Chinois, tous cultivaient des plantes en pots. Ces dernières figurent également dans les cortèges d'esclaves que l'on peut voir représentés sur des frises de l'ancienne Égypte. Les Romains de l'ère des Césars firent progresser l'art floral. Ils débitaient d'énormes blocs de mica en minces feuillets et s'en servaient pour construire les toitures translucides qui recouvraient les serres chauffées où ils faisaient pousser hors saison des lis et des roses. Sénèque, philosophe et politicien romain du Ier siècle, stoïcien et, par conséquent, quelque peu austère, s'alarmait des excès de ses concitoyens: « Ceux qui cherchent à cultiver une rose en hiver et qui, recourant à l'eau chaude et à la régulation de la température, arrachent à la mauvaise saison les premières boutons du printemps, ne vivent-ils pas contre nature? »

Certains cultivaient-ils des plantes, pendant l'âge des ténèbres au fond de leurs sombres chaumières? Nul ne le sait. Sur un tableau représentant une martyre légendaire de l'époque, sainte Ursule, deux plantes d'intérieur ornent le rebord de la fenêtre de sa chambre. Toutefois, nous pouvons émettre quelques réserves sur l'authenticité historique de cette œuvre, car son auteur, l'artiste vénitien Vittore Carpaccio, la réalisa plus de 1000 ans après la mort de la sainte. Certains palais de la Renaissance abritaient des jardins intérieurs qui rivalisaient de beauté avec les jardins romains. Mais, déjà en 1259, le philosophe et théologien saint Albert le Grand aménagea verger et jardin intérieurs, chauffés artificiellement, et y reçut un homme de très haute lignée, Guillaume de Hollande.

Peu après, des marchands vénitiens et gênois commencèrent à importer à bord de leurs vaisseaux des plantes exotiques, telles que des hibiscus de Syrie et des jasmins de Perse pour les revendre à des Européens fortunés. Les arbres fruitiers semi-tropicaux aiguisèrent la curiosité des habitants de régions trop froides pour permettre leur culture en plein air. Français, Hollandais, Allemands et Anglais, tous avides de posséder des orangers et des citronniers, se mirent à les cultiver en hiver, dans de grands bacs entreposés sous des hangars chauffés. Des serres, plus grandes et mieux aménagées, leur succédèrent et, par la suite, des plantes comme des camellias prospéraient, dans un local bien chauffé, à côté de citrus. Si les conditions favorables à la construction d'une serre n'étaient pas réunies, le particulier pouvait toujours exploiter au mieux un endroit confortable, propice à l'épanouissement de ses plantes. En 1660, dans un ouvrage intitulé *Garden of Eden,* sir Hugh Platt porta à la notoriété publique un verrier britannique du nom de Jacobs, en écrivant ces quelques lignes à son sujet: «On m'a dit que M. Jacobs de la Verrerie obtenait tout l'hiver des œillets en les plaçant dans une pièce voisine de son four de cuisson.»

LA SERRE D'APPARTEMENT

La serre d'appartement, source de fierté et de plaisir au XIXᵉ siècle, est née de ces tâtonnements. (La serre d'appartement est un endroit, généralement aménagé à l'intérieur et non à l'extérieur d'une maison, où on expose les plantes en même temps qu'on les cultive. En cela, elle diffère de la serre proprement dite). Elle connut ses heures de gloire à l'époque victorienne, où salons et baies foisonnaient de palmiers, d'héliotropes, de fougères, de lierres, de bégonias, de camellias, de fuchsias, de géraniums, d'œillets, de cinéraires, de calcéolaires et d'aspidistras, tous soigneusement disposés, semble-t-il, hors d'atteinte des enfants turbulents. Mais des serres d'appartement savamment élaborées étaient déjà en vogue au début du siècle. Bory de Saint-Vincent, qui entra dans Vienne avec l'armée napoléonienne en 1803, nous en donne la description suivante:

«Je fus au comble du ravissement lorsque je découvris que les appartements de la plupart des dames de la haute société étaient fleuris. Je me souviens, entre autres, avec une sorte de griserie, du salon de la comtesse de C., dont le divan était entouré de jasmins grimpant le long de stramoines (plantes arbustives de la famille des Solanacées). De ce rez-de-chaussée, il fallait, pour accéder à la chambre, se frayer un chemin à travers des bouquets de bruyères africaines, d'hortensias, de camellias — très peu connus à l'époque — et autres plantes arbustives rares, cultivées dans des jardinières bien entretenues, qu'agrémentaient de surcroît des violettes, des crocus de toutes couleurs, des jacinthes et des fleurs diverses, poussant à même la mousse. En face, se trouvait la salle de bain, transformée elle aussi en serre d'appartement, où des papyrus et des iris encerclaient la baignoire en marbre et les canalisations. Les couloirs doubles étaient également garnis à profusion de magnifiques plantes à fleurs. On pouvait aisément, dans cette retraite idyllique, laisser portes et fenêtres ouvertes et croire à un éternel printemps — les conduites d'eau chaude assurant et gardant à cette végétation toute sa fraîcheur grâce au maintien, dans chaque annexe, d'une température constante. Et, pourtant, toutes ces merveilles étaient entretenues à un prix modique.»

CULTURE MODERNE EN INTÉRIEUR

Jamais votre propre jardin intérieur ne pourra détrôner celui de la comtesse de C. — peu importe son nom —, mais la remarque au sujet du «prix modique» est toujours vraie. Et, à maints égards, l'amateur de jardin d'intérieur bénéficie, de nos jours, d'avantages dont ne jouissaient

Des couleurs en toute saison

On peut, pour son plus grand plaisir, s'entourer de plantes à fleurs à longueur d'année car l'alternance des périodes de floraison des différentes espèces permet de faire jouer les couleurs de janvier à décembre. L'assortiment de plantes représentée ci-contre et réparties en quatre rangées suivant l'époque de leur plus grand attrait ne donne qu'une pâle idée de la palette de couleurs dont l'amateur de plantes d'appartement pourrait profiter tout au long de l'année.

Nombre de ces plantes restent fleuries relativement longtemps: les fleurs gingembre du chrysanthème, par exemple (deuxième à partir de la gauche dans la rangée des plantes à floraison automnale), durent deux mois ou plus. D'autres, tel l'amaryllis (troisième à partir de la gauche dans la rangée des plantes à floraison printanière) n'arborent leurs couleurs chatoyantes que quelques jours.

Certaines plantes d'appartement sont aussi prisées pour leurs feuilles que pour leurs fleurs. Les gloxinias, aux feuilles évasées et veloutées (floraison estivale, deuxième à partir de la droite) sont des plantes très décoratives, tout comme les cyclamens (floraison automnale), aux feuilles marbrées et les clivias (floraison printanière, à droite), au feuillage engainant. Dans certains cas, les fruits ravivent les couleurs de la plante. Le solanum, par exemple (floraison automnale, deuxième à partir de la droite), connaît son apogée quand des baies rouges et orange vif succèdent aux petites fleurs blanches émises en été. Et, au début du printemps, le solanum, bien qu'ayant perdu ses fruits, conserve son attrait de par son port buissonnant et ses minuscules feuilles persistantes.

PRINTEMPS

BÉGONIA

CINÉRAIRE

ÉTÉ

EXACUM

PÉLARGONIUM

AUTOMNE

CYCLAMEN

CHRYSANTHÈME

HIVER

PRIMEVÈRE

ÉPIPHYLLUM

AMARYLLIS

CALCÉOLAIRE

CLIVIA

PACHYSTACHYS

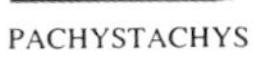

GLOXINIA

HOYA

APHÉLANDRA

SOLANUM

SAINTPAULIA

ANTHURIUM

POINSETTIA

AZALÉE

guère, au XIXᵉ siècle, les Viennoises de milieu modeste. Grâce au chauffage central, vous pouvez faire pousser des plantes à fleurs exotiques originaires de pays tropicaux. Les grandes baies vitrées des maisons actuelles laissent passer une lumière dont ne furent jamais baignées, à la campagne comme à la ville, les demeures d'antan, et à laquelle vient s'ajouter la lumière de l'éclairage artificiel. Même le gaz, dont nos cuisines sont actuellement équipées, favorise la croissance des plantes d'appartement. Jadis produit annexe du charbon, il émettait des fumées qui, visibles ou invisibles, imprégnaient la plupart des pièces et asphyxiaient les plantes. Le gaz naturel, qui a généralement supplanté le gaz de houille, ne leur est pas toxique.

Les milieux de culture des plantes d'appartement sont également de meilleure qualité. Les terreaux et les engrais se vendent sous forme de composts convenant à des plantes déterminées, tout comme un pédiatre prescrit une ordonnance à un enfant en particulier. On peut acheter les plantes elles mêmes chez les pépiniéristes, les fleuristes et dans les garden centers. Actuellement, la gamme des plantes que l'on trouve dans le commerce laisse rêveur, en partie grâce aux transports aériens qui ramènent des coins les plus reculés du monde des espèces exotiques qui ne pourraient supporter un voyage prolongé. Toutefois, avant d'acheter quoi que ce soit, dressez la liste des plantes les plus conformes à vos goûts personnels et sélectionnez celles d'entre elles susceptibles de s'acclimater au milieu ambiant que vous leur réservez.

CHOIX DES PLANTES

Sachez d'abord ce qu'est une plante d'appartement à fleurs. Ne commettez pas l'erreur simpliste de la définir comme « une plante qui fleurit dans une maison ». Hormis l'éclosion de ses fleurs, elle doit avoir une taille adaptée à sa culture en appartement ; vous ne voudriez sans doute pas être chassé de chez vous par des plantes trop luxuriantes, aussi belles soient-elles. Chaque espèce doit supporter la température relativement élevée et le manque d'humidité qui règnent dans la plupart des demeures. Enfin, correctement soignée, elle doit croître assez rapidement pour que vous en tiriez quelque satisfaction.

Néanmoins, les fleurs restent l'objectif premier, et vous devriez toujours avoir à l'esprit ce que vous attendez d'une plante avant de fixer votre choix. Premièrement, il y a celles qui fleurissent sans interruption et qui, si l'on s'en occupe convenablement, durent des années. C'est le cas des Violettes du Cap (*Saintpaulia*) que ses abondantes fleurs blanches, roses, bleues ou pourpres ont privilégiées entre toutes ; des bégonias des jardins, dont les fleurs d'un rose, blanc ou rouge lumineux, ont la grosseur d'un dé à coudre ; de la Rose de Chine, qui n'est pas une petite plante poussant sur le sol des forêts, mais un arbuste tropical — aux fleurs simples ou doubles, blanches, roses, jaunes, rouges ou orangées de plus de 10 centimètres de large — qui grimperait jusqu'au plafond si vous le laissiez pousser. Pour maintenir ma Rose de Chine à une hauteur de 90 centimètres, j'élague ses racines et ses pointes *(page 55)*: elle fleurit à longueur d'année depuis près de vingt-cinq ans.

Dans la seconde catégorie, on trouve toutes les plantes qui ne fleurissent qu'à temps partiel en appartement, mais ont un feuillage

UNE JARDINIÈRE PORTATIVE
Ce récipient en bois bon marché, monté sur roulettes, isole les plantes du sol et en facilite le déplacement suivant leurs besoins en lumière et en chaleur. La pose d'une épaisse feuille de plastique ou l'application d'une couche d'asphalte assure l'étanchéité de l'intérieur. Une couche de drainage de 5 à 8 cm, composée de graviers ou de vermiculite, stabilise les pots et surélève les plantes du fond éventuellement détrempé. Les plantes cultivées dans des grands pots sont posées directement sur le gravier; les récipients plus petits sont placés à même hauteur sur des pots vides retournés. Le sphagnum que l'on tasse tout autour pour les maintenir en équilibre, doit rester mouillé.

décoratif en dehors de leur période de floraison. Citons le « Cactus de Noël » (*Zygocactus*), dont les articles elliptiques vert foncé, semblables à des feuilles de 2,5 centimètres, se succèdent et, soudain, vers Noël, produisent des fleurs terminales de 5 centimètres. J'en possède un qui devait être âgé de vingt ans quand j'en ai hérité de ma grand-mère, il y a de cela trente ans, et qui se pare encore de plusieurs centaines de fleurs roses chaque hiver. Le reste de l'année, l'originalité de son feuillage mérite à elle seule attention.

La troisième catégorie regroupe des plantes aussi jolies que le gloxinia — proche parent de la Violette du Cap mais dont les fleurs sont plus grosses. Ces types de plantes prospèrent pendant vingt ans ou plus, mais ne fleurissent que quelques mois, et doivent être entreposés dans un local sec pendant leur période de repos.

Enfin, il existe des plantes d'appartement extrêmement belles dont la floraison est de courte durée, mais dont la présence égaie bien des foyers. Cultivées en serre par des professionnels et achetées en pleine floraison par des jardiniers amateurs, elles sont éphémères. Une potée de tulipes frisées, qui fleurissent au milieu de l'hiver, peut aussitôt amener le printemps dans la maison pendant une ou plusieurs semaines, en fonction de la température ambiante; toutefois, la température idéale pour cette plante serait beaucoup trop basse pour que vous puissiez la supporter. En général, ces plantes finissent par se faner et terminent dans une poubelle, parce qu'elles ne sont pas réellement faites pour vivre en appartement; le jardinier averti devra vérifier au préalable s'il peut cependant les replanter en pleine terre.

Les exigences des plantes d'appartement à fleurs les mieux connues figurent dans la partie encyclopédique, au Chapitre 6. Pour chacune, ces exigences ne découlent pas nécessairement de leur classification botanique — la Violette du Cap, qui fleurit constamment, s'apparente au gloxinia à floraison périodique et nullement au Bégonia des jardins à floraison saisonnière. Nombre de plantes d'appartement de ce royaume floral n'appartiennent qu'à trois familles parmi les 300 répertoriées : les Orchidées, les Gesnériacées et les Broméliacées. Ces espèces représentent plus du quart des plantes mentionnées dans la section encyclopédique du présent volume.

Les Orchidées, dont les milliers de variétés poussent sous des climats aussi divers que ceux de l'Alaska et du Brésil, se distinguent toutes des autres plantes par leur mode de reproduction extrêmement élaboré : pistil et étamine sont réunis dans une colonne unique. Certaines, cultivées en appartement, sont terrestres ; et, comme presque toutes les plantes, elles ont besoin d'un terreau pour pousser. La plupart d'entre elles, toutefois, sont soit épiphytes, soit aériennes ; dans la nature, elles poussent principalement sur les arbres. Ce ne sont pas des parasites ; elles se contentent d'élire domicile sur les arbres, puisant dans l'air, l'eau de pluie et les débris de feuilles décomposées, emprisonnées dans les ramifications des branchages, leurs substances nutritives. En général, les orchidées d'appartement s'épanouissent dans l'atmosphère chaude de nos intérieurs et, bien que nous devions veiller à maintenir le degré hygrométrique requis, les espèces sélectionnées dans l'encyclopédie poussent aussi bien que la plupart des autres plantes d'appartement.

Les Gesnériacées comptent parmi leurs 120 genres des plantes à fleurs telles que les Violettes du Cap, les gloxinias et les achimènes, presque toutes d'origine tropicale ou subtropicale, et dont la parenté repose sur la structure similaire de leurs fleurs. Les Broméliacées, dont on dénombre 60 genres et peut-être 1 400 espèces, regroupent des plantes aussi différentes apparemment que l'ananas (*Ananas*) et la « mousse espagnole » (*Tillandsia usneoides*). Nombre d'entre elles sont pourvues de feuilles rigides disposées en rosettes, et portent des inflorescences brillantes en épis. Certaines sont épiphytes ; comme beaucoup d'Orchidées, ce sont des plantes aériennes.

Les liens biologiques qui unissent tant de plantes ont incité les amateurs de floriculture à se spécialiser. D'aucuns pratiquent exclusivement la culture des Orchidées ; d'autres celle des Broméliacées et des Gesnériacées (certaines sociétés se vouent également à leur culture.) L'appartenance des plantes d'appartement aux familles des Orchidées, des Broméliacées ou des Gesnériacées figure dans l'encyclopédie (où les plantes sont énumérées par genre.)

DES MICROCLIMATS CHEZ VOUS

Dès que vous aurez sélectionné le type de plantes que vous aimeriez cultiver, tenez surtout compte des conditions auxquelles vous les soumettrez. Les besoins de lumière, de chaleur et d'humidité des plantes d'appartement varient considérablement selon leur provenance géographique. Si les plantes ont une grande faculté d'acclimatation, bien des novices ignorent, par contre, qu'il existe dans leurs propres maisons toute une gamme de microclimats. Même dans une maison équipée d'un chauffage central, la température change nettement d'une pièce à l'autre. Un rebord de fenêtre exposé au nord est habituellement beaucoup plus froid qu'un rebord exposé au sud. Une fenêtre orientée plein sud reçoit généralement plus de lumière qu'une fenêtre orientée au nord. Cuisines et salles de bain sont souvent plus humides que les autres pièces.

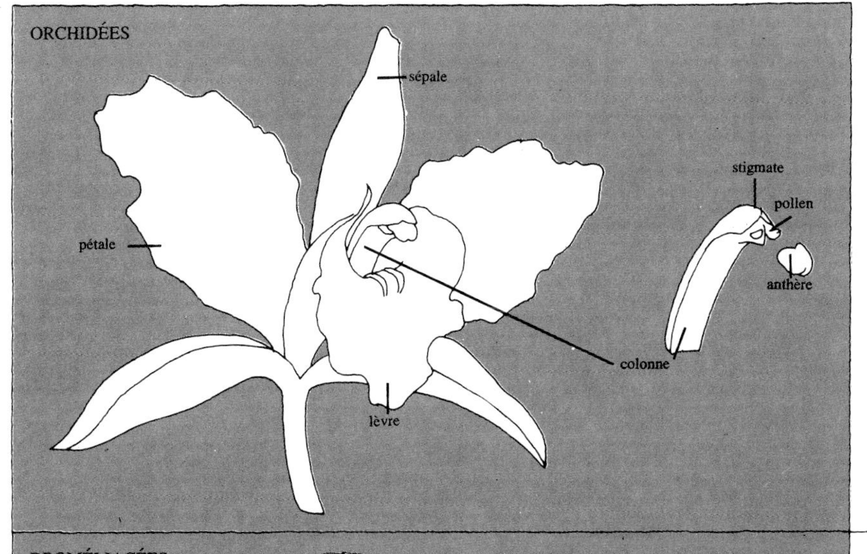

TROIS FAMILLES DE FLEURS

Malgré leur surprenante diversité d'aspect, de grosseur et de coloris, les fleurs des Orchidées ont toutes la même structure de base : trois sépales, ou folioles du calice, et trois pétales. L'un des pétales, dit lèvre, adopte des formes diverses ; souvent, il s'enroule autour d'une colonne charnue résultant de la fusion des organes mâle et femelle, caractéristique propre aux Orchidées. Des insectes, attirés par le nectar de l'orchidée, entrent aisément en contact avec les anthères de la colonne (cartouche), déposent sur le stigmate découvert le pollen qu'ils ont butiné sur une autre orchidée, et fécondent la fleur.

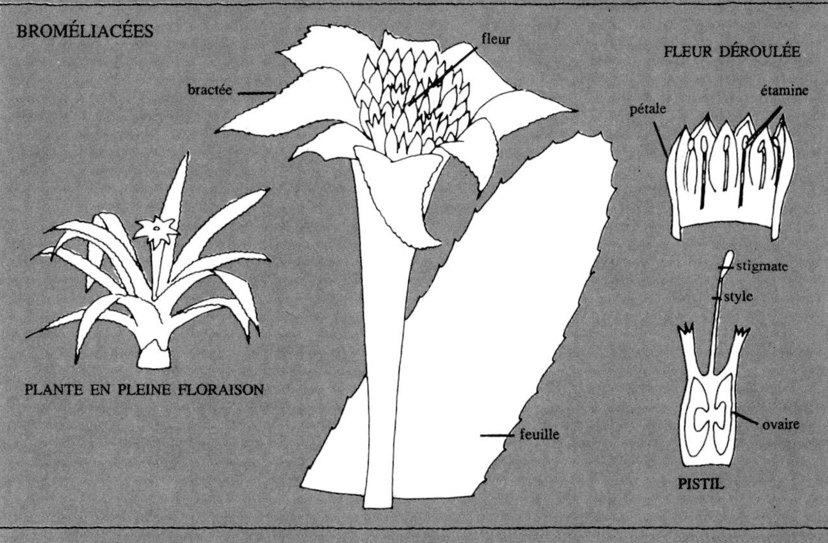

Les fleurs minuscules de la famille des Broméliacées jaillissent par grappes ; certaines se déploient le long d'un épi central érigé, d'autres, en ombelles compactes, telle celle que l'on voit à gauche sur le schéma et représentée grossie au centre. En général, les fleurs sont insignifiantes, si on les compare aux feuilles gaufrées ou bractées, fixées différemment, suivant l'espèce, à la hampe florale. Seules quelques fleurs s'épanouissent en même temps, les pétales s'ouvrant pour mettre à nu des étamines mâles (cartouche en haut, à droite) et des pistils femelles (cartouche du bas). Le pollen déposé sur les pistils descend vers l'ovaire, féconde les ovules et engendre les graines.

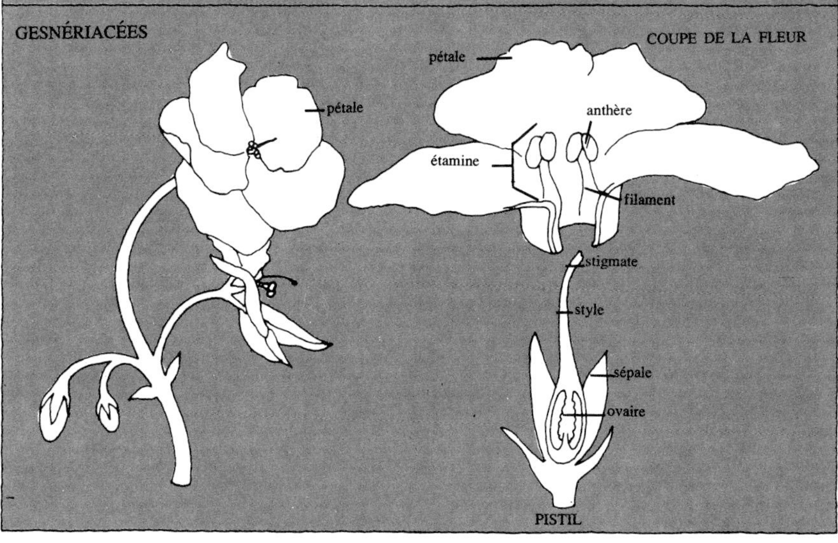

Les fleurs des Violettes du Cap possèdent cinq pétales réunis par leur base et formant une corolle tubulaire. Chaque fleur n'est dotée que de deux ou quatre étamines surmontées d'anthères volumineuses (cartouche du haut). Le pistil jaillit nettement au-dessus des anthères — configuration plus favorable à la pollinisation croisée qu'à l'auto-pollinisation : le stigmate coiffant le pistil (cartouche du bas) peut mieux retenir le pollen déjà déposé par une abeille que le pollen butiné par l'abeille sur cette fleur en se glissant jusqu'aux anthères inférieures.

Un thermomètre à maxima et minima et un hygromètre (*Chapitre 2*) vous seront presque indispensables pour déterminer l'endroit où vos plantes auront le plus de chance de s'épanouir. Le premier indique les températures extrêmes, facteurs jouant un rôle primordial dans la croissance de vos plantes d'appartement; le second mesure le degré d'hygrométrie relative. Ces deux instruments vous permettront de localiser les différents microclimats de votre demeure et vous serviront de référence pour cultiver une variété de plante donnée.

ACHAT DES PLANTES

Confronté à un choix aussi vaste, peut-être aurez-vous du mal à trancher. Un souci d'objectivité doit guider vos achats de spécimens précis. Suivez donc cette règle d'or: achetez-les chez un vendeur sérieux et n'hésitez pas à y mettre le prix. Je me méfie des bonnes occasions et vous devriez en faire autant, car l'horticulture, je dois malheureusement le reconnaître, a son lot de revendeurs qui abondent en promesses, hélas sans lendemain. Même si vous accordez tout crédit à votre pépiniériste ou votre fleuriste, examinez attentivement vos plantes avant de les acheter. Choisissez les sujets vigoureux, trapus et étoffés — plutôt qu'élancés et poussant en hauteur —, au feuillage fourni, coiffant amplement le bord du pot (*schémas ci-dessous*); ces critères sont la preuve d'une grande vigueur et prometteurs d'une riche floraison. Les plantes dont les premiers boutons commencent à s'ouvrir présentent plus d'intérêt que celles dont la floraison est en cours, car vous pourrez en apprécier la beauté dès le début. Et, bien entendu, écartez toute plante présentant les symptômes de maladies parasitaires. Regardez si les revers de feuilles ne

VÉRIFICATIONS PRÉLIMINAIRES A L'ACHAT D'UNE PLANTE D'APPARTEMENT

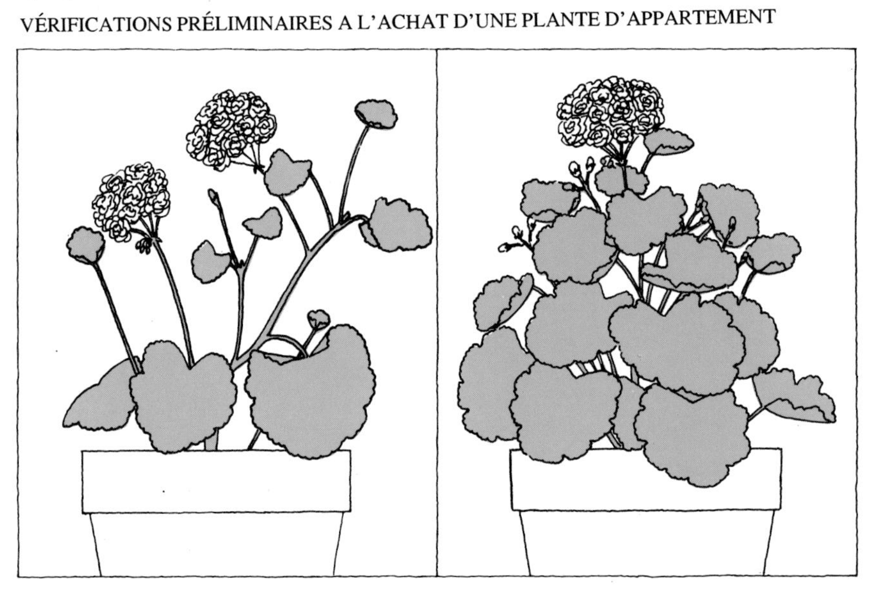

Cet achat est critiquable: la plante n'a que trois hampes florales, dont deux en fin de floraison et la troisième risquant seule de fleurir à l'avenir; le rameau principal de la plante pousse en hauteur et loin du centre; le feuillage est dégarni.

Cette plante, presque parfaite, se déploie en un panache touffu et équilibré de feuilles, portées sur une tige centrale droite et robuste. Seul un rameau est en fleur, mais de nombreux boutons annoncent une longue floraison future.

sont pas ponctués de taches minuscules, plus claires que le reste de la feuille : si vous en découvrez quelques-unes, sachez que des insectes se sont repus de la sève de la plante, à son détriment. Observez de près les surfaces des feuilles situées à proximité de la pointe des jeunes pousses pour déceler la présence éventuelle d'insectes très petits, verts, jaunes, roses, noirs ou marron, appelés pucerons. Vérifiez si elles ne sont pas envahies d'araignées rouges ; si ces araignées ne sont pas visibles à l'œil nu, leurs ravages, par contre, le sont : une moucheture blanchâtre des feuilles trahit leur présence. Étudiez les aisselles des feuilles — points de jonction des feuilles et des tiges — pour repérer une substance blanche et cotonneuse, qui n'est autre qu'une colonie de cochenilles.

Une fois rassuré sur la bonne santé des plantes que vous avez choisies, veillez à les empaqueter soigneusement par temps froid. De nombreuses plantes d'appartement ne supportent pas une chute trop brusque de température et, même si vous êtes garé à deux pas seulement de la serre, sachez protéger vos achats des atteintes du gel.

A peine aurez-vous assisté à la croissance de quelques plantes saines que vous aurez envie, j'imagine, d'en avoir d'autres. Par bonheur, les plantes se multiplient facilement (*Chapitre 5*), et vous découvrirez que d'autres jardiniers amateurs seront ravis de vous faire partager leurs propres expériences et d'échanger des boutures. J'ai moi-même été témoin d'un tel élan de générosité dans un immeuble qu'agrémentent plusieurs douzaines de pots de balsamines (*Impatiens*) de toute beauté — plante ravissante dont les tiges se ramifient dans toutes les directions, aux feuilles vert vif et aux bouquets de fleurs roses. Tous les spécimens de l'immeuble sont des enfants ou des petits-enfants d'une seule et même plante, dont l'histoire rappelle celle de Cendrillon. Deux de mes amis avaient découvert la plante mère sur un tas d'immondices et l'avaient ensuite offerte à une relation. La plante, dépotée, était dans un piteux état. Ses tiges étaient racornies, ses racines desséchées, recouvertes de quelques débris de terre. Le bénéficiaire de la plante releva le défi. Il rempota l'orpheline dans un bon terreau, la garnit de bois mort, l'arrosa parcimonieusement pendant sa convalescence, et la posa sur une fenêtre fraîche et ombragée. Bientôt, la plante recouvra ses forces et se développa avec vigueur. Ceux que l'on avait sollicités pour accepter les boutures devinrent des adeptes de la culture des plantes d'appartement. En un temps record, ils cultivaient également d'autres espèces, militants passionnés de la « révolution verte » en intérieur et dignes successeurs des Minoens, des Grecs, des Romains, et de la comtesse de C.

EMBALLAGE D'UNE PLANTE

S'il vous arrive de transporter à l'air libre une plante d'appartement en plein hiver, enrobez-la de trois ou quatre épaisseurs de journaux pour la protéger du gel. Couchez le pot sur le flanc dans l'un des angles des feuilles dépliées et faites-le rouler en biais de manière à l'immobiliser dans un cône. Repliez ensuite cet emballage sous le fond du pot, attachez le côté par un ruban adhésif et rabattez le haut (cartouche). Cette protection s'impose par temps froid, aussi court soit le trajet à parcourir de la boutique du fleuriste à votre voiture. Sinon, le changement brusque de température risque d'endommager la plante, de lui faire perdre ses feuilles, voire de la faire mourir.

Des plantes d'appartement ornementales

Que vous décoriez toutes vos pièces de plantes florifères ou limitiez votre jardin intérieur à quelques fenêtres fleuries, sachez choisir vos plantes et les agencer à bon escient pour en tirer quelque satisfaction. Si des plantes à feuillage décoratif comme des philodendrons ou des caoutchoucs s'accommodent d'un angle obscur, la plupart des plantes à fleurs ont besoin de lumière naturelle pour croître et pleinement s'épanouir. Placez-les donc de préférence près d'une fenêtre — d'autant que les fenêtres fleuries demeurent la clef de voûte de la décoration intérieure. Vous pouvez ainsi obtenir un effet des plus réussis en suspendant isolément dans une potiche, devant la fenêtre, une plante à port retombant comme un Géranium à feuilles de lierre. Un rebord de fenêtre assez large peut servir de support à tout un assortiment de plantes de petites et de moyennes dimensions, comme des primevères et des Violettes du Cap. Des fleurs groupées devant des portes vitrées ou de grandes baies peuvent également faire l'effet spectaculaire d'une serre, et transformer votre appartement en jardin *(pages 26-27)*.

Des plantes d'appartement peuvent modifier l'aspect de maisons exiguës ou mal éclairées, tel le cottage du XVIe siècle représenté ci-contre. Là, un amateur de plantes d'appartement a réuni des potées de cinéraires de diverses couleurs, devant une porte vitrée et aligné des pots de cyclamens sur le rebord d'une fenêtre, transformant par là même en jardin une pièce au plafond bas. La lumière filtrée par la vitre ravive les teintes rouges, roses et pourpres des fleurs et inonde de couleurs cette partie de la pièce. Dans l'angle, de gros récipients en céramique, remplis de bégonias et d'azalées, ont été posés sur deux tables basses.

Les plantes à fleurs peuvent servir à harmoniser des gammes de couleurs, alléger des contours ou rehausser l'intérêt d'endroits dépourvus d'attrait. Telle ou telle plante met en valeur un intérieur donné. Les Broméliacées, par exemple, plantes élégantes aux feuilles allongées, semblent se prêter par excellence aux vastes pièces des appartements modernes, aux angles nets et aux lignes dépouillées. Par contre, des hortensias et des marguerites, petites plantes à port buissonnant, agrémentent au mieux des renfoncements et s'harmonisent avec le style ancien des tissus de chintz et un mobilier classique. En exploitant les différentes périodes de floraison, vous pourrez accroître l'attrait d'une pièce à longueur d'année, ajouter à votre intérieur une note estivale ou une intimité qui triomphera des journées hivernales les plus sinistres.

Des rangées de cyclamens roses, de cinéraires rouges et roses et d'azalées rouges ravivent l'angle de ce salon.

Emplacements peu éclairés

Tout amateur de plantes devrait savoir orner chaque angle de pièce de plantes à fleurs — même en l'absence de lumière. De nombreuses plantes fleurissent, en effet, près d'une fenêtre bien éclairée ou en plein air par temps doux et prospèrent en intérieur où elles continuent de fleurir pendant des jours, voire des semaines avant de requérir à nouveau du soleil. Toutes sortes de plantes profitent, par ailleurs, d'un léger ombrage, car la pénombre, elle aussi, a ses bienfaits : le vriéséa que l'on voit isolé, par exemple, en haut à droite, semble parfaitement se plaire au milieu de cette grande pièce d'appartement.

La forme anguleuse de ce vriéséa ressort dans cette salle à manger moderne dont les couleurs se trouvent parfaitement assorties au vert-gris foncé des feuilles et à l'orangé des boutons floraux de la plante.

Des chrysanthèmes orange et jaunes, des azalées rouges et des cyclamens blancs transforment de manière insolite l'âtre de cette cheminée désaffectée en un magnifique jardin éclatant de couleurs.

Le rouge flamboyant des bractées d'un poinsettia, contrastant avec les feuilles panachées blanc et vert d'un lierre et de diéffenbachias, redonnent de l'éclat à cet angle d'entrée étroite et sombre.

Mise en valeur des angles

Des potées de fleurs placées dans des angles perdus peuvent être du plus bel effet. Le hall d'entrée visible ci-dessous a retrouvé toute sa gaieté grâce aux panaches de marguerites dont la floraison durera du début du printemps à la fin de l'été; l'hiver venu, un poinsettia pourra les remplacer. Le jardin intérieur représenté à droite a été conçu autour d'un escalier en colimaçon aménagé dans un refoncement ensoleillé. Des guzmanias épineux, intégrés à un ensemble de plantes à feuillage, prospèrent dans cet endroit inattendu mais salubre.

Un kentia (à gauche) et des marguerites blanches garnissent cette entrée. Dehors, des primevères s'épanouissent dans une jardinière.

Des guzmanias orange et rouges, jaillis de bouquets de feuilles bariolées, émaillent de leurs couleurs vives cet escalier intérieur.

Panachage et harmonie d'un intérieur

Tout l'art du jardinage intérieur repose sur l'harmonisation des couleurs, des tailles et des formes des plantes à l'ensemble du décor environnant. Les cyclamens, les Violettes du Cap et la jacinthe bleue qui ornent le salon du cottage que l'on voit ci-dessous accentuent le classicisme de la pièce et mettent en relief les coloris bleus et roses du mobilier. A droite, l'éclat rosé d'un aechméa isolé *(premier plan)* sert de point focal à ce salon spacieux, tandis que des érables hauts et élancés se profilent le long des grandes baies vitrées et des murs blancs.

Dans un angle de ce cottage du Hertfordshire, des Violettes du Cap soulignent le rebord d'une petite fenêtre, tandis qu'un cyclamen miniature agrémente le centre d'une table de style en marqueterie.

Un aechméa rose vif ranime les tons neutres de cet appartement moderne bien éclairé. Un panier de gloxinias écarlates trône au milieu d'une table de salle à manger, située à l'arrière-plan.

Un assortiment de plantes à fleurs de toute beauté — jacinthes, Violettes du Cap, cyclamens, bégonias et azalées — transforme ce salon

ensoleillé en jardin magnifique. Par une triste journée d'hiver, leurs fleurs roses et blanches procurent une note de gaieté bienvenue.

2 Éclairage et arrosage

Comme les hommes, les plantes ont besoin d'un milieu ambiant approprié. Sinon, elles risquent de périr. N'avait-on pas pourtant entreposé les Violettes du Cap, citées dans le précédent chapitre, dans une cave américaine? Ne les avait-on pas éloignées de leur pays d'origine, les montagnes d'Afrique orientale où, en 1892, le baron Adalbert Emil Walter Radcliffe Le Tonneux von Saint Paul-Illaire les découvrit et leur légua le nom de *Saintpaulia*? Les géraniums les plus prisés, aux feuilles lobées et aux ombelles de fleurs corail ou roses sont originaires d'Afrique du Sud. Les bégonias et leurs quelque mille espèces répertoriées prolifèrent à l'état naturel dans de nombreuses régions tropicales et subtropicales. On les retrouve, dans la partie occidentale du globe, du nord du Brésil aux Caraïbes et au Mexique. Néanmoins, les bégonias, les géraniums et les Violettes du Cap peuvent s'épanouir à mille lieux de leur habitat naturel si on les place dans un milieu propice à leur croissance.

Or, pour prospérer, les plantes exigent la chaleur, l'éclairage, l'arrosage et l'humidité auxquels elles s'étaient habituées dans leur pays d'origine. Certes, les plantes s'adaptent, mais elles s'épanouissent d'autant mieux que l'environnement recréé autour d'elles répond à leurs besoins spécifiques. Originaires d'endroits aussi variés que les déserts et les jungles, elles ont des exigences très différentes. Mais toutes ont un même besoin: la lumière. Sans elle, les plantes meurent d'inanition, malgré la richesse de leur nutrition. En fait, une plante enrichie d'engrais mais plongée dans l'ombre mourra — d'indigestion — plus vite qu'une autre sevrée d'engrais et privée de lumière.

La cause de ce besoin de lumière est à la fois simple et merveilleuse. Toutes les plantes — celles qui sont dotées d'un feuillage entièrement vert, pigmenté de chlorophylle, et non les excroissances fongueuses comme les champignons — doivent leur survie à la photosynthèse. Il en est ainsi pour nombre de plantes qui ne *paraissent* pas vertes, et pour celles que pare un feuillage rouge ou cuivré où le vert, bien que présent, se trouve estompé par les couleurs dominantes. La photosynthèse — dont le nom vient des mots grecs signifiant *lumière* et *action de mettre ensemble* — est un phénomène qui justifie son étymologie. La lumière qui vient frapper une feuille verte active la circulation de la cholorophylle

Cet étalage de fleuriste qu'agrémentent les sept plantes d'appartement les mieux vendues resplendit par sa composition florale bariolée. On y reconnaît, schématisés à droite, des poinsettias (1), des chrysanthèmes (2), un « Lis de Pâques » (3), un géranium (4), un bégonia (5), des azalées (6) et des Violettes du Cap (7). En haut à gauche et en arrière-plan se déploient des rameaux de pêcher en fleur.

qui y est contenue. Cette chlorophylle assure la croissance de la plante en combinant l'eau et le gaz carbonique nécessaires à l'élaboration des sucres et des amidons, source d'énergie indispensable au métabolisme de la plante. Après avoir assimilé l'eau et le gaz carbonique, les plantes libèrent de l'oxygène, composé essentiel à la survie des humains. (On dit que les plantes prospèrent au contact des hommes. Le fait est indéniable, mais les plantes, je le crains, apprécient moins leur présence que le gaz carbonique qu'ils exhalent.) Au fur et à mesure de l'affaiblissement de l'intensité lumineuse, ce phénomène de synthèse cesse peu à peu de jouer, et la plante doit puiser son énergie dans les réserves de sucres et d'amidons emmagasinées. En l'absence de lumière, la plante meurt par épuisement de ses réserves. Bien que toutes les plantes d'appartement à fleurs aient besoin de lumière pour survivre, chaque espèce se distingue par des exigences d'intensité lumineuse et de durée d'ensoleillement qui lui sont propres. Certaines, les géraniums et les chrysanthèmes par exemple, requièrent du soleil et une lumière intense. Les camellias, eux aussi, affectionnent les endroits bien éclairés, mais redoutent l'insolation; ils prospèrent mieux s'ils sont placés à quelque distance d'une fenêtre éclairée. D'autres préfèrent un éclairement plus pondéré: les cyclamens, les primevères et les Violettes du Cap supportent le faible ensoleillement des hivers nordiques de novembre à février, mais se plaisent dans un endroit mi-ombragé le reste de l'année. Les Violettes du Cap — comme les Bégonias des jardins et les balsamines — témoignent de la faculté d'adaptation des plantes: leurs fleurs restent aussi belles sur une fenêtre exposée plein nord, où jamais elles ne voient le soleil.

Bien entendu, l'intensité lumineuse varie — les photographes munis d'une cellule photo-électrique, le savent bien — suivant la latitude, la saison, les conditions atmosphériques et l'heure. Ces variations et la sensibilité spécifique des plantes à la lumière rendent d'autant plus complexe, et fascinante, la culture des plantes en appartement.

CHOIX DE L'EMPLACEMENT

Pour pallier cette complexité, il vous faut connaître — et non deviner — les exigences de chaque plante, mentionnées en détail dans l'encyclopédie *(Chapitre 6)*. Si le climat et le temps sont des variables dont il vous faut tenir compte, peut-être ne saurez-vous pas toujours placer vos plantes dans les conditions optimales, telles que cinq heures au moins d'ensoleillement en hiver pour les gardénias, les crossandras, les lantanas, pour obtenir une floraison abondante. Pour frôler cet idéal, mettez ces plantes sur une fenêtre orientée au sud et excellemment éclairée. Mieux encore, installez-les dans une pièce aux murs blancs — couleur qui réfléchit la lumière. Choisissez surtout la fenêtre la plus claire — une fenêtre apparemment moins bien éclairée mais dégagée demeure préférable à celle dont un arbre ou une avancée de toit obstrue la visibilité. Une cellule photo-électrique vous permettra de savoir près de quelles fenêtres vos plantes seront le mieux éclairées.

Mais supposons que vous n'ayez que des fenêtres claires et, comme plantes, des Sabots de Vénus *(paphiopedilum)* et des Violettes du Cap, dont les besoins en ensoleillement sont restreints. Il vous faudra dans ce

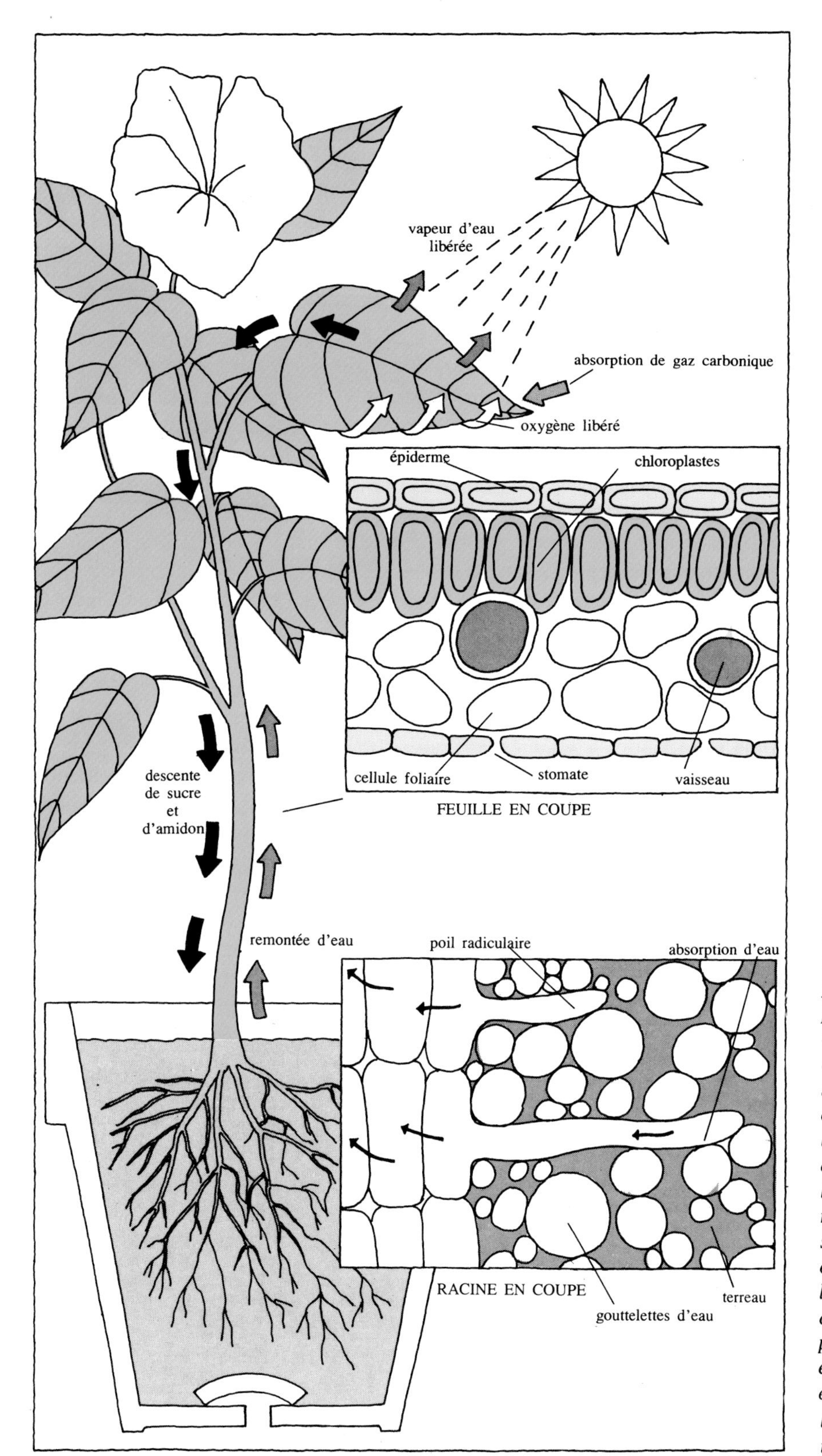

L'AIR, L'EAU ET LA LUMIÈRE, SOURCES DE NOURRITURE

La photosynthèse, en vertu de laquelle les végétaux transforment la lumière en éléments nutritifs, est cruciale pour les plantes d'appartement, qui captent rarement autant d'énergie lumineuse que les plantes d'extérieur. Ce processus s'amorce dès que de minuscules poils radiculaires absorbent l'humidité retenue dans le terreau et l'acheminent vers les cellules des racines, comme indiqué dans l'encadré d'en bas, où l'on voit, grossie, une coupe longitudinale de racine type. De ces racines, l'eau circule à travers un lacis de canaux infiniment petits et remonte jusqu'à la tige et les feuilles. Dans le même temps, les revers des feuilles absorbent, par leurs stomates, du gaz carbonique présent dans l'air, comme le montre l'encadré d'en haut, où figure, grossie, une coupe transversale de feuille. La lumière qui frappe la feuille stimule la chlorophylle, pigment végétal vert, qui lui est sensible et qui se trouve emmagasinée dans des cellules portant le nom de chloroplastes, sous-jacentes à l'épiderme transparent de la feuille. La chlorophylle fait éclater les molécules d'eau en hydrogène et en oxygène. Le gaz carbonique et l'hydrogène, par le jeu de diverses réactions, contribuent à la formation de sucre et d'amidon. Par la suite, ces éléments nutritifs circulent à travers tout le système vasculaire de la plante. Les cellules des feuilles et du reste de la plante convertissent cette nourriture en énergie et en nouvelle sève. Les feuilles, enfin, libèrent dans l'atmosphère l'oxygène et l'excédent de vapeur d'eau inutilisés par la plante.

SERRE DE DICKENS

Charles Dickens, dont les romans reflètent l'amour des fleurs et des jardins, avait toujours sur son bureau, lorsqu'il écrivait, un vase de fleurs coupées. En 1869, un an avant sa mort, il concrétisa une ambition nourrie de longue date : posséder sa propre serre d'appartement pour y cultiver des plantes. Construite dans une annexe de sa maison de campagne du Kent où il s'était retiré — en partie, grâce aux bénéfices tirés de conférences sur son œuvre, lors d'un voyage aux U.S.A. —, cette structure en verre et en fer « majestueuse mais onéreuse », au dire de l'écrivain, donnait à la fois sur le bureau et le salon. Dickens aimait s'y attarder après dîner, et y contempler ses lobélies bleues et ses géraniums écarlates, qu'il exposait parfois la nuit sous les feux de lanternes chinoises suspendues à la toiture vitrée.

cas les éloigner suffisamment de la fenêtre pour les protéger des rayons du soleil ou voiler la fenêtre d'un rideau. Placez-les si possible dans la pièce la plus sombre, car des murs foncés réfléchissent moins la lumière. Quoi qu'il en soit, les conditions de luminosité diffèrent tellement dans chaque appartement que, tout compte fait, je ne saurais trop vous conseiller de faire au mieux pour chaque plante et, ensuite, de vous fier à votre expérience. Ne bougez pas une plante d'un emplacement qui semble lui convenir; s'il vous paraît néfaste à son épanouissement, essayez de trouver un autre endroit, sans négliger les besoins de la plante. Vous pouvez juger de la vigueur ou du dépérissement d'une plante en regardant d'assez loin et à contre-jour les jeunes feuilles et en comparant leur écartement à celui des feuilles des rameaux plus anciens de la plante cultivée en serre avant que vous ne l'achetiez. Si leur écartement s'est accru, c'est que la plante, si je puis dire, « s'étire » — bien que ce ne soit pas le terme scientifique exact — pour trouver plus de lumière. Surveillez de la même manière les plantes dont vous avez vous-même entrepris la culture : des tiges trop ramifiées et des feuilles clairsemées sont le signe d'un manque de lumière. Rapprochez la plante de la vitre (mais, en hiver, ne la laissez pas au contact du carreau, car elle risquerait de geler la nuit), ou placez-la dans un endroit plus ensoleillé. Si la lumière est trop intense, la chute des feuilles saura vous alarmer. Déplacez alors votre plante en un lieu plus ombragé ou tirez le rideau pendant une partie de la journée.

Malgré toutes ces variables et les risques de généralisation que comporte la culture des plantes d'appartement, il est une règle qui jamais ne faillit : une plante bien éclairée dont les feuilles ne subissent aucun dommage et dont le repos nocturne dans l'obscurité — aussi vital pour les plantes que pour les hommes — n'est pas perturbé, produira, selon toute vraisemblance, quantité de fleurs qui récompenseront vos efforts.

ÉCLAIRAGE ARTIFICIEL

Jusqu'alors, nous avons parlé de lumière naturelle dont l'intensité est rarement optimale, en hiver, dans les pays nordiques européens. Or, l'éclairage artificiel peut y remédier : il régénère les plantes et stimule tellement leur floraison que les amateurs de culture en appartement y recourent avec un succès grandissant. J'en découvris moi-même les bienfaits au cours de la Seconde Guerre mondiale. Servant, fin 1941, dans la flotte du Pacifique, je pris par trop conscience — pour la première fois — d'un besoin profond de contact avec le monde des fleurs, des forêts, avec la terre elle-même. Une envie me tenaillait : posséder une plante verte, vivante, capable d'atténuer la grisaille de la vie à bord et des brumes marines. Mais, contrairement au capitaine, je n'avais pas de cabine ensoleillée; j'étais confiné, comme tous mes compagnons de fortune, sous la ligne de flottaison.

Par contre, une lampe électrique éclairait mon bureau, dans la soute aux vivres, qui me servait à la fois de lieu de travail et de repos. A l'occasion de ma dernière permission à terre, à Pearl Harbor, avant que notre bâtiment ne regagnât le large pour un long périple, le Dr. Harold St. John, chef du département de Botanique à l'université d'Hawaii, m'avait offert un « ti log », un fragment de rameau de *Cordyline terminalis,* plante arborescente feuillue. L'ayant mise dans un plat creux rempli d'eau, sous l'unique ampoule en ma possession, j'obtins en quelques semaines une plante magnifique, robuste, aux feuilles lancéolées, longues et gracieuses. Jamais aucun officier ganté de blanc, à l'inspection du samedi matin, n'intima l'ordre de la confisquer sous prétexte d'un manquement aux règlements de la Marine de guerre. Aussi était-elle encore resplendissante quand je me présentai à l'école des élèves officiers, environ 18 mois plus tard. Je laissai alors ma plante pour égayer la vie recluse de mon successeur dans la soute aux vivres.

L'ampoule que j'avais à bord, un ancien modèle à incandescence, n'était pas assez forte pour faire fleurir ma plante sans lumière naturelle ; mais, depuis cette époque, on a considérablement amélioré l'éclairage artificiel diffusé sur les plantes. On trouve désormais des lampes fluorescentes qui, élargissant certaines parties du spectre, forcent la croissance des plantes et propagent une lumière dont les rayons sont nettement plus bénéfiques que la lueur jaune de ma retraite. Ces lampes, dont les rayons rouges et bleus activent la photosynthèse, favorisent le développement du feuillage et accroissent la production de fleurs. L'action combinée de tubes fluorescents et de lampes à incandescence normales, où dominent respectivement les rayons rouges et les rayons bleus, permet d'aboutir à des résultats similaires.

L'éclairage artificiel peut également servir d'appoint pour les plantes mal exposées. Chez l'un de mes amis, un large rebord de fenêtre exposé à l'est, et assombri de surcroît par un toit en saillie, est orné à

CULTURE SOUS ÉCLAIRAGE ARTIFICIEL

Les Violettes du Cap, les gloxinias et d'autres plantes à croissance lente fleurissent dans une cave obscure mais éclairée par des lampes fluorescentes. L'installation classique représentée ci-dessus, composée de deux tubes de 120 cm encastrés dans un réflecteur, est idéale pour deux rangées de pots. Les cordons, coulissés sur des poulies fixées au plafond et retenus contre le mur par des taquets, permettent de hisser le dispositif, suivant la hauteur des plantes.

DES PLANTES D'APPARTEMENT
AUX FRUITS COMESTIBLES

Certaines plantes d'appartement se cultivent aussi bien pour leurs fruits comestibles que pour leurs fleurs. Plusieurs variétés de Capsicum *portent ainsi des piments aux vives couleurs ; les prunes des carissas se consomment sur l'arbre même et une espèce de kumquat,* Fortunella margarita, *peut donner lieu à une délicieuse confiture. Mais peut-être le plus spectaculaire des arbres fruitiers d'appartement est-il le citronnier* (Citrus limon *« Meyeri », page 109). Outre ses fleurs odorantes, il porte des citrons moins amers que les autres. Une ménagère de Boston qui, depuis des années, voit pousser près de la fenêtre de son salon un citronnier, mijote des tartes au citron dès maturation des fruits.*

profusion de plantes qui ne reçoivent pas la lumière naturelle dont elles auraient besoin. Et pourtant, ses plantes s'accommodent de cet emplacement car une vieille lampe au kérosène, adaptée à l'électricité, y brille chaque nuit, du crépuscule à neuf ou dix heures du matin. La puissance de l'ampoule de cette lampe à incandescence est de 100 W ; le rebord de fenêtre et les murs adjacents sont peints en blanc. Mon ami obtiendrait d'ailleurs des plantes encore plus florifères s'il branchait cette installation avant de déjeûner, car un éclairage d'appoint est d'autant plus efficace que, ajouté à la lumière solaire, il pourvoit à un total de 12 à 16 heures d'éclairage par jour, suivant les besoins de la plante.

Je connais un revendeur d'œillets qui fait recette pour s'être inspiré de cette règle avec profit. En équipant ses serres de tubes fluorescents pour assurer aux plantes 15 heures de lumière par jour, il a triplé sa production de fleurs. En Alaska, un directeur de magasin à grande surface réduit ses frais d'importation de tomates en cultivant sa propre production dans une serre dotée de tubes fluorescents qui, l'hiver venu, rallongent la durée des journées sous ces latitudes arctiques.

L'éclairage artificiel peut aussi se substituer à la lumière solaire et nombre d'horticulteurs, par souci d'efficacité et de rentabilité, préfèrent cette solution. En les plaçant 14 à 16 heures par jour sous éclairage artificiel, ils cultivent, dans des remises ou des caves, des plantes comme les Violettes du Cap, les gloxinias et les Bégonias des jardins.

CHÂSSIS ÉCLAIRÉS

Quand ils se risquent à exploiter l'éclairage artificiel, les novices préfèrent pour la plupart acheter des châssis conçus à cet effet, munis de tous les accessoires, lampes y compris, mais les plantes exceptées. Uniquement disponibles dans des magasins spécialisés, ces installations doivent être pourvues d'un programmateur automatique lumineux qui branche et coupe le circuit aussi souvent que nécessaire sans que vous ayez à vous soucier de cette opération.

On trouve dans le commerce divers modèles de châssis entièrement équipés, de prix variable. Les plus courants se présentent sous forme de bâches transparentes en plastique, rondes, oblongues ou modelées comme une serre miniature. On peut en limiter l'éclairage à une seule ampoule ; par contre, les tablettes ou les gradins requièrent, bien entendu, une lampe par étagère. Les châssis vitrés sont plus chers mais, en compensation, chauds et humides intérieurement, ils protègent les plantes du dessèchement.

Certains jardiniers, férus en éclairage artificiel, préfèrent confectionner leur propre installation et n'acheter que les tubes fluorescents et, à la rigueur, les montants du dispositif. Si vous faites partie de ceux-là, sachez régler la hauteur du châssis. Pour ce faire, vous pouvez, par exemple, le suspendre au plafond par des chaînes que vous rallongerez ou raccourcirez à volonté, au fur et à mesure de la croissance des plantes.

Mais, que vous achetiez un châssis entièrement équipé ou en confectionniez un vous-même, les règles d'emploi sont les mêmes : branchez au moins deux tubes de 15 à 20 W par 30 cm^2 de feuillage, que vous fixerez de 10 à 30 centimètres au-dessus des plantes. N'oubliez pas que toutes les plantes à fleurs ont en général besoin de repos et ne doivent pas être éclairées plus de 12 à 16 heures par jour; sinon, elles mourront d'épuisement ou ne fleuriront jamais. L'importance que revêt le maintien d'une plante dans l'obscurité, comme son éclairage, ne peut échapper à tout jardinier amateur qui, ayant gardé chez lui un poinsettia, essaie de le faire fleurir l'année suivante. A l'état naturel, la plante serait plongée dans les ténèbres du coucher du soleil à l'aube. En appartement, les ampoules ordinaires, allumées non loin de la plante après la tombée de la nuit en contrarient la floraison. J'ai vu, un jour, dans une serre du département américain d'Agriculture, un poinsettia doté d'une seule tige: cultivé pendant plusieurs saisons sous éclairage artificiel et habitué à des journées très longues et des nuits extrêmement courtes, il atteignait au moins 3,5 mètres de haut et touchait presque le toit de la serre. Mais il n'avait toujours pas produit le moindre bouton floral.

L'éclairage artificiel n'a toujours pas réussi à vraiment remplacer la lumière solaire, car ses rayons n'ont ni l'intensité voulue ni la force vivifiante du soleil. Néanmoins, grâce à l'éclairage électrique, maintes plantes — et certaines mieux que d'autres — parviennent à survivre. Celles qui prospèrent très bien dans ces conditions, produisant un feuillage fourni et d'abondantes fleurs, poussent en fait dans la nature à mi-ombre. Les Violettes du Cap, les gloxinias et les Bégonias des jardins font partie de cette catégorie.

QUAND ARROSER

La fréquence ou le dosage des arrosages est aussi primordial, pour avoir de belles plantes, que le réglage de l'éclairage. Il y a quelques années, alors que je vendais des fleurs au détail, j'ai constaté que tous mes clients, en attendant que j'emballe leurs achats, me posaient la même question: « Combien de fois dois-je l'arroser? » Les renseigner sur les besoins d'une plante donnée était facile. Mais que répondre, si la question a trait aux plantes d'appartement en général, sinon: « Ça dépend. »

Avant d'approfondir ce sujet, j'aimerais vous préciser que, à mon avis, un arrosage trop prodigue entraîne la mort prématurée des plantes d'appartement, mort dont certains jardiniers, pourtant bien intentionnés, se font les redoutables complices. L'une de mes filles, par exemple, refuse l'accès de sa chambre à l'une de nos femmes de service au grand cœur, en proclamant: « Elle finira par tuer mes plantes avec ses élans de bonté. » Certaines personnes craignent tellement de voir leurs plantes mourir de soif qu'elles en noient le terreau. Mais les plantes ne peuvent croître dans une terre saturée d'humidité, car l'eau dispensée à l'excès chasse l'air indispensable au développement du système radiculaire et à l'activité des matières organiques bénéfiques contenues dans le terreau. Les racines pourrissent. Le terreau prend une odeur nauséabonde. Après de tels sévices, il est bien rare qu'une plante d'appartement ne soit pas perdue. Sacrifiez, dans ce cas, la victime et refaites pousser une jeune plante saine — mais ne commettez pas à nouveau le même délit!

Le dosage des arrosages revêt une telle importance qu'un dicton, circulant dans les cercles d'horticulteurs professionnels, dit: « le rendement d'une culture repose sur l'homme, l'arrosoir en main », qui peut d'un seul regard juger du besoin ou non d'arroser une plante donnée.

Que dire de la fréquence des arrosages? Communément, d'aucuns prodiguent le conseil — relativement fondé quoique quelque peu erroné — de laisser la terre sécher entre deux arrosages. Certaines espèces mentionnées dans l'encyclopédie (*Chapitre 6*) font exception à cette règle. Par ailleurs, en périodes de repos, il faut arroser très modérément les plantes. De même qu'elles se reposent la nuit, bien des plantes dorment d'une période de floraison à l'autre. Une plante vigoureuse, bien éclairée, poussant dans une pièce bien chauffée, qui ne produit aucune pousse nouvelle, est vraisemblablement en état de repos. Les gloxinias, par exemple, se flétrissent durant cette période. Une plante dormante requiert moins d'arrosages qu'une plante en pleine floraison. Il faut cesser tout arrosage des plantes qui se trouvent en état de repos et perdent leurs parties aériennes avant de recommencer à pousser.

Mieux vaut enfin arroser les plantes le matin, pour leur permettre d'assimiler la nourriture qui leur a été donnée dans la journée. Il convient ensuite d'éponger dans la demi-heure suivante l'eau qui a débordé dans les soucoupes ou les sous-pots pour éviter que le terreau ne soit saturé.

COMMENT ARROSER

La manière d'arroser importe presque autant que le moment le plus propice pour le faire. Avant tout, un conseil: n'utilisez pas d'eau froide, car elle risque d'abîmer sérieusement les plantes — l'hiver en particulier. Les Violettes du Cap sont si sensibles à l'eau froide qu'un jet de température inférieure à l'air ambiant sur les feuilles les ponctue de taches jaunes et disgracieuses. Aussi croit-on souvent que les Violettes du Cap ne peuvent supporter l'eau pulvérisée sur leur feuillage. En fait, il

TROIS MODES D'ARROSAGE POUR PLANTES D'APPARTEMENT

L'arrosage d'une potée par le fond, en remplissant d'eau la soucoupe, permet au terreau d'absorber le maximum d'eau par le trou de drainage. Pour éviter toute pourriture des racines, videz la soucoupe une demi-heure après votre arrosage.

Pour arroser une potée par le haut, utilisez un arrosoir à long bec, afin d'atteindre le terreau en surface, sans mouiller les feuilles, ou laisser l'eau s'égoutter sur le sol. Ce mode d'arrosage, s'il est occasionnel, résorbe les sels d'engrais.

Si vous voulez tremper une plante desséchée, plongez le pot jusqu'à ras bord dans un seau ou un évier rempli d'eau. Dès que les bulles formées cesseront de monter, retirez la plante de l'eau et laissez-la s'égoutter.

n'en est rien. Ce qu'elles détestent, c'est l'eau n'ayant pas la température voulue : dans les serres commerciales, on les arrose avec de l'eau portée à la température de la serre. Pour mes propres plantes d'appartement, j'utilise une eau atteignant 32°C environ. Inutile de prendre un thermomètre pour vérifier. Contentez-vous de plonger un doigt dans l'eau. Si elle vous paraît tiède, c'est parfait.

La teneur de l'eau en produits chimiques, de moindre importance que sa température, intéresse cependant certains jardiniers. A cet égard, les plantes excellent par leur faculté d'adaptation, car, malgré la diversité de composition des eaux en Europe, de très belles plantes d'appartement prospèrent en toutes régions. Par contre, avant d'arroser vos plantes, mieux vaut laisser reposer toute une journée, dans une bassine, une eau fortement chlorée — son goût et son odeur vous mettront en garde — pour que le chlore s'évapore. Malgré ses propriétés désinfectantes, le chlore est nocif aux plantes. Une eau très salée est, elle aussi, délétère. (Si, par hasard, vous n'en connaissez pas la salinité, renseignez-vous auprès de la Compagnie des eaux de votre localité.) Si la salinité de l'eau est excessive mais l'air relativement pur, utilisez plutôt de l'eau de pluie recueillie dans un tonneau sous une gouttière. Certaines des plantes les plus délicates que j'aie jamais vues n'ont été nourries que d'eau de pluie — comme le font les fleurs qui éclosent dans les prairies et les forêts. Malheureusement, l'eau de pluie qui se déverse sur nombre de grandes agglomérations, voire des villes moins peuplées mais très industrialisées, est impure. De fait, imprégnée des impuretés flottant dans l'air, elle

(suite page 41)

ENTRETIEN DES PLANTES D'APPARTEMENT

L'été, nombre de plantes peuvent subvenir à leurs besoins, quelques semaines durant, si on les met dehors, en un lieu ombragé, dans un lit de graviers qui assurera la fraîcheur et l'humidité. S'il fait trop sec, utilisez de la tourbe.

Pour conserver les plantes pendant votre absence, entreposez-les à l'abri du soleil dans un plateau garni de graviers ou de vermiculite humidifiés. Arrosez-les et recouvrez-les entièrement d'un plastique transparent, soutenu par des tuteurs.

Les notables qui léguèrent leur nom aux plantes

JEAN NICOT

Le genre *Nicotiana*, qui comprend le tabac à fleurs odorantes et le tabac à feuilles, doit son nom au diplomate érudit Jean Nicot, ambassadeur de France au Portugal de 1559 à 1561. Durant son mandat à la cour de Lisbonne, il découvrit les vertus du tabac rapporté du Nouveau Monde, en 1558. Intrigué par cette plante nouvelle, il en envoya des graines en France à la reine mère, Catherine de Médicis à qui il devait son poste. De retour sur sa terre natale, Nicot en entreprit lui-même la culture dans sa propriété à la campagne et apprit à fumer aux membres raffinés de la cour française, comme le fit plus tard sir Walter Raleigh à Londres.

TABAC

BÉGONIA

Les bégonias ont hérité du nom d'un amateur de botanique, protecteur de cette science, le magistrat et administrateur français Michel Bégon. Affecté aux Antilles françaises en 1681, pour promulguer des réformes juridiques que des troubles sociaux avaient rendu nécessaires, Bégon en rapporta des bégonias qu'il fit connaître aux botanistes européens. Spécialistes comme amateurs purent consulter ses nombreux écrits de botanique, assortis d'illustrations originales.

MICHEL BÉGON

JOËL ROBERT POINSETT

Joël Poinsett, dont les Étoiles de Noël portent le nom, fut le premier ambassadeur des États-Unis au Mexique de 1825 à 1829. Rappelé d'Amérique latine, pour son appui ouvert aux révolutionnaires autochtones, il se fit aussi expulser du Mexique pour son manque d'enthousiasme à l'égard de la diplomatie du pays. Retournant en Caroline du Sud, il rapporta des boutures de poinsettias et d'une plante mexicaine similaire, la «plante de feu», qui prolifère à l'état sauvage dans ce pays. Considérées d'abord comme deux espèces d'un genre nouveau, auquel on attribua le nom de Poinsett, on répertoria plus tard ces plantes comme membres du genre *Euphorbia*. Aussi ne se souvient-on de Poinsett qu'à travers le nom vulgaire du poinsettia.

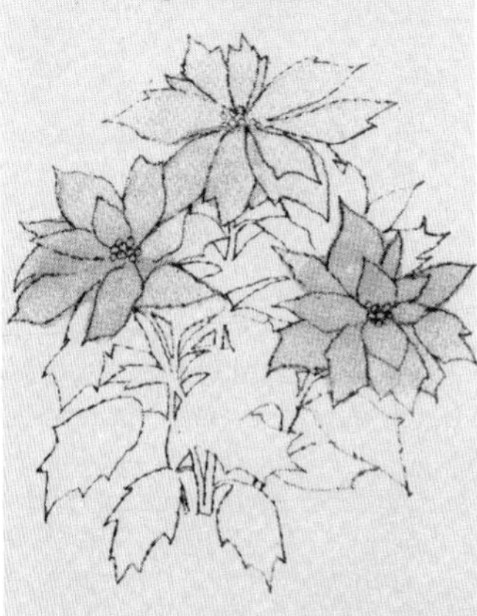

POINSETTIA

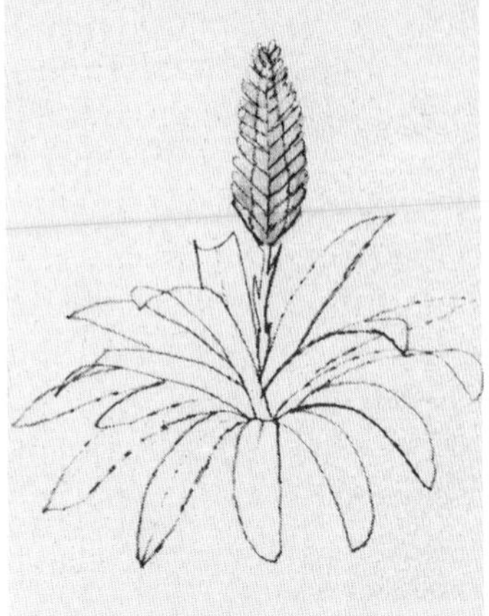

VRIÉSÉA

Le genre des plantes tropicales nommé *Vriesea* rend hommage au botaniste hollandais du XIXe siècle, Willem Hendrik de Vriese. Après de longues expériences, ce chercheur démontra que les plantes absorbent l'oxygène, qui transforme les éléments nutritifs en énergie thermique. Ayant séjourné à Batavia, dans les Indes orientales hollandaises, il envoya une collection de plantes aux Jardins royaux britanniques de Kew.

W.H. DE VRIESE

CARL PETER THUNBERG

Le Thunbergia ailé, plante herbacée ravissante, porte le nom du botaniste et explorateur suédois du XVIIIe siècle, Carl Peter Thunberg. Élève du célèbre classificateur de plantes et d'animaux, Carl Linné, de l'université d'Uppsala, et docteur en médecine et en botanique, comme son maître, il offrit ses services de médecin à la Compagnie des Indes orientales hollandaises pour étudier la vie des plantes au Japon, pays fermé à tous les Européens, hormis les Hollandais. Il y débarqua en 1775, et durant presque un siècle fut le premier botaniste qui eut le droit de visiter le pays, et le dernier cinquante ans après son départ, en 1776. Lors de son périple, il fit escale à Java, Ceylan et en Afrique du Sud, pour y découvrir et collecter des plantes. On le nomma successeur de Linné à Uppsala, en 1781.

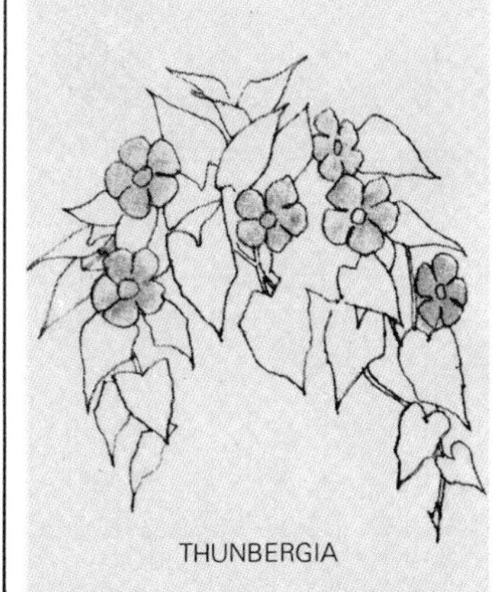

THUNBERGIA

COLUMNÉA

Le columnéa, plante vivace tropicale, commémore en latin le nom de Fabio Colonna. Issu d'une famille d'aristocrates romains — comprenant des hommes d'État, des généraux, des cardinaux, des papes (Nicolas IV, Martin V) et une poétesse à laquelle Michel-Ange dédia des sonnets d'amour —, Fabio s'est surtout rendu célèbre par sa compilation, en 1592, de toutes les données botaniques connues à l'époque ; il fut membre de la Société des Lynx, cercle regroupant une trentaine de savants de renom, dont l'astronome Galilée.

FABIO COLONNA

L. A. DE BOUGAINVILLE

Le nom de la bougainvillée, arbuste aux bractées colorées, commémore celui du navigateur et commandant de vaisseau français, Louis Antoine de Bougainville, qui, sous l'égide du roi Louis XV, partit explorer une grande partie du monde lors d'une circumnavigation de 1766 à 1769. C'est le naturaliste Philibert Commerson qui attribua au genre son nom actuel. A bord lui aussi, il a dû voir les plantes lors d'escales sur le littoral sud-américain, d'où elles sont originaires. Au cours de leur périple dans le Pacifique, aux Nouvelles-Hébrides, dans les îles Salomon, Moluques et Tuamotus, Bougainville et Commerson firent des relevés des fonds-marins, mal connus jusqu'alors, étudièrent les populations autochtones et approfondirent leurs recherches botaniques. L'île la plus vaste des Salomons et deux détroits portent aussi le nom de Bougainville.

BOUGAINVILLÉA

BRUNFELSIA

Le brunfelsia ou «plante caméléon», dont les fleurs éclatantes virent du pourpre foncé au blanc, doit son nom à un botaniste inconnu qui succéda à Otto Brunfels, botaniste du XVIe siècle — legs riche en enseignement, car Brunfels, ancien moine catholique, se rallia aux protestants au début de la Réforme. En 1580, Brunfels publia le premier herbier allemand consacré à l'étude illustrée des plantes de Rhénanie. Dans cet ouvrage, espérant promouvoir sa propre réforme dans le monde végétal, Brunfels exécuta certains des croquis botaniques les plus réalistes jamais effectués.

OTTO BRUNFELS

MARCELLO MALPIGHI

Les plantes aux fleurs délicates et aux fruits vivement colorés du genre *Malpighia* rendent hommage au médecin italien du XVIIe siècle. Malpighi qui, en un temps où la pratique du métier était impitoyable et draconienne, se fit une réputation de médecin modéré. Mieux connu comme pionnier du microscope en anatomie et en physiologie, Malpighi sonda également le monde des plantes. En 1662, deux ans après sa découverte du principe de la circulation capillaire dans les poumons, son microscope et son esprit d'analyse firent amplement progresser la botanique : il fut le premier à démontrer que l'on pouvait évaluer l'âge d'un arbre par dénombrement des anneaux visibles sur une coupe transversale du tronc.

MALPIGHIA

FUCHSIA

Les plantes aux fleurs délicates appartenant au genre *Fuchsia* se virent attribuer ce nom en l'honneur du médecin allemand Leonhard Fuchs, auteur, en 1542, d'un magnifique herbier où figurent des gravures sur bois de plus de 500 spécimens collectés près de Tübingen — où Fuchs enseigna la médecine. Cet herbier sert encore de référence à des botanistes et à des historiens horticoles.

LEONHARD FUCHS

LA REINE CHARLOTTE SOPHIE

Les strélitzias, plantes flamboyantes originaires d'Afrique du Sud, mieux connues sous le nom d'« Oiseaux de paradis », évoquent le nom de jeune fille d'une reine d'Angleterre qui passa ses heures de loisirs parmi les fleurs des Jardins royaux de Kew. Charlotte Sophie de Mecklenburg-Strelitz n'avait que 17 ans quand elle quitta le petit duché familial pour épouser Georges III auquel elle donna honorablement 15 enfants. En 1771, alors qu'elle avait 27 ans, sir Joseph Banks, naturaliste britannique qui fit le tour du monde aux côtés du capitaine Cook, découvrit des spécimens de strélitzias aux fleurs éblouissantes près du cap de Bonne-Espérance, et leur attribua le nom de sa reine. Plus tard, sur les conseils de Banks, Charlotte envoya un herboriste officiel chercher d'autres sujets exotiques pour les jardins de Kew, transformés peu après en l'une des plus grandes collections mondiales de plantes horticoles.

STRÉLITZIA

GAZANIA

Le genre *Gazania*, plante très colorée originaire d'Afrique du Sud, porte le nom d'un érudit d'origine grecque du XVe siècle, Téodoro Gaza, qui traduisit en latin le texte grec du *Traité de botanique théorique* et de l'*Histoire des plantes*, deux œuvres rédigées au IIIe siècle av. J.-C., par le disciple d'Aristote, Théophraste. Ces traductions que Gaza entreprit en Italie, où il s'était réfugié pour échapper à l'invasion des Turcs, sont restées les seules œuvres théoriques de botanique disponibles pendant près de deux siècles.

TÉODORO GAZA

risque d'endommager les plantes. Si tel est votre environnement, laissez la pluie tomber pendant quelques minutes et l'atmosphère se purifier, avant de la collecter pour en arroser vos plantes.

L'eau dont vos plantes s'accommoderont le mieux doit contenir une infime quantité de sels solubles. L'eau qui circule dans certains — mais non la plupart — des adoucisseurs est, elle aussi, excellente. Ces dispositifs substituent la soude au calcium ou au magnésium et permettent d'obtenir de l'eau douce. Quand on ne l'élimine pas, la soude épuise tout le contenu en eau des plantes et leur nuit encore plus que le calcium ou le magnésium en suspension dans l'eau dure. D'autres adoucisseurs, bien que plus onéreux, sont pourvus d'un système de déionisation qui élimine la soude et autres sels nocifs ; l'eau aïnsi obtenue équivaut quasiment à de l'eau distillée et profite aux plantes. Si, par contre, votre adoucisseur n'est pas muni d'un déioniseur, il vous faudra verser sur vos plantes de l'eau de pluie ou une eau dure non traitée, que vous aurez tirée d'un robinet extérieur alimentant le tuyau d'arrosage.

Passons maintenant à l'arrosage proprement dit. On préconise généralement trois méthodes : arrosage par le haut du pot, remplissage de la soucoupe ou du sous-pot et immersion totale du pot. Je ne saurais trop vous déconseiller d'arroser toujours vos plantes, quelles qu'elles soient, de la même manière. Combinez plutôt ces trois méthodes. L'exemple des calcéolaires et des cyclamens me suffira pour vous en faire comprendre les raisons. Si vous les arrosez par le haut du pot un jour où le soleil, trop faible, ne pourra les sécher, les couronnes des plantes — dont le feuillage très fourni affleure le bord du pot — demeurent mouillées et se fanent fréquemment au ras du terreau. Par ailleurs, si ces plantes — comme tant d'autres — absorbent l'eau déposée dans les sous-pots, les sels d'engrais retenus dans la motte remonteront en surface, s'y déposeront, ainsi que sur les bords des pots, et brûleront la végétation voisine. Les Violettes du Cap souffrent souvent de cette dégradation qui altère les tiges de leurs feuilles. J'arrose habituellement mes Violettes du Cap à même leur sous-pot, mais les nourris parfois également par le haut du pot, pour éliminer par lessivage le dépôt superficiel de sels d'engrais. Toutefois, je ne le fais que par temps clair et sec pour que les couronnes des plantes ne restent pas trop longtemps humides. Cette alternance d'arrosages favorise la croissance de presque toutes les plantes d'appartement.

La troisième méthode — l'immersion du pot dans un seau d'eau tiède —, longue et fastidieuse, mérite néanmoins d'être exploitée de temps à autre, car la plupart des plantes tirent profit d'un trempage périodique. Ce faisant, veillez à ce que l'eau du seau recouvre entièrement la terre. Aussitôt, des bulles remonteront bruyamment du terreau. Dès que cette émission de bulles cessera, retirez la plante du seau et laissez-la se drainer 20 minutes environ avant de la replacer sur son support, sur le rebord de la fenêtre. Certains jardiniers amateurs pratiquent exclusivement ce trempage. Pour ma part, je préfère arroser mes plantes par le haut avec un arrosoir à long bec, sans pomme. Je n'ai ainsi pas besoin d'éponger derrière moi. (Ce genre d'arrosoir est un cadeau que devraient apprécier vos amis, adeptes de la culture des plantes en appartement.)

Quelle que soit la méthode choisie, n'hésitez pas à arroser généreusement vos plantes. Ne vous contentez pas, à chaque arrosage, d'un mince filet d'eau, car la terre contenue au fond du pot — et certaines racines — risquerait de rester sèche. Mais n'oubliez jamais que le besoin en eau d'une plante varie non seulement avec son cycle de vie — comme pour les gloxinias — mais aussi avec les conditions extérieures: quand le soleil bat son plein, les plantes requièrent un arrosage plus copieux que par temps couvert; les plantes, bien que posées sur un rebord de fenêtre voilée d'un rideau, réagissent au climat. Celles que vous venez de rempoter dans des récipients plus grands, ont moins besoin d'humidité que lorsqu'elles se seront habituées à leurs nouveaux pots et que leurs racines auront occupé toute la motte de terre.

Déroutés par ces divers besoins en eau des plantes, certains jardiniers préfèrent s'en remettre à des dispositifs d'arrosage autonome qui en réduisent la fréquence et maintiennent relativement longtemps le terreau uniformément humide. L'une des méthodes auxquelles ils recourent, dite d'arrosage par drain, implique l'insertion d'une mèche, si possible en fibre de verre, lors de l'empotage ou du rempotage. Inutile alors de garnir le fond du pot des matériaux de drainage habituels (cailloux ou tessons de poterie). Il suffit d'étaler la mèche sur le fond du pot (*schémas ci-dessous*) et d'en passer l'une des extrémités par le trou de drainage pour qu'il repose sur la soucoupe, le sous-pot ou tout autre récipient à eau glissé sous le pot. (Le pot, pour ne pas baigner dans l'eau, sera dans ce cas haussé sur des pieds ou un petit support.) La mèche

ARROSAGE PAR MÈCHE

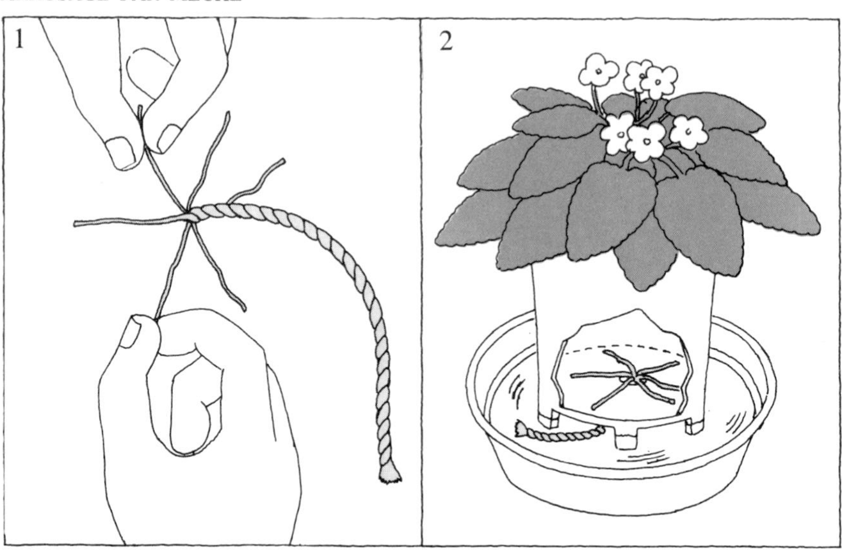

On peut arroser les plantes qui prospèrent au mieux dans un terreau constamment humide, avec une mèche en fibre de verre, qui fait remonter l'eau dans le terreau. Dénouez un bout de la mèche et étalez les fibres au fond du pot.

Avant d'empoter la plante, glissez la mèche par le trou d'écoulement d'un pot prévu à cet effet, monté sur pieds, et étalez à plat et à l'intérieur les fibres dénouées. L'eau du sous-pot devra recouvrir la mèche sans toucher le pot.

s'humecte, par capillarité, de l'eau contenue dans le récipient et la fait remonter dans le pot. Ce système convient parfaitement à certaines plantes dont le terreau doit rester humide en permanence — les azalées, par exemple. Toutefois, les besoins en eau de la plupart des plantes varient tellement que cette mèche peut en saturer la motte par temps gris ou nuageux, ou la dessécher par temps clair et ensoleillé. Certains experts hésitent même sur la longueur de mèche la plus appropriée. Si vous vous sentez l'âme d'un expérimentateur, peut-être aurez-vous envie d'essayer. On trouve également dans le commerce plusieurs récipients, qui maintiennent l'humidité de la terre en permanence, contrôlent la sécheresse du terreau et l'arrosent en conséquence.

COMMENT ACCROÎTRE L'HUMIDITÉ

L'humidité de l'air influe presque autant sur les plantes que l'humidité de la terre. Hormis les cuisines et les salles de bain, les autres pièces sont, en hiver, aussi arides que des déserts, et les plantes n'atteignent jamais leur pleine beauté. Le bord des feuilles de nombre d'entre elles brunit; dans une pièce desséchée, privée d'humidité, les feuilles finissent toujours par se recroqueviller. En conséquence, pour accroître l'humidité, je pose nombre de mes potées sur de grands plateaux. Profonds de 5 centimètres, ces supports peuvent être en plastique ou en métal peint, mais non rouillé; un plombier-zingueur pourra en confectionner à votre intention si vous n'en trouvez aucun qui ait la forme ou les dimensions voulues. Tapissez le fond d'une couche de sable, de cailloux ou d'éclats de charbon de 2,5 centimètres d'épaisseur au moins. Versez ensuite de l'eau, sans recouvrir entièrement cette couche de drainage. Ce récipient sert de réservoir d'humidité et accroît le degré hygrométrique de l'air ambiant de 100 à 500%, suivant l'heure et la température. Si vous en doutez, prenez un hygromètre pour mesurer l'humidité régnant autour de vos plantes et vérifiez par vous-même.

Les plantes elles-mêmes contribuent amplement à l'élévation du niveau d'humidité. Toutes les feuilles exhalent de la vapeur d'eau en permanence. Plusieurs plantes, placées côte à côte dans un angle de pièce, constituent une sorte de société d'aide mutuelle: la vapeur d'eau émise par chacune d'entre elles accroît le taux d'humidité et profite à toutes les autres. (D'ailleurs je n'ai jamais vu une plante isolée dans une pièce ou un appartement ne faire plus que survivre.) Songez au volume d'eau dont vous alimentez vos plantes en une semaine. Après s'en être imprégnées, les plantes rejettent de la vapeur d'eau qui se répand dans l'atmosphère. Une pulvérisation de fine vapeur à l'aide d'un atomiseur vous permettra de compléter cet apport. Utilisez de l'eau portée à la température de la pièce et vaporisez-la légèrement sur les feuilles, en évitant toute condensation de gouttelettes sur le feuillage — et ce, non pas pour humecter les plantes mais accroître l'humidité de l'air ambiant. Faites un essai et vous verrez s'améliorer la croissance de vos plantes.

LES TEMPÉRATURES APPROPRIÉES

La température de l'air, la nuit en particulier, importe autant, pour les plantes d'appartement, que celle de l'eau versée sur leur terreau ou pulvérisée sur leurs feuilles. Bien des gens, j'imagine, laissent jour et nuit, en hiver, leur thermostat monter jusqu'à 20° à 22°C. Cette température, excessive pour les potées de tulipes, par exemple, convient aux Violettes du Cap. Bien qu'elles affectionnent leurs plantes, certaines personnes préfèrent — et à juste titre — leur confort. D'ailleurs, quelles que soient leurs concessions pour préserver leurs cultures, elles ne réussiraient guère à concilier les exigences respectives des Violettes du Cap et des tulipes. Avec ou sans thermostat, un thermomètre placé dans une salle à manger n'indique pas fidèlement les températures des autres pièces. Leur exposition, leur protection par une double ou une simple vitre, l'emplacement des canalisations de chauffage central et des radiateurs font considérablement osciller les températures. Dans une véranda non chauffée ou une chambre d'amis dont vous aurez coupé le chauffage, vous parviendrez à faire pousser maintes plantes pour lesquelles la chaleur de votre cuisine serait insupportable. J'ai chez moi une chambre d'amis aménagée en étage où, sur le rebord de fenêtre, la température descend jusqu'à 8°C pendant les nuits d'hiver, quand elle est inoccupée. Des cyclamens, des primevères, des azalées et des plantes bulbeuses à floraison hivernale rehaussent ce rebord de leur éclat.

Toutes les plantes, cultivées en appartement ou en plein air, poussent mieux si, dès la tombée de la nuit, vous les maintenez à une température inférieure à celle de la journée; avant l'invention du chauffage central, les températures qui régnaient dans les pièces baissaient la nuit, comme à l'extérieur. De nos jours, trop souvent, on règle le cadran du thermostat et on ne s'en occupe plus. De nombreuses plantes savent s'adapter aux températures moyennes ambiantes, mais d'autres n'y parviennent pas: les fuchsias, les poinsettias, les calcéolaires et tant d'autres plantes n'émettent ainsi aucun bouton floral; les camellias perdent les leurs si les températures nocturnes excèdent 18°C; ils préfèrent en effet des pièces beaucoup plus fraîches. Les Violettes du Cap, les gloxinias et les plantes qui leur sont apparentées finissent par dépérir si les températures nocturnes n'atteignent que 10° à 13°C. Par conséquent, à vous de faire votre choix!

A ce propos, un ami me fit part dernièrement d'une anecdote. Propriétaire d'un grand garden center, de nombreux jardiniers amateurs sollicitent ses conseils par téléphone. Un homme l'avait ainsi appelé pour lui dire que son philodendron avait piètre allure — en fait, insista-t-il, il virait au bleu. La plante, placée dans un grand bac, ne pouvait guère être rempotée. Aussi mon ami conseilla-t-il à son interlocuteur de prélever une bonne part du vieux terreau et de le remplacer par une terre riche et neuve. Cinq minutes après, l'homme le rappelait. Il ne pouvait enlever le vieux terreau: il était gelé. Il avait oublié de préciser, lors de sa première communication, que sa plante était dans sa chambre, dont la fenêtre restait grande ouverte pendant son sommeil. L'hiver était alors rigoureux et le thermomètre était largement descendu au-dessous de zéro pendant une semaine.

UTILITÉ DU THERMOMÈTRE

Dans l'encyclopédie, j'ai indiqué les températures nocturnes et diurnes considérées comme idéales pour chaque plante. Or, à peine chercherez-vous à vous en rapprocher — car il existe de nombreux microclimats dans votre intérieur — que vous comprendrez l'utilité du thermomètre à maxima et à minima. A dire vrai, je le tiens pour l'un des instruments les plus précieux en matière de culture de plantes d'appartement. Cet appareil n'est pas toujours facile à trouver dans le commerce. Peut-être vous faudra-t-il le commander à votre droguiste mais vous en amortirez aisément le prix et verrez vos efforts récompensés. Ce thermomètre diffère des thermomètres classiques par la forme incurvée — et non verticale — de sa colonne de mercure; il enregistre d'un côté de la courbe la température maximale de la journée, et de l'autre, la température minimale. (De minuscules repères métalliques s'enclenchent sur les différentes graduations jusqu'à ce qu'un aimant fourni avec le dispositif en assure à nouveau le réglage.) C'est avec un thermomètre de ce type que j'ai découvert combien le rebord de fenêtre de la chambre d'amis était frais.

Les radiateurs posent souvent un problème thermique à tous ceux qui vivent en appartement — et à bien d'autres encore. Ils aimeraient cultiver des plantes d'intérieur, mais en déplorent l'impossibilité. Maintes plantes ne peuvent vivre aux abords des radiateurs en raison de la chaleur et de la sécheresse. Toutefois, si votre radiateur se trouve sous une fenêtre ou à un endroit suffisamment éclairé pour vos plantes, ne vous croyez pas battu d'avance. Pour y remédier, vous n'avez qu'à dévier le rayonnement de la chaleur. Installez à 15 cm au moins en surplomb une étagère — une planche par exemple — débordant d'au moins 15 centimètres du radiateur. Recouvrez ce rayonnage d'une plaque d'amiante isolante (que vous trouverez chez n'importe quel droguiste) ou d'un quelconque matériau non conducteur. Placez sur celui-ci un plateau au fond garni d'une couche de graviers ou de sable. Vérifiez à l'aide de votre thermomètre à maxima et à minima les variations de température sur cette étagère, jour et nuit. Choisissez ensuite les plantes qui prospèrent à ces températures, en consultant l'encyclopédie. Mais n'oubliez jamais de maintenir ce récipient humide, et ne laissez jamais l'eau toucher le fond des pots, sauf lors de vos arrosages.

PROTECTION CONTRE LES COURANTS D'AIR

Un dernier mot sur le milieu ambiant. Les plantes ont toujours besoin d'aération. Même en hiver, dans les serres, les horticulteurs laissent les ventilateurs branchés. Les plantes, par contre, ne supportent pas les courants d'air. Si vous désirez renouveler l'air d'une pièce, ouvrez une fenêtre percée en hauteur, de préférence la plus éloignée de vos plantes, aussi robustes soient ces dernières. Mais ne craignez pas que des plantes comme des cyclamens ou des primevères, posées sur un rebord de fenêtre close, souffrent du froid la nuit, car elles peuvent supporter sans dommage une température de 4° C, à condition que leur feuillage ne soit pas en contact avec la vitre glacée. En revanche, des plantes tropicales comme les Violettes du Cap et les gloxinias ne doivent pas prendre froid. Épargnez-leur tout rafraîchissement la nuit.

Désormais, vous connaissez l'art (ou, du moins, je l'espère) de créer un milieu ambiant approprié pour vos plantes à fleurs et à feuillage. Cet art, dont la complexité n'est qu'apparente, n'exige, en fait, qu'un peu de bonne volonté, de raison, un arrosoir — et un contrôle minutieux de la température et de l'éclairage.

Poterie et rempotage

3

Les plantes ont, entre autres propriétés confirmées en horticulture, le pouvoir presque miraculeux de s'épanouir pratiquement dans toutes sortes de récipients — pots, bacs, plateaux, jardinières en bois, boîtes en étain — pouvant contenir une motte de terre. Le phénomène, pourtant, ne paraît pas naturel. A l'extérieur, les plantes qui poussent dans la nature peuvent proliférer dans un habitat de leur choix — les conifères, sur le sol sableux et acide d'un coteau ; les plantes annuelles à fleurs, sur une prairie ensoleillée et fertile ; les joncs, dans un marécage. Mais, chez soi, on étale quelques poignées de terreau dans un bac où l'on enfouit les racines d'une plante et l'on se dit : « Elle n'a plus qu'à pousser. » Le plus merveilleux, c'est qu'elle pousse. Et, faute d'atteindre son plein essor, elle survit. Les plantes, en effet, grâce à leur énergie vitale, exploitent au maximum la terre la plus déficiente. Les plantes épiphytes prospèrent même en l'absence de terreau.

Mais sans doute la seule survie de vos plantes ne vous suffit-elle pas. Vous voulez également les voir s'épanouir. Or, ce résultat dépend du terreau et du récipient où elles se développent. Si l'on exclut les exigences spécifiques de certaines d'entre elles, la plupart des plantes s'accommodent d'un pot ordinaire, où l'eau ne risque pas de stagner, de noyer les plantes ou d'asphyxier les racines. Mais, pour déployer un feuillage dense et des panaches de fleurs éclatantes, il leur faut une terre nourrissante. La terre de votre jardin, malgré sa richesse apparente, ne convient pas vraiment aux plantes à empoter. D'une part, des larves d'insectes, des graines de mauvaises herbes ou des spores, vecteurs de maladies, peuvent s'y être infiltrés. D'autre part, manquant de matières organiques, elle n'est surtout pas assez poreuse pour se prêter au drainage approprié d'un pot soumis à de fréquents arrosages. L'air, dont les racines ont autant besoin que d'humidité, ne peut en outre circuler à travers un matériau de culture aussi peu poreux, et le terreau s'agglutine très vite en une motte compacte et impénétrable.

Pour cultiver des plantes en appartement, sachez planter chacune d'entre elles, suivant son espèce, dans le terreau le plus approprié. En général, les Orchidées cultivées en intérieur aiment vivre dans des pièces bien aérées et un terreau spécial, un compost à la fois fibreux et poreux. Nombre de Broméliacées et de Gesnériacées poussent mieux dans un

Pour fêter le printemps, les Grecs offraient des plantes en pots. Sur ce détail de vase du Ve siècle av. J.-C., Éros, dieu de l'Amour, tend des plants à une jeune fille, lors d'une fête en l'honneur d'Adonis, symbole de la fertilité.

mélange de tourbe ou de terreau de feuilles double de celui dont se satisfont la plupart des plantes d'appartement, soit à peu près leur environnement naturel d'origine. Toutefois, la majorité des plantes d'appartement s'accommodent d'un mélange plus ou moins standard. Pour préparer un tel mélange, stérilisez de la terre de jardin ordinaire dans votre four afin de supprimer les mauvaises herbes, les parasites et les vecteurs de maladies, et mélangez-y divers amendements. Mais, le plus souvent, les jardiniers se procurent dans des garden centers, chez le fleuriste ou le droguiste, un compost standard pré-emballé, stérilisé et humidifié, permettant une manipulation et un rempotage plus aisés. Empaquetée dans des sacs étanches en plastique retenant l'humidité, cette terre, si le sac est bien fermé, ne risque pas de se dessécher. Vous pouvez aussi acheter de nombreux composts standards qui contiennent également des produits tendant à ameublir le sol, de la tourbe par exemple, et des substances nutritives en quantité suffisante pour stimuler la croissance de vos plantes d'appartement.

BONIFICATION DU TERREAU

Le seul inconvénient des composts standards est celui de leur trop grande finesse due au tamisage auquel on les soumet. Peut-être ce traitement tend-il à devancer les réclamations de certains jardiniers non avertis qui se plaindraient de trouver des brindilles, des graviers et des boules de tourbe dans le terreau qu'ils ont acheté. En réalité, la présence de légères impuretés est bénéfique aux plantes — exceptées les plantules de petites dimensions. Ainsi, bien que l'on puisse utiliser tels quels ces composts standards, je préfère y ajouter une matière organique grossière qui allège

QUANTITÉ DE TERREAU NÉCESSAIRE

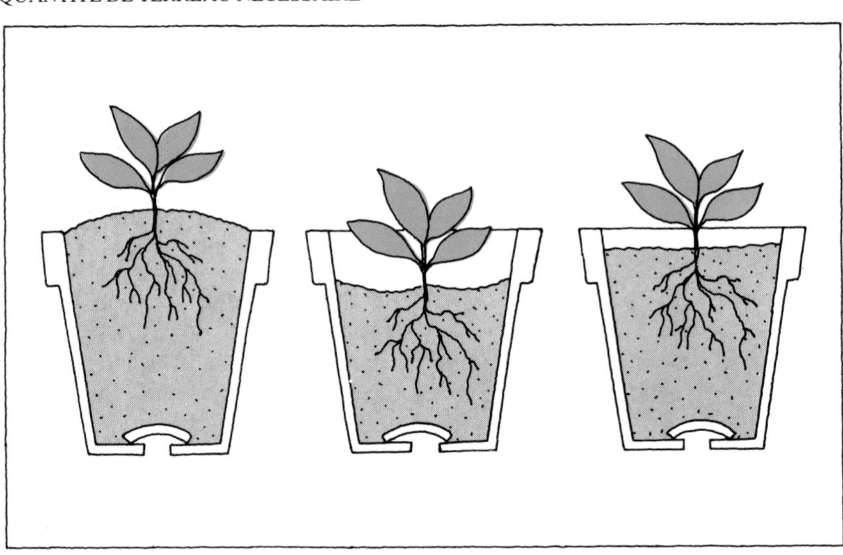

Si, dans un pot, le niveau du terreau est trop élevé (à gauche), l'eau risque de passer par-dessus bord et de ne pas fournir à la plante l'humidité nécessaire. S'il est trop bas (au centre), sans doute ne résisterez-vous pas à la tentation de remplir d'eau l'espace vide ; les racines de la plante saturée risqueraient alors de pourrir. Pour arroser normalement (à droite), la surface du terreau doit être à 12 mm du bord du pot et à 2,5 cm dans les pots de 15 cm ou plus de large.

la structure du sol, ainsi que quelques impuretés qui facilitent le drainage. La tourbe, formée par les résidus organiques fossilisés de plantes palustres, est encore ce qu'il y a de plus approprié. (Celle qui se prête le mieux à la composition de tels mélanges pour rempotage est en fait la tourbe à base de sphaignes, à ne pas confondre avec le sphagnum, une mousse desséchée mais non décomposée, dont on se sert pour emballer les plantes, maintenir humides les potiches suspendues et faire prendre racine à certaines boutures.) Le terreau de feuilles, provenant de la décomposition de feuilles tassées constitue aussi une bonne matière organique. Quel que soit le terreau choisi, vérifiez s'il est bien grené. Mais la meilleure tourbe est encore celle que l'on utilise dans les poulaillers pour absorber les excréments des volailles. Contrairement à la terre de jardin, plus fine, ce terreau se compose de morceaux de 6 à 12 millimètres de diamètre, dont la texture rugueuse rend idéale leur adjonction au compost standard.

Quant aux impuretés, certains cultivateurs professionnels utilisent de la perlite, produit synthétique léger et spongieux ; ce minerai ameublit le terreau, laisse l'air y circuler librement, mais absorbe et retient l'humidité. Si vous ne pouvez pas vous procurer de perlite, prenez de la vermiculite. Vous obtiendrez d'aussi bons résultats. Le sable liant, dit granuleux, moins onéreux que la perlite ou la vermiculite, se trouve dans la plupart des garden centers et chez les fournisseurs d'articles horticoles.

Pour préparer un terreau convenant à la majeure partie des plantes d'appartement, il vous faut prévoir : un sac de compost standard, une quantité égale (en volume) de tourbe ou de terreau de feuilles grossièrement granulés, autant de sable granuleux, une truelle ou une petite pelle, et un panier tissé serré ou un grand seau.

A l'aide de la truelle ou de la pelle, versez une partie du terreau dans le panier ou le seau. Ajoutez, à parts égales, de la tourbe ou du terreau de feuilles, et du sable. Mélangez le tout. Recommencez cette opération plusieurs fois de suite jusqu'à obtention d'une quantité de matériau de culture suffisant pour le rempotage prévu. Ajoutez ensuite du calcaire broyé, à raison de 75 à 150 grammes pour 35 litres. Mélangez à nouveau le tout. L'adjonction de ce calcaire rendra le terreau moins acide, et lui donnera un pH approprié d'environ 5,5 à 7 — proche de la moyenne neutre de l'échelle, comprise entre l'acidité maximale (pH O) et l'alcalinité maximale (pH 14). Si vous destinez votre mélange à des plantes avides d'acidité, comme par exemple les azalées et les gardénias, mélangez deux parts de tourbe à une part de compost standard ainsi qu'à une de sable pour fournir aux plantes l'acidité requise ; il est conseillé de ne pas ajouter de calcaire.

DES LIS POUR PÂQUES

Les grandes fleurs en coupe évasée du « Lis de Pâques », au parfum si suave, et d'un blanc pur, semblent aussi symboliques que les cloches et les œufs offerts à cette saison. Pourtant, le Lilium longiflorum *n'est apparu dans le monde chrétien que depuis peu. Le « Lis de la Madone »,* Lilium candidum, *longtemps considéré comme la fleur pasquale, comporte néanmoins un inconvénient : on ne peut pas toujours en garantir la floraison pour cette fête. Il y a un siècle, un missionnaire, revenant d'Orient, s'arrêta aux Bermudes et remit à l'un de ses amis qui y résidait quelques bulbes de lis sauvages à floraison précoce qu'il avait ramassés. Ces lis s'accommodèrent fort bien du climat tempéré de l'île. Très vite, leur ressemblance avec le « Lis de la Madone » — et leur période de floraison plus propice — retint l'attention des fleuristes qui, . aussitôt, adoptèrent le lis « des Bermudes ». Les importations de bulbes de Lilium longiflorum, tant des Bermudes que d'Orient, se multiplièrent.*

CHOIX DU POT

Garnies d'un mélange de terreau approprié, presque toutes les poteries peuvent se prêter à la culture des plantes, quelles qu'elles soient. Les pots, bien entendu, sont les récipient les plus recherchés. Mais leur calibre, leur matière, leur forme diffèrent amplement suivant leur usage.

On évalue la grandeur d'un pot — peu importe son usage — par le diamètre de son bord supérieur. Le plus petit que l'on puisse trouver dans le commerce mesure 5 centimètres de diamètre ; le plus grand, 30

L'ART DE PRÉSENTER DES PLANTES EN POTS

1. *Vous pouvez encastrer des pots en terre cuite ou en plastique dans divers récipients décoratifs pour accroître l'attrait de vos plantes. Une urne classique conviendra à des plantes symétriques, bien taillées, comme des hortensias. Pour en réduire le poids, prenez un pot en plastique, posé sur un lit de vermiculite pour l'isoler de l'eau de drainage.*
2. *Un gros bac en cuivre posé sur le sol peut servir de support à une plante aussi grande et envahissante qu'un hibiscus. La plante est ici solidement empotée dans un pot en terre cuite volumineux, entouré de vermiculite.*

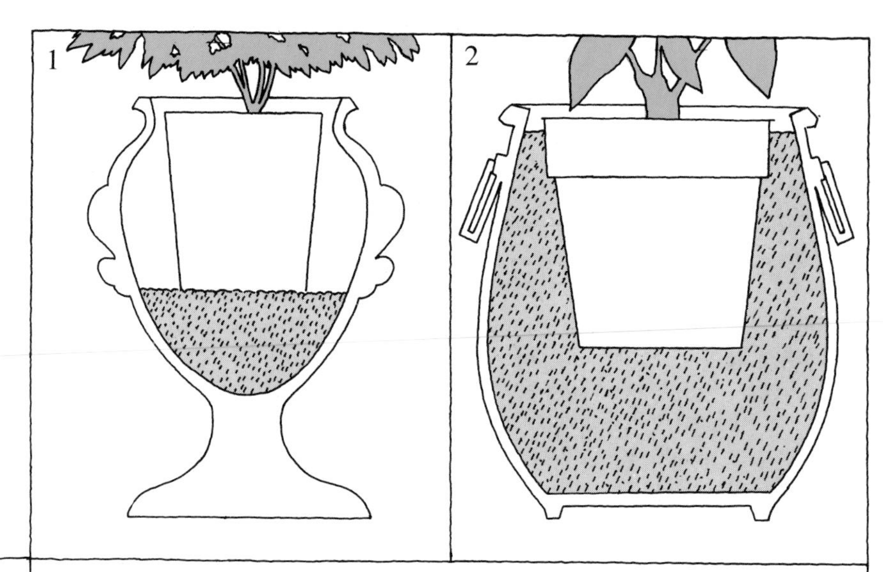

3. *Un panier tressé circulaire et peu profond, contenant plusieurs petits pots de plantes à riche floraison comme les cinéraires, peut servir d'élément de décor où jaillissent les couleurs. Pour uniformiser et rendre plus attrayant le port d'ensemble de vos plantes, placez les pots dans une jardinière en plastique de grandeur appropriée, remplie de graviers ou de vermiculite jusqu'aux bords des pots. Si le panier est trop haut, posez la jardinière sur des briques. Mouillez la couche de drainage de temps en temps afin d'accroître l'humidité autour des plantes.*

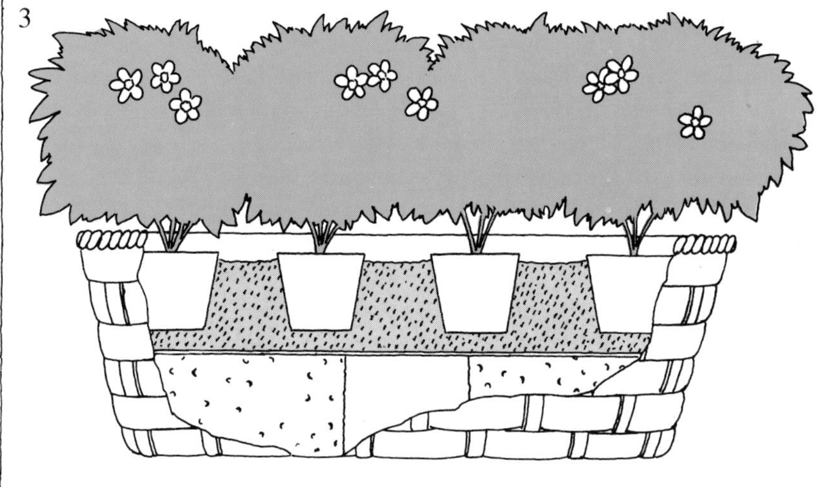

4. *Dans ce grand panier en osier, vous pourrez disposer des plantes à port buissonnant comme des gardénias. Insérez-y une jardinière profonde en métal — une boîte à gâteaux métallique par exemple. Placez la plante empotée dans ce récipient métallique ou prenez ce dernier comme pot. Garnissez-en le fond d'une couche de cailloux ou de graviers de 5 cm d'épaisseur, pour faciliter le drainage.*

5. *Une cruche en étain ou en argent, contenant une plante aussi délicate qu'un lantana, agrémentera votre table. Si nécessaire, surélevez votre potée avec un lit de vermiculite.*

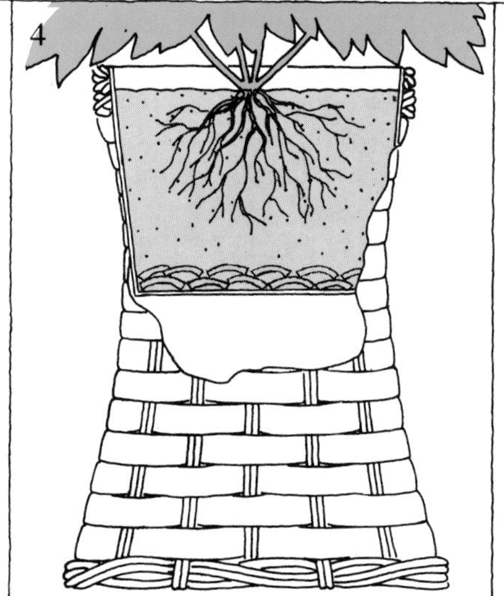

centimètres — encore qu'il en existe de plus grande taille. Quant à leur forme, les pots de fleurs ordinaires sont aussi hauts que larges et servent à la culture d'une gamme de plantes très diversifiée allant des Violettes du Cap et des bégonias aux géraniums et aux primevères. On destine par contre les pots galbés aux trois quarts, souvent appelés pots à azalées — dont la hauteur est égale aux trois quarts du diamètre — à la culture des azalées et autres grandes plantes, pour maintenir en équilibre leur port buissonnant. On plante les plantes bulbeuses dans des godets, moitié moins hauts que larges, car les bulbes doivent croître au ras de la surface du terreau. Leur période végétative étant limitée, elles n'ont nul besoin de pousser aussi profondément que d'autres plantes.

Les pots sont en général moulés dans de la terre cuite ou une matière plastique, deux matériaux qui présentent à la fois avantages et inconvénients. Les pots en terre cuite, lourds, ne se renversent pas facilement. Mais, surtout, la porosité de leurs parois favorise les échanges gazeux. Cette évaporation réduit le risque de stagnation d'eau et de pourrissement des racines; elle accroît en outre le degré hygrométrique de l'atmosphère dont les plantes tirent tellement profit. En revanche, le suintement d'eau par les parois d'un pot en terre cuite — qui équivaut presque aux besoins d'absorption de la plante — est tel qu'il convient d'arroser les potées en terre cuite plus souvent que les plantes contenues dans des récipients en plastique ou tout autre matériau non poreux. En outre, cette évaporation entraîne hors du terreau des éléments nutritifs dissous qui s'accumulent sur les parois externes des pots et forment parfois un dépôt imperceptible de sels d'engrais, voire l'incrustation d'algues vertes invisibles sur les parois humides. (Sans doute les jardiniers ''aux pouces verts'', dont un dicton vante la réussite, doivent-ils leur réputation à la manipulation de pots en terre cuite aux parois incrustées d'algues.) Certains fabricants luttent contre cette évaporation — et la formation des algues — en enduisant l'extérieur des pots d'une couche de silicone imperméable. Certains amateurs de plantes d'appartement obtiennent d'ailleurs le même résultat en peignant leurs pots d'une couleur décorative. La plupart se contentent de les nettoyer. Bien que relativement durables, les pots en terre cuite peuvent un jour se briser; mais, on peut utiliser les tessons dans le fond d'autres pots pour favoriser le drainage.

On trouve des pots en plastique de grandeur à peu près semblable aux pots en terre cuite, et de toutes formes. Il existe ainsi des modèles carrés et rectangulaires, de diverses couleurs. Légers et, par conséquent, plus malléables, ils risquent de se renverser. Étanches, ils ne laissent pas les algues ou les sels d'engrais se fixer sur leurs parois. Par contre, un arrosage excessif risque davantage de noyer la plante. Aussi trouve-t-on de nombreux pots en plastique au fond pourvu non plus d'un seul mais de quatre trous de drainage. Les plantes dans des pots en plastique nécessitent un terreau bien aéré qu'il convient d'arroser modérément. Vous devrez prendre les mêmes précautions pour les plantes rempotées dans des récipients en faïence, en verre ou en métal divers, plus décoratifs certes que les pots en terre cuite ou en plastique, mais beaucoup moins avantageux.

Quand vous choisissez un pot, quel qu'en soit le matériau, prenez

LES SINGES CUEILLEURS D'ORCHIDÉES

L'attrait presque mystique des orchidées épiphytes tropicales — sans parler de la rareté de nombreuses espèces — tient en partie au fait que ces plantes élisent domicile dans la jungle, au sommet d'arbres gigantesques, où elles trônent hors d'atteinte. Or, des amateurs d'orchidées résolurent le problème en Malaisie, où des singes-cochons, dressés depuis longtemps au ramassage des noix de coco, apprirent à grimper jusqu'au faîte de ces arbres géants et à en redescendre les orchidées. Le « champion », un singe dénommé Merah, battit le record en 1936: il cueillit des spécimens sur plus de 300 arbres !

UNE JAUGE DE NIVEAU D'EAU
Une simple jauge, telle celle utilisée pour les réservoirs d'essence, vous permettra de ne pas arroser à l'excès une plante empotée dans un récipient décoratif mais dépourvu de trous de drainage. La jauge — un bâtonnet ou une goupille en bois de 6 mm de section — glissée dans un tube mince en plastique ou en aluminium, se pose dressée contre la paroi du pot avant l'empotage de la plante. Elle doit toucher le fond d'une couche de gros graviers de 2,5 à 5 cm d'épaisseur pour les pots de petites dimensions, de 5 à 7,5 cm pour les pots plus gros. De temps à autre, insérez la jauge dans le tube et n'arrosez pas votre plante avant que ce bâtonnet ne soit complètement sec.

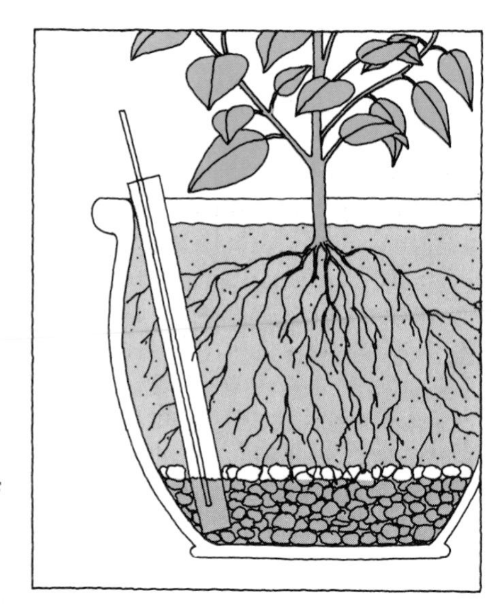

de préférence le plus petit afin de pouvoir rempoter votre plante, sans toutefois en comprimer les racines dès le départ. Ces racines devront s'étaler à 12 millimètres environ des parois et sur tout le pourtour (pour les plantes plus volumineuses, rempotées dans des pots plus gros, cette distance ne doit pas être inférieure à 2,5 centimètres.) Les pots non poreux sont immédiatement utilisables dès leur acquisition dans le commerce. Mais, avant de remplir des pots en terre cuite, un bon conseil: comme le font de nombreux horticulteurs professionnels, laissez-les tremper une nuit entière. Si vous ne les plongez pas dans l'eau au préalable, leurs parois desséchées s'imprègneront de l'humidité retenue par le terreau et dessécheront la motte trop rapidement. Vous aurez aussi intérêt à faire tremper les pots usagés en terre cuite avant de les réutiliser, non seulement pour les humecter, mais aussi en retirer la poussière et les débris de racines. Pour les récurer plus facilement, utilisez une brosse dure ou un grattoir de cuisine. Après ce bassinage, laissez sécher le pot suffisamment — qu'il soit usagé ou neuf — pour que le terreau ne colle pas à l'intérieur. Vous pourrez alors procéder au rempotage de votre plante.

FAIRE UN BON DRAINAGE

Il ne suffit pas de remplir un pot de terre pour bien le drainer. En premier lieu, il convient d'y insérer certains matériaux à cette fin. Si le pot mesure plus de 10 centimètres de diamètre, bouchez le ou les trous de drainage avec des tessons de poterie, dont vous aurez retourné les parties saillantes vers le haut pour que l'eau puisse s'écouler sans risquer d'entraîner avec elle le contenu du pot. Dans les pots excédant 15 centimètres de diamètre, prenez soin d'étaler sur le fond des fragments de poterie ou des graviers sur 2,5 centimètres d'épaisseur pour obtenir un meilleur drainage.

Si vous avez choisi un récipient décoratif dépourvu d'orifices de drainage, il vous faudra prévoir un système spécial d'écoulement de l'eau. Vous pouvez placer la plante dans un pot légèrement plus petit que vous glisserez dans le récipient, en le surélevant avec une couche de graviers de 2,5 centimètres si nécessaire, pour ne pas le laisser baigner dans l'eau. Sinon, vous pouvez rempoter la plante directement dans le récipient, dont vous aurez au préalable couvert le fond d'une couche de tessons de poterie, de 12 millimètres de graviers, ou de morceaux de charbon de bois broyé. S'il mesure 25 centimètres ou plus, votre récipient devra être garni d'un tapis de matériaux de drainage de 5 à 7 centimètres recouvert d'une mince couche de sphagnum fibreux, de quelques feuilles mortes, de tourbe grossière ou de tout autre matériau permettant d'éviter l'affaissement du terreau dans la zone de drainage. N'arrosez surtout pas trop ce genre de récipient fermé, car l'excès d'humidité ne peut s'échapper que par évaporation de la surface du terreau ou par transpiration des feuilles. A l'amateur débutant qui risque de trop arroser, je conseillerai de relier par une section de tuyau peu épais les matériaux de drainage au bord du pot. Il faut enfouir ce tuyau dans la

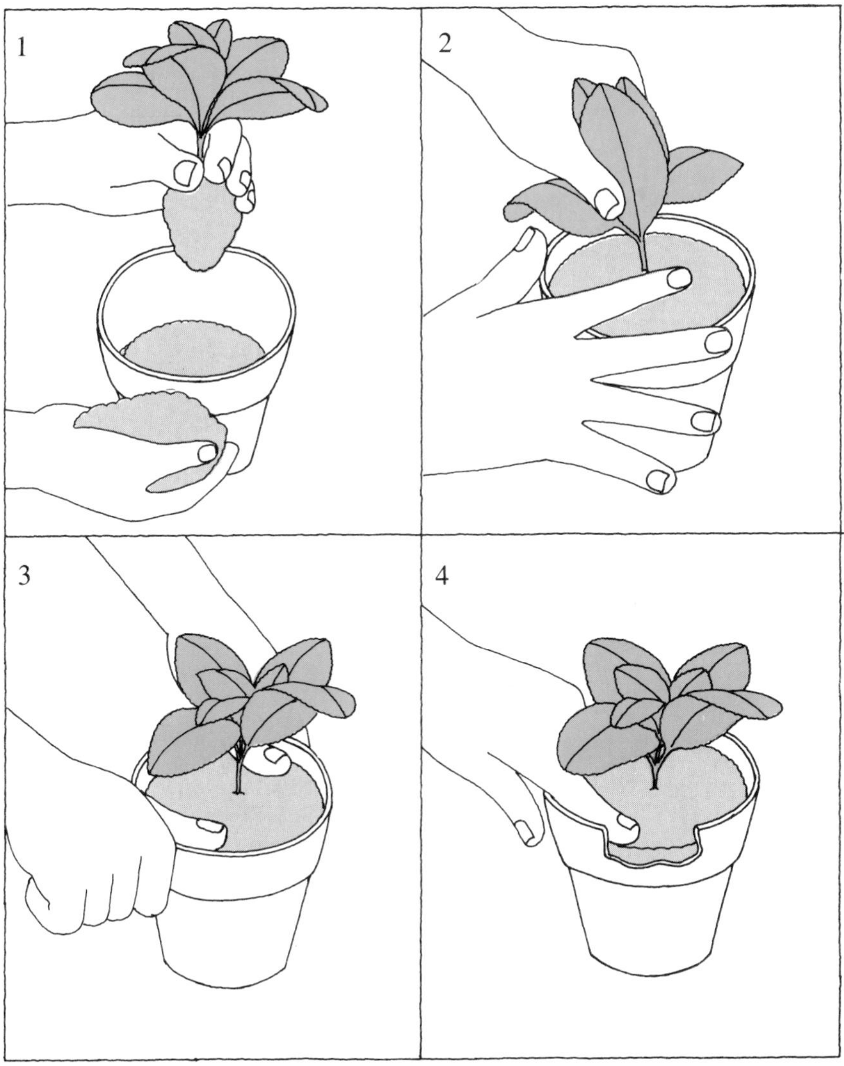

1

2

3

4

COMMENT EMPOTER UNE PLANTE

1. *Pour bien empoter une plante, il vous faudra la tenir délicatement pour la glisser dans le pot et ajouter suffisamment de terreau afin que le sommet de la motte se trouve au ras du bord du pot. Stabilisez la plante d'une main, et de l'autre, ajoutez du terreau sur le pourtour de la motte. Consultez l'encyclopédie (Chapitre 6) pour connaître le terreau le plus approprié à la plante.*

2. *Dès que le terreau se trouve au même niveau que la base de la tige, tassez-le de l'index, autour de la tige, pour serrer le mélange sur les racines.*

3. *De vos deux pouces, tassez le terreau contre le bord du pot pour raffermir le mélange. Vous supprimerez ainsi toute poche d'air éventuelle et éviterez que l'eau ne s'écoule trop rapidement contre les parois sans imprégner les racines.*

4. *De l'index, mesurez la distance séparant le sommet du pot et le mélange. Cet espacement devra égaler une hauteur de doigt, soit 12 mm pour les pots de 13 cm de large au maximum, et deux doigts, soit 2,5 cm pour les pots plus gros. Si nécessaire, ajoutez ou enlevez du terreau. Arrosez copieusement.*

terre au moment où vous tassez la motte autour de la plante. A l'aide d'une jauge, vérifiez si l'eau ne s'est pas accumulée sous la plante (*schéma page 52*).

Après avoir réparti uniformément la couche de drainage sur le fond du pot, prenez une poignée de compost standard et serrez-le dans votre main. Si le terreau reste tout juste compact quand vous ouvrez la main, s'il s'effrite au toucher, s'il ne vous colle pas à la peau, c'est qu'il est assez humide pour effectuer le rempotage. S'il s'agglutine et colle à la main, il est trop humide et il vous faut le laisser sécher pendant quelque temps. Par contre, s'il est trop sec et si une légère pression suffit pour le briser, vous devrez alors l'humecter légèrement.

REMPOTAGE DE LA PLANTE

Maintenant, versez le mélange obtenu dans le pot et frappez ce dernier d'un coup sec contre un établi ou une table pour tasser la motte et supprimer les poches d'air. Tenez la plante dans le pot pour vérifier si le haut de la motte se trouve à une douzaine de millimètres du sommet du pot (2,5 centimètres pour les pots plus gros.) Si vous rempotez une bouture dont les racines récentes ne sont enrobées d'aucun terreau, écartez doucement les racines et répandez le mélange dans leur enchevêtrement et sur leur pourtour, jusqu'à ce que vous les ayez complètement recouvertes. En revanche, si une motte de terre enserre la plante, touchez le moins possible à cette motte et aux racines, et comblez les interstices de la motte à la main, en tassant le terreau comme l'indiquent les schémas de la page 53.

Une fois ce rempotage achevé, arrosez copieusement la plante

COMMENT SORTIR UNE PLANTE DE SON POT

Pour extraire une plante de son pot — pour l'examiner ou la rempoter — maintenez la tige principale d'une main, et le pot de l'autre. Pour plus de facilité, il est recommandé d'arroser votre plante une heure auparavant.

Tout en maintenant la plante et le pot, retournez l'ensemble sens dessus dessous et cognez une ou deux fois d'un coup sec le bord du pot contre un établi. Ce choc fera sortir la plante, sans abîmer les racines et le terreau.

Tirez le pot vers vous et laissez la plante glisser tout en la retenant de l'autre main. Vérifiez alors si les racines ont poussé au point que la plante ait besoin d'un pot plus grand. Sinon, vous pouvez vous contenter de les tailler.

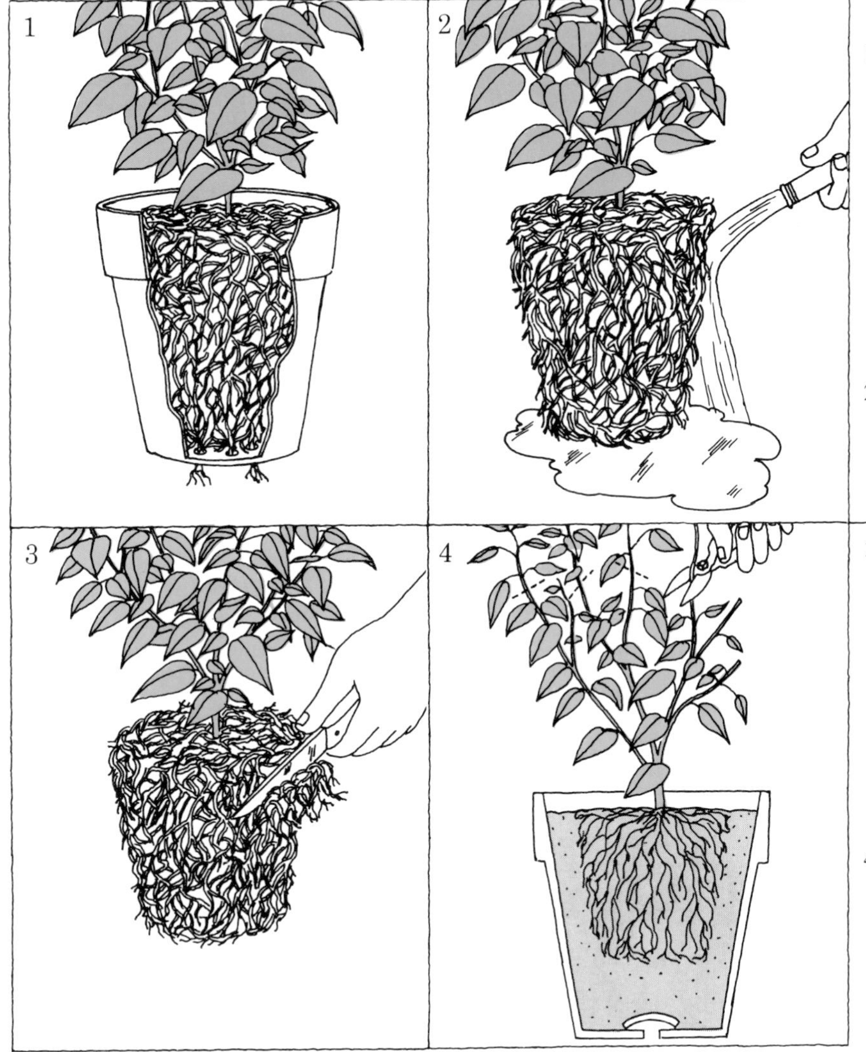

TAILLE DES RACINES
ET DES POUSSES TERMINALES

1. *Les plantes à fleurs dotées de tiges ligneuses, telles que les camellias et les hibiscus, peuvent devenir trop encombrantes si on les rempote dans des pots plus volumineux dès que les racines ont envahi la motte. La taille des racines et des pousses terminales s'impose lorsque les racines se trouvent à l'étroit dans le pot — voire ressortent de la surface du terreau et des trous de drainage.*

2. *Après avoir extrait la plante de son pot (page ci-contre), passez-la sous un jet d'eau pour détacher le terreau autour des racines.*

3. *Avec un couteau tranchant, coupez les racines externes et égalisez-les tout autour de la motte. Couchez ensuite la plante sur le côté et dégagez le fond d'une égale épaisseur. Taillez suffisamment pour que les racines soient à 12 mm environ du bord d'un pot de 25 cm, ou moins de large, et à 2,5 cm pour les pots plus gros.*

4. *Rempotez la plante (page 53) dans l'ancien pot récuré et garni de terreau frais. Pour équilibrer la plante, coupez les tiges (lignes en pointillés) — si vous avez taillé les racines d'un tiers, coupez aussi les pousses terminales d'un tiers.*

(*Chapitre 2*) et ne l'irriguez plus avant de voir le terreau devenir sec et commencer à se craqueler.

Une plante bien rempotée doit pouvoir s'épanouir dans son nouveau récipient pendant une, voire plusieurs années, suivant la rapidité de sa croissance. Par la suite, dès que vous verrez ses racines déborder du pot, rempotez-la dans un récipient plus grand. Une plante épanouie ne peut continuer à croître qu'à condition de déployer son système radiculaire.

Les plantes malades doivent absolument être rempotées, mais une plante qui se meurt ne redeviendra jamais vigoureuse. Pourtant, bien des gens attribuent au rempotage un pouvoir miraculeux, comme je m'en rendis compte récemment en garant ma voiture près de chez un fleuriste. J'aperçus une femme élégante qui portait jusqu'à la boutique une plante en bien piètre état. Je plaignais d'avance le fleuriste qui, je le savais, allait se voir demander de rempoter la plante — euphémisme pour dire "rajeunir". De toute évidence, la cliente refusait de revoir dans un nouveau pot sa vieille plante délabrée; elle voulait simplement que le fleuriste lui insuffle une nouvelle jeunesse — opération proprement impensable à ce stade avancé de déchéance. Pourtant, cette femme aurait aisément pu éviter ce modeste désastre si elle avait rempoté sa plante lorsqu'il était encore temps.

QUAND ET COMMENT REMPOTER

Un rempotage s'impose quand une plante devient à l'étroit dans son pot, c'est-à-dire lorsque ses racines ont entièrement envahi la motte de terre et le pot. (Quelques plantes, les agapanthes, les aeschynanthus et les crinodonnas, par exemple, donnent des fleurs d'autant plus belles que le pot les comprime. Aussi ont-elles moins souvent besoin d'être rempotées. Vous trouverez dans l'encyclopédie tous les renseignements utiles à ce sujet.) Parfois, l'urgence d'un rempotage devient flagrante quand on voit une plante se faner entre deux arrosages et ne produire que des feuilles rabougries et des rameaux effilés. Quelquefois, rien ne laisse pressentir le danger: la plante continue de pousser abondamment mais, les racines ayant envahi le pot, bientôt le terreau ne suffit plus et le récipient devient alors trop exigu pour que la plante puisse s'y épanouir correctement. Pour déceler avec certitude l'imminence d'un rempotage, sortez la plante de son pot et examinez ses racines — opération très aisée qui n'endommagera nullement votre plante si vous prenez toutes les précautions nécessaires.

Quelques heures avant d'enlever la plante pour l'examiner, arrosez-la suffisamment pour humecter la terre; cet apport d'humidité vous permettra de tirer vers vous la motte et évitera aux extrémités tendres des racines de s'accrocher aux aspérités des parois du pot, et de s'abîmer quand vous les sortirez. Puis, de vos doigts tendus de part et d'autre du bord du pot et enserrant la ou les tiges de la plante, retournez le pot vers le bas et cognez-le contre un établi ou une table en bois (*schémas page 54*). Vous recueillerez alors dans vos mains la plante, le terreau et les racines parfaitement intacts. Si les racines sont imbriquées les unes dans les autres et ressemblent à un nœud de ficelle, sachez que votre plante

(suite page 61)

Des Orchidées fascinantes en appartement

Les Orchidées brillent par leur spécificité. La simple mention de leur nom inspire des visions de merveilles au plus profond des jungles, un enchantement auquel seuls les plus riches ou les plus hardis peuvent accéder. Pourtant, les Orchidées, loin d'être rares, sont nombreuses, variées et prolifiques. On en dénombre au moins 25 000 espèces connues, poussant sur tous les continents, excepté l'Antarctique, et sous presque tous les climats, du Congo à l'Alaska. Bien que d'apparence très fragile, les Orchidées résistent bien aux maladies et vivent longtemps. Malgré leur aura d'exotisme, bon nombre d'entre elles ne coûtent pas plus cher que d'autres plantes d'appartement. Sur les pages suivantes, figurent certaines Orchidées, toutes différentes — depuis les durables et odorantes Brassavola nodosa *jusqu'au* Cymbidium *«Minuet» (page ci-contre) — qui ont poussé à merveille chez l'auteur de cet ouvrage sans requérir de soins extraordinaires. Vous trouverez dans les chapitres 3, 4 et 6, toutes les recommandations utiles à la culture de ces Orchidées et d'autres encore.*

CI-DESSOUS:
Cymbidium «Minuet»

DE HAUT EN BAS:
Brassavola nodosa «DAME DE LA NUIT»
Cattleya labiata
Paphiopedilum callosum «Balinese Dancer»
Angraecum distichum

CI-DESSOUS:
Oncidium varicosum var. *rogersii* «DANSEUSE»

EN BAS A GAUCHE:
Laelia flava

EN BAS A DROITE:
Sophrolaeliocattleya x «Miami»

DE HAUT EN BAS:
Dendrobium loddigesii
Neofinetia falcata
x *Laeliocattleya* « El Cerrito »
Brassia caudata

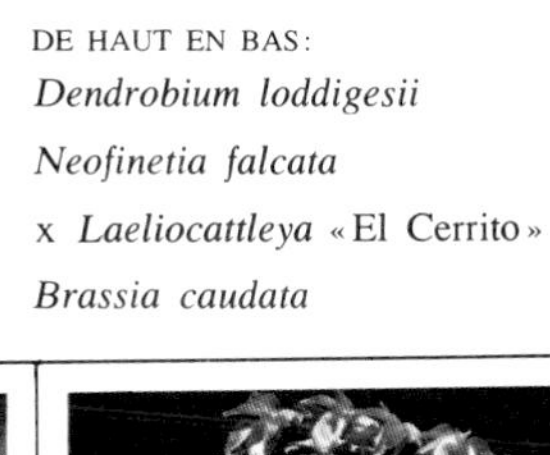

CI-DESSOUS:
Phalaenopsis amabilis « MITE »

DE HAUT EN BAS:

Epidendrum cochleatum « COQUE »

Maxillaria tenuifolia

Trichocentrum tigrinum

Rodriguezia venusta « Ann »

CI-DESSOUS:

Odontoglossum pulchellum « LIS DE LA VALLÉE »

nécessite un rempotage immédiat. Pour les plantes qui observent une période de repos, rempotez dès l'apparition de nouvelles pousses — généralement, au milieu de l'hiver ou au début du printemps. Pour les plantes dont la croissance dure toute l'année, ce rempotage peut se faire à n'importe quel moment suivant les besoins.

Pour rempoter une plante qui manquait jusqu'alors d'espace, choisissez un pot juste une taille au-dessus. Plongez ce dernier dans l'eau s'il est neuf, laissez le tremper, grattez-le s'il est usagé et laissez-le sécher. Comme dans le pot d'origine, bouchez le fond d'un tesson de poterie et, dans les plus grands récipients, ajoutez une couche de matériaux de drainage. Extrayez sans l'abîmer la plante et sa motte de terre de l'ancien pot, comme pour l'examen des racines. Placez-la dans le nouveau pour en vérifier l'encombrement. La motte de terre doit se trouver à 12 millimètres des parois du nouveau pot (2,5 centimètres si celui-ci mesure plus de 25 centimètres de large.) Évaluez aussi la quantité de terreau qu'il vous faudra verser au fond du nouveau pot pour hisser la motte à bonne hauteur — à la fin de l'opération, la surface de la motte devra être entre 12 et 25 millimètres du bord supérieur du pot, suivant la grandeur de la plante (*schémas page 48*). Retirez un court instant la plante du nouveau pot et étalez au fond le terreau nécessaire. Cognez le pot pour égaliser le mélange. Replacez-y la plante et sa motte, et comblez de terreau l'espace restant, en tassant avec vos pouces. Arrosez copieusement et attendez de voir la terre complètement sèche avant de procéder à un nouvel arrosage.

Parfois, il faut rempoter les plantes dans le même récipient ou dans un nouveau pot de taille identique. Cette opération s'impose quand une plante requiert un nouveau terreau, mais ne doit pas trop pousser à cause de l'exiguité de la pièce où elle se trouve — mon hibiscus se serait ramifié jusqu'au plafond si je n'en avais pas arrêté la croissance en le gardant dans un pot de moindre dimension. L'apparition de feuilles plus chétives et de fleurs plus raréfiées est souvent signe d'un besoin en nouveau terreau. Pour rempoter une plante dans un récipient de dimension identique, extrayez-la de l'ancien pot, dégagez une partie du vieux terreau sur la partie externe de la motte, à la main ou à grande eau avec un tuyau d'arrosage. Taillez ensuite les racines et les extrémités des tiges, comme indiqué sur les schémas de la page 55. Rempotez la plante dans un nouveau mélange de terreau, après avoir tapissé le fond du pot d'une couche de drainage. Arrosez généreusement et attendez que la terre soit sèche pour recommencer.

REMPOTAGE DES ORCHIDÉES

Les techniques d'empotage et de rempotage des Orchidées diffèrent sensiblement des méthodes pratiquées pour les autres plantes d'appartement. Il faut en entreprendre le rempotage dès l'apparition de nouvelles racines, visibles en surface. Vous pouvez vous servir de pots en terre cuite ou en plastique à condition d'en assurer un bon drainage. Les Orchidées cultivées généralement en intérieur, étant épiphytes, nécessitent un renouvellement d'air et un excellent drainage.

Généralement, les amateurs d'Orchidées choisissent comme matériau de culture de l'écorce de sapin, vendue en trois grosseurs: finement broyée pour les plantules, moyennement granulée pour les plantes plus volumineuses, grossière pour les plantes parvenues à maturité. Ils utilisent également un terreau de fougères, composé de racines fibreuses *(Osmunda regalis)*, vendues comme les fibres d'osmunda. Celles-ci forment un terreau idéal pour les Orchidées, car elles se décomposent très lentement et constituent un apport complémentaire aux éléments nutritifs indispensables pour maintenir une plante en bonne santé.

Que vous preniez de l'écorce de sapin ou des racines de fougères, vous devrez mélanger ce terreau à de la tourbe granuleuse (à raison de 2 parts d'écorce ou de racines de fougères pour 1 part de tourbe), pour conserver la terre humide. Le terreau de fougères se vend parfois en morceaux pour la culture des Orchidées de grandes dimensions, ou sous forme de bûches creuses sur lesquelles certaines orchidées épiphytes, notamment les petites, prospèrent mieux.

Avant de les mettre en pots, étudiez d'avance le port de vos orchidées dans leur pot : s'il faut en centrer certaines, d'autres doivent être plantées sur le côté. Les premières sont dites monopodiales : leurs tiges, dressées à la verticale, comme la majorité des plantes, produisent des ombelles de fleurs à la base de chaque feuille ou, à l'opposé, partiellement en deçà de la tige. Les secondes, dites sympodiales, poussent à l'horizontale. Vous devrez en planter les tiges les plus anciennes près de la paroi du pot pour favoriser le développement de la nouvelle végétation vers l'intérieur du pot. Toutes les Orchidées mentionnées dans la partie encyclopédique, excepté l'*Angraecum* et le *Phalaenopsis* appartiennent à ce type.

MISE EN POT ET SOINS D'UNE ORCHIDÉE MONOPODIALE

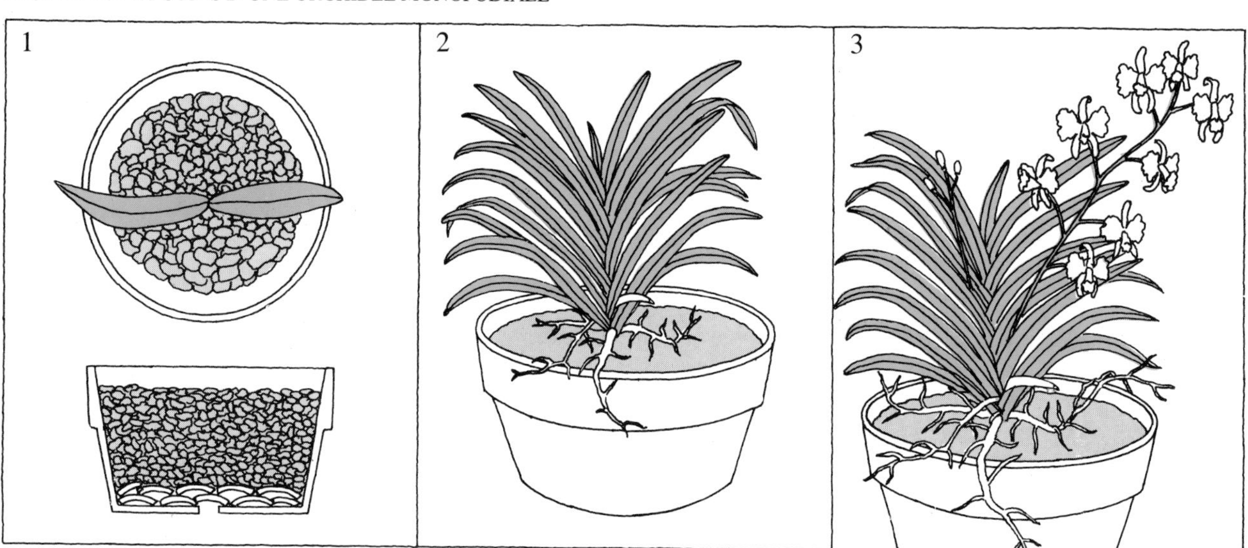

Cette orchidée monopodiale, à tige unique, doit être plantée dans un pot en terre cuite peu profond de 20 à 22 cm de diamètre, dans un mélange d'écorce de sapin et de tourbe. Deux couches de cailloux en assurent le drainage.

*Arrosée, humidifiée et nourrie (voir les rubriques de l'encyclopédie concernant l'*Angraecum *et le* Phalaenopsis*), cette orchidée pousse progressivement, en produisant tour à tour des nouvelles feuilles et des racines aériennes.*

Après cinq ans d'âge environ, des tiges fleurissent et les fleurs elles-mêmes finissent par se déplier. Ne coupez jamais de fleurs avant qu'elles ne se soient assez affermies et teintées, soit en général 48 heures après l'éclosion.

Les orchidées sympodiales ont de nombreuses tiges souples qu'un tuteur aidera à ne pas s'affaisser. Incurvez en arc de cercle l'une des extrémités d'une section de fil rigide en aluminium ou galvanisé, vendu dans toutes les quincailleries. Faites-lui épouser la forme du fond du pot et laissez le reste du fil dressé comme un porte-flambeau, en le décentrant légèrement (*schémas ci-dessous*). La section érigée du fil doit suffisamment dépasser du bord supérieur du pot pour servir de tuteur aux tiges verticales d'une plante qui lui est rattachée (25 à 30 centimètres suffisent généralement). Comme les tiges se développent le long du rhizome, enroulez-les autour du tuteur avec du raphia.

Ces préparatifs effectués, rempotez vos orchidées monopodiales comme sympodiales de la même manière. Tapissez le fond du pot d'une ou deux couches de graviers. Remplissez à moitié le pot d'un mélange d'écorce ou de terreau de fougères et de tourbe. Maintenez la plante au-dessus du pot afin de niveler le sommet de sa couronne de racines sur le bord du pot et de laisser pendre les racines. Remplissez presque complètement le pot de terreau, en recouvrant les racines et en tassant énergiquement le mélange. Arrosez modérément les plantes que vous venez de rempoter et pulvérisez-les deux fois par jour pour faciliter la fixation des nouvelles racines dans le matériau de culture. Parvenu à ce stade, suivez les instructions d'arrosage qui figurent pour chaque espèce d'Orchidées dans la partie encyclopédique.

Maintenant, votre orchidée peut prendre place parmi vos plantes d'appartement favorites.

MISE EN POT ET SOINS D'UNE ORCHIDÉE SYMPODIALE

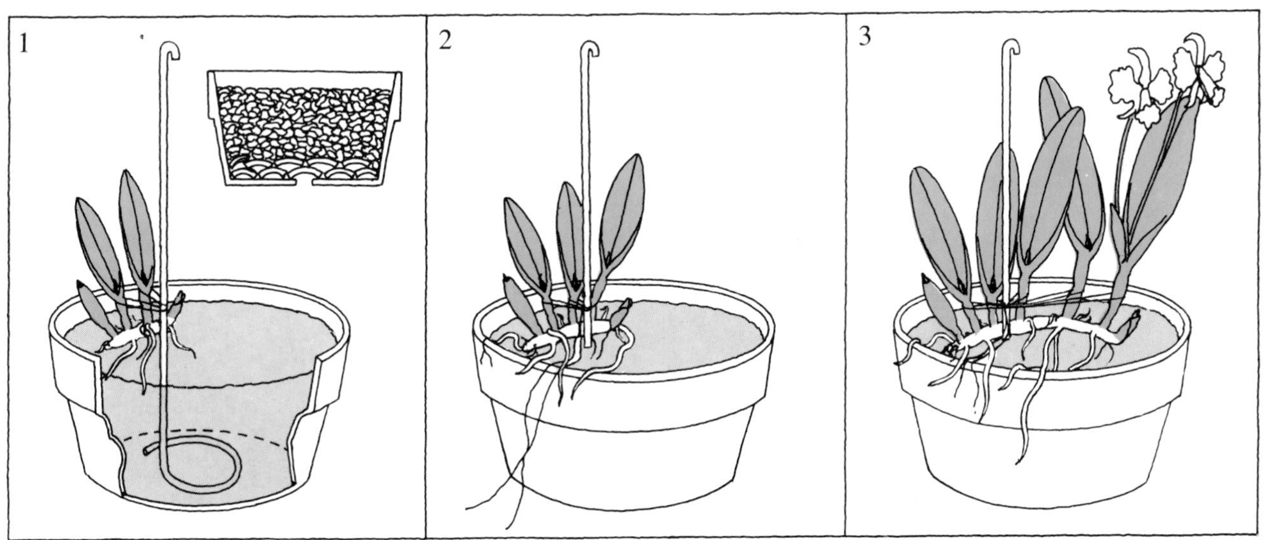

Les orchidées sympodiales, à tiges multiples (et la plupart de celles mentionnées dans l'encyclopédie) se plantent sur un côté, avec un tuteur incurvé, enfoncé dans un pot garni de cailloux, d'écorce de sapin et de tourbe.

Dès que la tige souterraine de l'orchidée, ou rhizome, se ramifie dans le pot, attachez chaque nouvelle tige au tuteur (en le courbant pour éviter tout accident) ; prenez des bouts de raphia que vous enroulerez en bandoulière.

Une orchidée sympodiale parvenue à maturité produit des fleurs au bout de 5 ans environ, mais uniquement sur la tige principale. Comme pour les autres orchidées, ne coupez pas les fleurs avant qu'elles ne soient affermies et teintées.

Le langage des plantes

Certaines personnes parlent à leurs plantes. D'aucuns prétendent même les voir courber l'échine sous une réprimande. En tout cas, faute de répondre, les plantes savent à leur manière manifester le malaise qu'elles éprouvent. Vous verrez par exemple des feuilles tomber, des taches apparaître, la croissance s'interrompre. Tel symptôme peut signifier un manque de lumière ; tel autre, un excès d'arrosage ; tel autre encore, une contamination par des cochenilles farineuses. Un diagnostic avisé et rapide, devrait vous permettre de remédier au mal avant qu'il ne s'aggrave.

SYMPTÔMES	CAUSES	REMÈDES
1 Les tiges deviennent anormalement longues; les feuilles s'étirent et se décolorent; la nouvelle végétation est chétive.	Manque de lumière. Trop d'azote.	Exposez davantage la plante à la lumière (voir encyclopédie, Chapitre 6, les besoins spécifiques des plantes) ou rapprochez-la d'un éclairage d'appoint. Réduisez la dose d'engrais ou la fréquence d'application.
2 Les feuilles se retroussent par en dessous; la nouvelle végétation est alors chétive.	Trop de lumière.	Ombragez davantage la plante ou éloignez-la de tout éclairage d'appoint.
3 Les tiges deviennent spongieuses, brunissent puis pourrissent; les feuilles de base s'enroulent et se recroquevillent; le terreau en surface du pot est constamment détrempé.	Trop d'eau.	N'arrosez par tant ou si souvent; n'arrosez que lorsque le terreau vous paraîtra sec au toucher; réduisez vos arrosages pendant la période de repos. Vérifiez si le trou de drainage n'est pas bouché et ne laissez pas la plante stagner dans l'eau du sous-pot plus d'une demi-heure.
4 Les extrémités des feuilles brunissent et les feuilles se recroquevillent. Au bas de la tige les feuilles jaunissent et tombent.	Manque d'eau.	Arrosez jusqu'à écoulement de l'eau en excès par le trou de drainage; ensuite, n'arrosez que lorsque la surface du terreau vous paraîtra sèche au toucher. Pulvérisez sur la plante endommagée un engrais foliaire pour lui redonner de la vitalité.
5 Le bord des feuilles se froisse et brunit.	Manque d'humidité.	Placez les pots sur un lit de graviers humide *(page 45)* ou regroupez les plantes dans une jardinière garnie de tourbe humide *(page 13)*. Bassinez les feuilles *(page 43)*. Si votre maison est chauffée à l'air chaud, équipez votre chauffage d'un humidificateur ou utilisez un saturateur.
6 Les fleurs sont rares ou inexistantes; le feuillage excessivement fourni. Les tiges ont tendance à s'allonger. Une pellicule verte adhère aux parois des pots en terre cuite.	Trop d'engrais, notamment d'azote.	Fertilisez moins souvent ou n'administrez que la moitié de la dose prescrite, en particulier pendant les mois d'hiver durant lequels la plante reçoit moins de lumière. Ne dispensez aucun engrais riche en azote pendant la floraison. Cessez tout apport d'engrais pendant la période de repos.

Vous trouverez décrits ci-dessous et sur les pages suivantes 22 symptômes du dépérissement d'une plante d'appartement, suivis de ses causes et remèdes. Mais ne transformez pas pour autant votre intérieur en hôpital: détruisez les plantes gravement contaminées et remplacez-les par des plantes neuves et saines. Pour prévenir toute infestation, lavez les feuilles régulièrement (*page 76*) et détachez fleurs et feuilles fanées. Isolez les plantes récentes pendant deux semaines pour vérifier si elles ne sont pas parasitées par des insectes ou vecteurs de maladies.

SYMPTÔMES	CAUSES	REMÈDES
7 Les feuilles basses virent au vert pâle et tombent. La nouvelle végétation est chétive, et les tiges sont rabougries.	Trop peu d'engrais.	Fertilisez plus souvent pendant la période de croissance (consultez dans l'encyclopédie les directives suggérées pour chaque plante d'appartement.)
8 Les feuilles jaunissent ou s'enroulent et se recroquevillent.	Trop de chaleur.	Placez votre plante dans un endroit plus frais (consultez dans l'encyclopédie les températures nocturnes et diurnes optimales pour chaque plante). Vérifiez si vos plantes ne sont pas trop proches d'un radiateur ou d'une sortie d'air chaud.
9 Des taches jaunes ou brunes apparaissent sur les feuilles, souvent par bandes transversales.	Coups de soleil.	Ombragez davantage la plante, en particulier en été, en tamisant la lumière solaire avec des stores ou des rideaux, ou en plaçant la potée sur une fenêtre abritée à midi et dans l'après-midi du plein soleil. (Consultez l'encyclopédie pour connaître les exigences d'éclairement de chaque plante d'appartement.)
10 Des taches blanches ou jaunes apparaissent sur les feuilles, notamment sur celles des Violettes du Cap ou d'autres plantes à feuillage velu.	Eau froide sur les feuilles.	Utilisez, lors de vos arrosages, une eau portée à la température ambiante, voire légèrement supérieure.
11 Une couche blanche adhère aux parois et aux bords des pots en terre cuite et apparaît sur la surface du terreau; les feuilles près du bord se recroquevillent, pourrissent et tombent.	Accumulation de sels d'engrais.	Arrosez la plante abondamment pour dissoudre les sels d'engrais; une demi-heure après, recommencez l'opération pour entraîner les sels dissous par le trou de drainage. Récurez le bord et les parois du pot; enduisez-les de cire fondue pour éviter tout nouveau dépôt de sels d'engrais venant des feuilles et des tiges affectées.
12 Des racines ont envahi le pot entièrement et ressortent éventuellement par le trou de drainage. Les plantes se flétrissent entre deux arrosages et ne portent que quelques petites feuilles.	Le pot est trop petit pour la plante.	Rempotez dans un récipient plus grand (*schémas, page 53)* et pulvérisez un engrais foliaire pour stimuler la croissance des racines dans le nouveau compost.

7

8

9

10

11

12

	SYMPTÔMES
1	La plante est chétive ; les fleurs sont malformées ou striées de couleurs plus foncées ; les feuilles se roulent, les tiges se tordent et noircissent. Les plantes sérieusement contaminées risquent de ne pas fleurir ou de ne pas voir s'éclore leurs boutons.
2	Des taches blanches, d'aspect laineux, apparaissent sur les tiges, aux aisselles des feuilles et à la base des bourgeons, généralement aux endroits cachés de la lumière vive. Les feuilles se couvrent d'une miellée collante et la plante tout entière paraît chétive.
3	Les feuilles se couvrent de mouchetures pâles et jaunissent lentement. De minuscules toiles d'araignées apparaissent sur le revers des feuilles ou à la jonction des feuilles et des tiges, puis sur les tiges ou d'une feuille à l'autre. Dans les cas les plus graves, les feuilles brunissent et tombent.
4	Les feuilles et les tiges deviennent luisantes et collantes au toucher. Les feuilles s'enroulent et les boutons peuvent être malformés. Un examen attentif permet de déceler la présence d'insectes minuscules sur le revers des feuilles, le long des tiges, à la base des boutons et surtout sur les jeunes pousses.
 5	Les feuilles pâlissent, jaunissent et tombent. Leurs faces inférieures sont recouvertes d'une substance collante. De minuscules insectes s'envolent comme un petit nuage blanc quand on bouge les plantes.
6	Les plantes deviennent rabougries et les tiges et les feuilles sont souvent collantes au toucher. Des cochenilles blanches, jaunes ou brunes apparaissent sur les tiges et les revers des feuilles.
7	Les feuilles semblent rongées en surface ou portent de grandes déchirures. Des traînées gluantes apparaissent sur les feuilles. Des créatures baveuses, sans pattes, se terrent dans la journée sous les pots ou contre leurs bords, voire sous les feuilles mortes entassées dans le pot ; la nuit, on les voit se nourrir sur les plantes.
8	Des taches de toutes couleurs et de toutes tailles apparaissent sur les feuilles et s'élargissent. Les feuilles se fanent et dépérissent.
 9	Les tiges, les feuilles, les fleurs et les boutons pourrissent et se couvrent d'une moisissure grise. Les feuilles brunissent.
10	Les tiges et les racines deviennent spongieuses, noircissent et pourrissent ; les feuilles de base noircissent, deviennent aqueuses et s'affaissent ; les pousses terminales peuvent dépérir.

CAUSES	MOYENS DE CONTRÔLE
Parasites microscopiques semblables à des araignées, des mites du cyclamen sucent la sève des feuilles et des tiges.	Détruisez les plantes endommagées. Espacez les plantes pour éviter qu'elles ne se touchent. Lavez-vous les mains soigneusement après avoir manipulé des plantes contaminées pour ne pas transférer ces mites aux plantes saines.
Des cochenilles farineuses, insectes au corps ovale, longs de 6 mm, couverts d'une matière blanche d'apparence ouateuse, sucent la sève des plantes et sécrètent une miellée sur laquelle un champignon fumagine peut se former.	Si les insectes sont peu nombreux, détachez-les à la main ou tamponnez-les à l'aide d'un coton imbibé d'alcool. Lavez le feuillage sous un jet d'eau tiède dans l'évier. Lavez les plantes plus gravement infestées à l'eau savonneuse et rincez à l'eau dégourdie. Pulvérisez du malathion sur les plantes sérieusement contaminées.
Des tétranyques, insectes rouges ou verts, dotés de huit pattes, à peine visibles, sucent la sève des plantes.	Pulvérisez sur le feuillage de l'eau dégourdie pour déloger les tétranyques. En cas de sérieuse infestation, vaporisez du malathion.
Des pucerons, insectes piriformes, démunis d'ailes et mesurant moins de 3 mm de long, sucent la sève des plantes et sécrètent une miellée. Ils peuvent être verts, noirs, jaunes, bruns ou roses.	Détachez les pucerons isolés avec vos doigts ou tuez-les en appliquant un coton imbibé d'alcool. Trempez ensuite les plantes la tête en bas dans de l'eau chaude savonneuse et rincez à l'eau dégourdie ; lavez les plantes plus volumineuses à l'aide d'une éponge. Pulvérisez les plantes gravement infestées de pyrèthre, de roténone, de malathion ou de nicotine.
Des aleurodes, insectes à ailes blanches, longs de 1,5 mm environ, se logent sur la face inférieure des feuilles, où ils sucent la sève et sécrètent une miellée.	Pulvérisez du malathion, du pyrèthre, du roténone ou du B.H.C.
Des cochenilles, insectes au corps ovale ou arrondi recouvert d'une coque dure, visibles à l'œil nu, sucent la sève des plantes et sécrètent un liquide mielleux.	Délogez les cochenilles à l'aide d'une éponge imbibée d'eau tiède savonneuse et rincez à l'eau dégourdie. Pulvérisez du malathion, de la nicotine ou du diazinon.
Des limaces et des escargots, de 1 à 10 cm de long, dont la couleur varie du jaunâtre au noir, rongent les feuilles et les fleurs des plantes.	Détachez les limaces et les escargots la nuit et détruisez-les, ou placez une soucoupe remplie de bière ou de jus de fruit près de la plante pour les attirer et les noyer. Supprimer leurs cachettes en enlevant les feuilles mortes. Disposez des appâts spéciaux à base de métaldéhyde sur la surface du terreau.
Tavelures.	Arrachez et détruisez les feuilles infestées. Ne mouillez pas le feuillage et espacez davantage les plantes pour mieux les aérer et réduire le taux d'humidité. Si les taches continuent de s'étendre, pulvérisez un fongicide à base de captane, de manèbe ou de zinèbe et vérifiez dans l'encyclopédie si les conditions de culture sont appropriées.
Botrytis, anthracnose.	Évitez d'arroser, de fertiliser et de tasser à l'excès les plantes. Ne mouillez pas les feuilles. Détruisez les plantes ou les parties de plantes infestées. Pulvérisez un fongicide à base de bénomyl, de captane, de thirame ou de zinèbe.
Pourridié des racines, des tiges et des couronnes.	Détruisez les plantes contaminées. Pour prévenir toute infestation plus sérieuse, évitez d'arroser, de fertiliser et d'entasser à l'excès les plantes. Ne mouillez pas le feuillage. Si les dégâts sont légers, pulvérisez de temps à autre sur les couronnes une poudre sèche de bouillie bordelaise.

199

Soins quotidiens élémentaires

4

Quand mon aechméa ou mon vriéséa refuse de fleurir, je place une pomme à ses côtés. Je coupe la pomme, mets les morceaux dans le pot avec la plante et glisse l'ensemble dans un sac en plastique transparent dont je rabats l'ouverture sous le pot. La pomme est un remède efficace, elle aussi. L'aechméa ou le vriéséa (comme n'importe quelle plante d'appartement de la famille des Broméliacées), même s'il n'a jamais fleuri ou donné l'espoir d'une floraison, finit par s'épanouir plusieurs semaines ou plusieurs mois après, suivant la variété.

Ce « truc », qui ressemble à un remède de bonne femme, repose sur une réaction chimique bien connue. Une pomme coupée dégage de l'éthylène — gaz utilisé dans l'industrie du plastique — qui agit comme une hormone de maturation et provoque la floraison. A moins de ne cultiver que des Broméliacées — tels les gens qui leur vouent un amour et une admiration sans bornes —, la plupart de vos plantes d'appartement n'auront jamais besoin d'une pomme et vous-même n'aurez jamais besoin d'en savoir plus sur les propriétés d'incitation florale de l'éthylène. Toutefois, les connaissances scientifiques relatives aux besoins de vos plantes favoriseront le charme de votre jardin intérieur, quelles que soient celles que vous cultivez. Quoique beaucoup de plantes requièrent à peu près les mêmes soins, chaque genre a un régime particulier mieux adapté, et décrit dans l'encyclopédie *(Chapitre 6)*.

L'entretien des plantes d'appartement n'a rien de fastidieux. Chaque matin, quand j'accomplis ma tournée d'inspection avant d'entreprendre mes travaux, je ne cesse d'être surpris. Toutefois, si distrayante soit-elle, cette inspection a un but pratique. C'est alors que j'envisage les soins les plus appropriés pour mes plantes. Je cherche celles dont le rempotage s'impose — une plante qui a besoin d'un arrosage quotidien témoigne par là-même que ses racines ont envahi toute la motte de terre. Je tourne chaque pot d'un angle droit, car les plantes, attirées par la lumière de la fenêtre peuvent se déformer quand on ne songe pas à les exposer différemment. Je détache fleurs et feuilles fanées. J'examine s'il y a lieu de tailler ou de pincer les tiges filées pour obtenir une végétation plus compacte, ou de bouturer les pousses terminales retranchées (*Chapitre 5*), pour obtenir de nouvelles plantes. J'observe de près les extrémités des rameaux, les revers des feuilles,

Le prédécesseur du « Lis de Pâques », Lilium longiflorum, *le magnifique et ancien « Lis de la Madone »,* L. candidum, *figure sur ce détail d'un dessin à la craie, à l'encre et au crayon, du carnet de croquis de Léonard de Vinci.*

leurs aisselles — endroits d'où elles jaillissent des tiges — pour déceler la présence éventuelle de parasites *(pages 66-67)* et y remédier.

A l'occasion, j'ajoute de l'engrais, dont l'apport est, pour les plantes, presque aussi vital que la lumière et l'eau. Les plantes d'appartement exigent une nourriture plus substantielle que les plantes en plein air, car l'eau des arrosages dissout et entraîne certains éléments nutritifs dans le terreau. Les racines, gênées par les parois du pot, ont un développement restreint; elles ne peuvent pas, comme dans un jardin, puiser des substances nutritives d'appoint. Cependant, mettre de l'engrais à l'excès ou à une période peu propice peut être tout aussi nocif qu'un arrosage intempestif. C'est pourquoi il est très important de savoir quand et comment administrer un fertilisant, si l'on veut garder des plantes saines et agréablement fleuries.

NOURRITURE DES PLANTES EN POTS

Sachez d'abord que tous les fertilisants ne conviennent pas forcément aux différentes plantes d'appartement. Il se peut que vous ne puissiez utiliser dans votre intérieur les engrais choisis pour votre jardin. Certes, les engrais organiques, dont l'utilité est indéniable pour les cultures en jardin, peuvent s'employer pour les plantes d'appartement. Mais la plupart d'entre eux se décomposent et libèrent leurs substances nutritives si lentement que les plantes d'intérieur prospèrent mieux quand on leur donne des doses d'engrais faibles mais répétées. En outre, nombre d'engrais organiques trop salissants et nauséabonds, sont à exclure en appartement. En général, les amateurs de plantes d'intérieur leur préfèrent des engrais chimiques, plus propres, et plus efficaces car ils sont riches en azote, en phosphate et en potasse, éléments dont toutes les plantes ont besoin.

Presque tous les engrais prévus pour les plantes d'appartement donnent d'excellents résultats car ils contiennent ces trois éléments. Leur teneur en azote, en phosphate et en potasse peut varier, mais il vous faudra toujours les diluer et vous conformer aux instructions du fabricant. Dans certains mélanges, le pourcentage d'azote est parfois très élevé, car ce composé se dissout plus vite dans un pot souvent arrosé qu'en pleine terre. Des plantes comme les azalées et les gardénias ont besoin d'engrais qui, après décomposition, laissent un résidu acide. Ces engrais, contenant des composés tels que du phosphate ou du sulfate d'ammonium, portent très souvent l'indication suivante: « Pour plantes aimant l'acidité. »

Outre leur diversité de composition chimique, les engrais pour plantes d'appartement n'ont pas tous les mêmes propriétés physiques. On les vend actuellement sous quatre formes distinctes: poudre, cristaux ou tablettes à diluer dans de l'eau; solutions concentrées; bâtonnets, granulés ou tablettes qu'on pique, à sec, dans le terreau et qui se dissolvent peu à peu sous l'effet des arrosages; poudres sèches qu'on saupoudre à la surface du sol.

J'ai fait l'essai des quatre formules: toutes donnent de bons résultats. Certains amateurs de culture en appartement utilisent des poudres sèches, mais nombre de néophytes estiment, ce faisant, perdre leur temps. La plupart préfèrent les engrais dissous dans l'eau qui dispersent rapidement leurs éléments nutritifs et se manipulent aisément. Les éléments actifs sont d'une marque à l'autre, diversement concentrés, aussi suivez les instructions portées sur l'étiquette pour préparer votre solution. Ne nourrissez jamais une plante avant d'avoir vérifié si le terreau est humide. Quand la terre est sèche, même un engrais dissout dans de l'eau peut brûler les racines tendres. Arrosez le terreau sec modérément. Versez ensuite une dose appropriée de solution nutritive afin d'humecter le terreau en profondeur — la plante est assez irriguée quand l'eau s'écoule par le trou de drainage.

Bien entendu, si vous vous servez de bâtonnets, de granulés ou de tablettes «à action lente», il faudra modifier vos doses. Leur composition, en effet, a été spécialement conçue pour une période d'efficacité relativement longue. Vous devrez les enfouir dans la terre à 2,5 cm environ de profondeur, le plus près possible des parois du pot, pour éviter toute brûlure radiculaire. Une fois dissouts, il faudra les remplacer — source de désagréments, car il n'est pas toujours aisé de savoir quand le dernier morceau s'est effectivement décomposé. Faciles à administrer, ces engrais sont utiles quand vous quittez votre domicile et confiez l'entretien de vos plantes à une personne à qui vous ne faites pas confiance pour la fertilisation.

N'en concluez pas que je vous conseille de nourrir constamment d'engrais vos plantes d'appartement à fleurs. Cet apport n'est bénéfique qu'aux plantes qui poussent bien et sont judicieusement exposées à la lumière. Ainsi, dans les pays nordiques où, en hiver, les rayons solaires n'ont pas l'intensité voulue, la plupart des plantes d'appartement ne requièrent qu'une dose infime d'engrais, si ce n'est aucun, de novembre à février. Une plante dormante — comme le gloxinia en période de repos — n'en demande aucun. Il en est de même pour une plante malade au feuillage flétri, fané ou mort. Ces deux types de plantes ne peuvent absorber utilement les éléments nutritifs des engrais. Une plante transplantée depuis peu ne devrait recevoir aucun engrais pendant deux ou trois semaines, afin d'avoir le temps de rétablir suffisamment ses racines pour assimiler ce supplément de nourriture.

Forts de ces mises en garde, commencez à nourrir vos plantes à fleurs dès les premiers beaux jours et dès l'apparition des jeunes pousses. Puis, continuez les applications d'engrais en suivant les recommandations prescrites pour chaque plante. Mais ne faites pas de zèle! Je sais combien la tentation est grande pour nombre de jardiniers d'intérieur. Ils prennent un flacon d'engrais liquide, lisent l'étiquette indiquant par exemple: «Une cuillère à café dans 1 litre d'eau» et, se demandant «Comment cette infime quantité peut-elle suffire?», ils décident d'en mettre une cuillère à soupe. Si vous ne pouvez résister à cette tentation, goûtez donc une larme d'engrais. Il ne vous fera pas de mal, mais vous irritera la langue et, aussitôt vous courrez boire un verre d'eau. Imaginez alors combien il brûlera les tendres racines de vos plantes. Au cas où vous leur en auriez administré une dose excessive, donnez leur de l'eau à boire. Placez-les dans un endroit qui se prête à un drainage rapide et sûr, puis arrosez-les à plusieurs reprises pendant une heure ou deux. Vous les sauverez peut-être ainsi de l'excès d'engrais.

UNE FEUILLE AU COURRIER

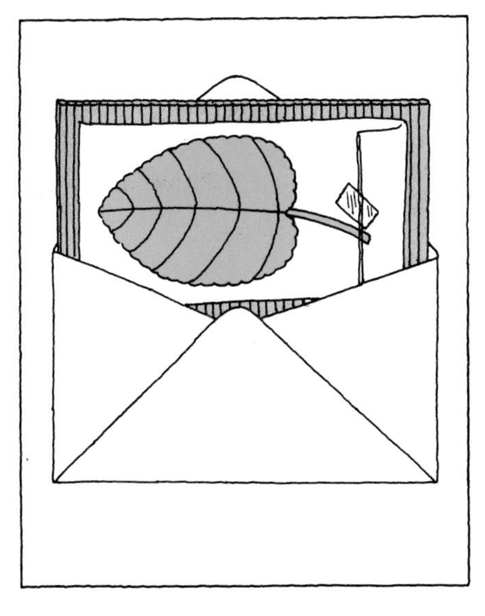

Souvent, les amateurs de Violettes du Cap envoient une feuille prélevée sur une variété de leur choix à un ami lointain pour qu'il la multiplie (page 89). Le mode d'emballage est simple: coupez le pétiole de la feuille aussi long que possible pour que, à son arrivée, le bout fané puisse en être retaillé, avant de lui faire prendre racine. Insérez la feuille dans un sachet en plastique que vous refermerez avec du papier collant. Glissez le tout dans une enveloppe renforcée d'une épaisseur de carton gaufré pour éviter que la machine à composter de la poste n'écrase la feuille.

BASSINAGE ET LAVAGE

La propreté des plantes est presque aussi importante que les soins de routine dont nous avons précédemment parlé : apport d'engrais, arrosage et éclairement. Toutes les plantes tirent grand profit d'un lavage périodique. Effectué avec soin, il permet de supprimer bon nombre de parasites, de larves d'insectes et d'araignées, à peine visibles à l'œil nu, qui endommagent les plantes s'ils ne sont pas détruits.

Pour bien faire, il faudrait transporter dans l'évier les plantes assez légères, au moins une fois par quinzaine pour les doucher à l'eau tiède. A l'aide du dispositif de rinçage dont certaines cuisines modernes sont équipées, rincez fermement mais délicatement les deux faces des feuilles et les tiges, sans brusquer les jeunes pousses tendres. Sinon, versez de l'eau tiède sur les feuilles à l'aide d'un arrosoir muni d'une pomme finement perforée, ou utilisez un pulvérisateur en plastique pour plantes d'appartement. Dans votre salle de bain, vous pouvez aussi laver légèrement vos plantes à l'eau tiède au moyen de la douche baladeuse. Pour les plantes à feuillage velu très développé, j'exclus toute pulvérisation directe qui risque d'abîmer les feuilles. Je retourne la plante sens dessus dessous en la maintenant sans forcer dans son pot, et lave les feuilles avec un chiffon humide ou une éponge. Quel que soit le mode de lavage choisi, procédez à cette tâche en début de matinée, avec une eau plus chaude que l'air ambiant. Faites ensuite sécher les plantes dans un endroit bien aéré et ombragé. Je n'utilise, pour ma part, que de l'eau pure tiède, car je ne crois guère que des feuilles vert tendre deviennent plus décoratives une fois enduites de graisse ou de produits chimiques. L'attrait des plantes réside en partie dans la variété des textures foliaires.

LUTTE CONTRE LES PARASITES

Si les lavages périodiques détruisent la plupart des insectes avant qu'ils n'aient pu nuire, certains parasites sont cependant tenaces. Les plus redoutables sont souvent ceux qui s'agglutinent sur les nouvelles plantes ou s'installent à l'intérieur en automne, fixés aux plantes qui ont passé l'été dehors. Aussi est-il bon d'isoler les plantes contaminées pendant

(Suite page 76)

Une vente aux enchères hollandaise

L'étalage des plantes d'appartement à fleurs qui arrivent à profusion cinq matinées par semaine dans la petite ville commerçante d'Aalsmeer, en Hollande, est l'un des plus éblouissants spectacles que puisse voir un amateur de jardinage en Europe. Dès les premières lueurs de l'aube, plus de 3000 horticulteurs viennent vendre aux enchères leurs fleurs coupées et leurs plantes en pots sur le marché aux fleurs le plus vaste et le mieux géré du monde. On y adjuge quelque cinq millions de potées par mois. 2000 acheteurs — exportateurs, grossistes, boutiquiers et marchands ambulants — se disputent par lots quelques pots ou des wagons entiers de plantes aux couleurs et aux tailles inimaginables. Toutes les opérations se font par ordinateur et, en deux ou trois heures, les salles se vident et les fleurs s'acheminent à travers l'Europe entière.

Des acquéreurs s'apprêtent à monter les enchères, tandis que l'on convoie sur rail des chariots de bégonias, de kalanchoës et de calcéolaires dans la salle des ventes.

Une course contre la montre

Le succès des ventes aux enchères d'Aalsmeer tient davantage à la vivacité d'esprit et à la résistance nerveuse des participants qu'à leur réussite professionnelle. Les enchères, indiquées sur une sorte d'horloge, commencent au prix fort et baissent progressivement — jusqu'à ce qu'un acheteur, sur simple pression d'une touche cachée sous son bureau, bloque l'aiguille sur le cadran et fixe son choix sur les plateaux de fleurs proposés. On conclut, en moyenne, une vente toutes les 5 secondes dans chacune des cinq salles de cet ensemble.

Devant l'immense horloge des prix, un employé présente plusieurs pots de Violettes du Cap.

Dans le hall des salles de vente, un acheteur consulte une liste où figure son numéro d'identification ainsi que le prix des fleurs adjugées pendant la vente.

Un acheteur éventuel inspecte un chariot rempli de plantes d'appartement à fleurs avant sa mise aux enchères. Le numéro du lot est inscrit sur le côté.

Des plateaux garnis de Violettes du Cap pourpres et roses sont acheminés par rails de l'entrepôt de 4 hectares à l'une des salles de vente.

quelques semaines jusqu'à destruction complète de ces parasites.

Souvent, les plantes sont infestées de pucerons (insectes minuscules en forme de poire) et de mouches blanches (sortes de minuscules mites blanches) qui, tous deux, sucent la sève des pousses terminales encore tendres et s'agrippent au revers des feuilles. Les araignées rouges et les mites du cyclamen, des acariens, font moins de ravages. Les premières tissent de fines toiles sur la face inférieure des feuilles des plantes comme la balsamine, le rosier miniature, et sucent la sève jusqu'à complète décoloration du feuillage. Les secondes s'attaquent aux Violettes du Cap, aux bégonias et aux cyclamens. Presque invisibles à l'œil nu, elles sucent la sève des plantes, déforment les feuilles qui s'enroulent et se flétrissent, et entravent l'ouverture des boutons.

Par bonheur, on peut de toute façon enrayer l'invasion de ces parasites. Si les pucerons ou les mouches blanches résistent au lavage à l'eau tiède, trempez les feuilles et la tige dans une cuvette remplie d'eau tiède et savonneuse — utilisez un savon doux de fabrication artisanale, non détergent. Agitez la plante dans cette eau et rincez-là à l'eau tiède. S'il reste des parasites, pulvérisez-la de pyrèthre, insecticide inoffensif pour les humains et autres mammifères (mais toxique pour les poissons; évitez donc de vous en servir près d'un aquarium).

Si des cochenilles persistent, faites-les disparaître en badigeonnant les feuilles avec un morceau de coton imbibé d'alcool. Ne pulvérisez la plante d'insecticide qu'en cas d'échec. Vous trouverez dans les garden centers du malathion, insecticide très efficace contre les cochenilles. A

LAVAGE D'UNE PLANTE D'APPARTEMENT

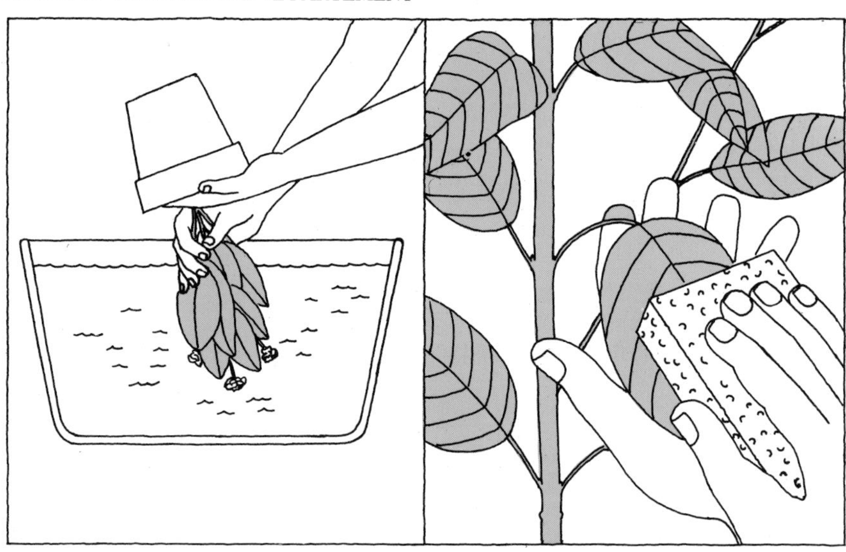

Pour épousseter une plante de petites dimensions ou dotée de feuilles tendres, velues, agitez-la dans de l'eau tiède, la tête en bas. S'il reste de la poussière sur les feuilles, lavez-les avec un savon doux (non détergent), puis rincez.

Pour laver des plantes plus grandes, trop encombrantes pour être déplacées jusqu'à l'évier, nettoyez les feuilles avec une éponge imbibée d'eau tiède. Si vous utilisez de l'eau savonneuse pour enlever la poussière, rincez à l'eau claire.

cause de sa toxicité et de son odeur repoussante, utilisez ce produit en laissant les fenêtres grandes ouvertes, ou mettez vos pots dehors.

Le malathion détruit également les araignées rouges. Pour les mites du cyclamen, utilisez du dicofol. Ce traitement mettra hors de danger les plantes que les parasites n'ont pas sérieusement contaminées. Mais ne gardez pas de plantes trop endommagées.

Avant d'employer un insecticide quelconque, lisez attentivement la notice indicative. Vérifiez si le traitement prévu convient à vos plantes. Quelques espèces sont en effet plus sensibles que d'autres à certaines préparations. S'il vous est conseillé de diluer le produit chimique dans de l'eau, conformez-vous à la lettre aux instructions. Si vous achetez un insecticide présenté en bombe aérosol — c'est fréquemment le cas —, vaporisez le produit en respectant la distance indiquée sur l'étiquette (en général 45 centimètres). Le jet jaillit de la buse de l'appareil sous l'effet d'un gaz pressurisé extrêmement froid qui pourrait irrémédiablement refroidir une plante placée trop près du jet.

Les maladies des plantes posent moins de problèmes que les insectes, car la plupart, dues à des champignons, ne se propagent qu'en milieu très humide. Or, le feuillage d'une plante d'appartement est ordinairement sec si vous avez su modérer vos arrosages. Les maladies sont généralement provoquées par une trop grande humidité consécutive à un arrosage excessif ou si tardif dans la journée que la chaleur du jour ne peut sécher les plantes. Le mildiou, que l'on enraie avec du dinocap, atteint surtout les plantes dont les racines sont restées trop sèches, en particulier les bégonias. Mais, le plus souvent, les maladies disparaissent dès que cessent ces pratiques erronées. Sur le tableau des pages 64-67 figurent les symptômes des principales maladies affectant les plantes d'appartement, les parasites les plus fréquents, ainsi que les traitements appropriés suivant les cas.

Soignez donc vos plantes malades, mais n'aménagez pas votre rebord de fenêtre en hôpital. Éloignez des plantes saines les plantes malades ou contaminées. Si la maladie vous paraît incurable ou la contamination incontrôlable, jetez plantes et pots à la poubelle, pour éviter qu'elles ne déclenchent une épidémie qui gagnera le reste de votre jardin intérieur.

Soyez aussi intransigeant pour les plantes qui vous semblent très fatiguées, notamment si vous remarquez des pousses chétives lors de vos tournées d'inspection, à la fin du printemps. Par contre, épargnez des plantes comme des gloriosas et des gloxinias qui, traversant peut-être une période de repos, produiront par la suite de nouvelles pousses. Quant aux plantes bulbeuses comme les jacinthes, les tulipes et les narcisses, qui fleurissent en hiver, plantez-les en pleine terre à l'automne. Des plantes ligneuses — hoyas, hibiscus, calliandras, jasmins — qui peuvent paraître à l'article de la mort, connaîtront encore quelque temps de répit si vous les plantez dehors en été.

UN ÉTÉ DANS LE JARDIN

Le printemps venu, vous pourrez également préparer vos plantes en pots à passer une saison en plein air, hors de votre appartement. Nombre d'entre elles tirent profit d'un séjour estival à l'extérieur, dans le jardin, sur une terrasse ou dans un patio. Mais certaines ne devraient absolument pas être mises dehors. Je ne le fais jamais pour mes Violettes du Cap, quoique certains jardiniers estiment qu'elles se portent à merveille dans un endroit ombragé et protégé, sur une terrasse couverte. Quelques mois de séjour en plein air profitent, par contre, aux calliandras qui recherchent le plein soleil, aux camellias qui préfèrent les emplacements ombragés, aux citrus en pots — orangers, citronniers — qui resplendissent de tout leur éclat dans des patios ensoleillés. Ne déplacez jamais d'un seul coup des plantes qui, jusqu'alors confinées dans votre intérieur, s'étaient habituées à une lumière atténuée. Procédez à ce transfert par étapes en leur trouvant un endroit relativement ombragé, puis en les rapprochant de la lumière solaire, pour enfin les exposer en plein soleil. Choisissez de préférence les emplacements baignés de soleil le matin. En été, la chaleur du soleil d'après-midi est souvent trop intense et risque de brûler les feuilles de certaines plantes.

Essayez de trouver, pour les plantes que vous avez prévu de sortir, un endroit abrité des vents violents, qui peuvent les dessécher, voire renverser les pots. Pour plus de sûreté, posez-les sur une surface dure, une terrasse dallée ou un mur par exemple. A même le sol ou dans l'herbe, les racines risqueraient de passer par le trou de drainage et de se développer dans la terre. Selon moi, pour mieux protéger les plantes d'appartement que l'on fait séjourner en plein air l'été, il faut les enfouir à faible profondeur dans le sol. Les pots et les racines, ainsi à l'abri du soleil et du vent, restent frais et humides. Pour ce faire, choisissez un

PINCEMENT DES RAMEAUX POUR OBTENIR DE NOUVELLES POUSSES

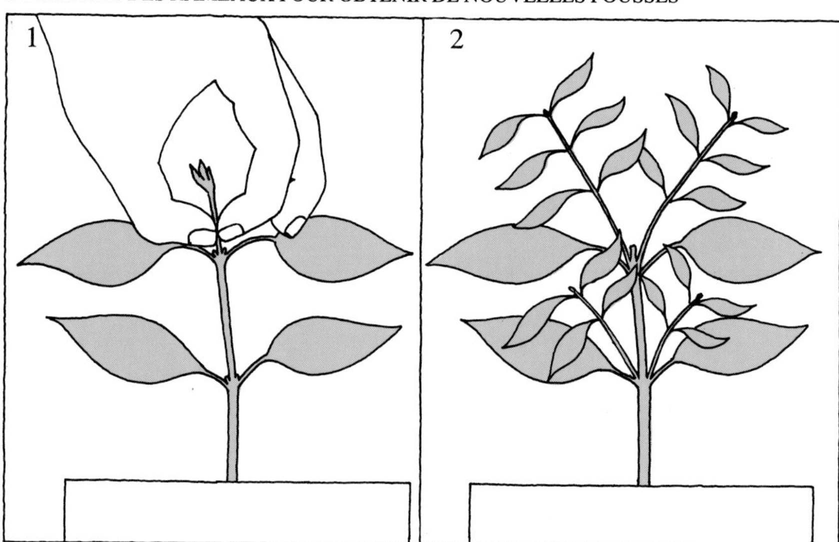

Pour obtenir des plantes au port buissonnant et très fleuries, pincez l'extrémité des pousses en vous aidant de votre ongle pour tailler la tige. Pincez aussi près que possible des feuilles supérieures sans toucher aux bourgeons.

L'extrémité de la tige prête à fleurir transmet son énergie aux bourgeons, qui produisent de nouveaux rameaux, prometteurs d'une riche floraison. Procédez de même sur les nouvelles tiges pour ne pas déformer la plante.

emplacement bien drainé, proche d'une prise d'eau. Creusez une fosse de 20 à 30 centimètres de profondeur, aussi longue et large que nécessaire, afin de pouvoir y loger vos plantes sans les entasser. Chacune doit avoir sa part d'air et de lumière. Garnissez cette fosse d'un lit de graviers de 8 à 10 centimètres d'épaisseur, recouvert d'une couche de tourbe humide aussi épaisse pour maintenir l'humidité. Les racines ne sauraient s'enfoncer dans un lit de graviers ! Placez les pots dans la fosse en les enterrant jusqu'au bord. Mais ne procédez à cette opération que si les températures diurnes et nocturnes sont assez douces.

Une fois par semaine environ, décollez légèrement chaque pot de son lit pour vous assurer que les graviers ont effectivement empêché la poussée des racines par le trou de drainage. Cette précaution vous permettra de dégager plus facilement vos plantes à la fin de l'été, au moment de les rentrer chez vous. Vous pouvez sortir de leurs pots, en les cognant, certaines plantes d'appartement comme les bégonias et les balsamines, pour les replanter en motte dans votre jardin. De nombreux jardiniers agissent ainsi pour combler les espaces vides de leurs parterres de fleurs. Mais encore faut-il que vous ayez prévu de les laisser dans le jardin. A la fin de l'été, la ramification du système radiculaire sera telle que vous ne pourrez presque plus rempoter la plante sans en tailler les racines de manière draconienne, voire néfaste.

Durant leurs premières semaines de séjour dans votre jardin, les plantes d'appartement acquièrent une nouvelle vigueur. Mais elles auront besoin de vos soins. Pour les protéger contre les maladies et les parasites, pulvérisez-les copieusement. En plein air, vous pouvez vous servir d'un insecticide tout usage dont l'emploi en intérieur serait à proscrire. Vous pouvez également commencer à administrer des engrais foliaires, très efficaces, mais dont la manipulation est généralement exclue en appartement. A cette fin, il vous suffira de pulvériser sur les feuilles, pour qu'elles les absorbent, des engrais foliaires dissous dans de l'eau ; ils complèteront la nourriture puisée par les racines des plantes. Administrez ces engrais foliaires aussi souvent que les autres engrais. N'utilisez jamais une solution plus concentrée que sur la notice, car elle risquerait de brûler les feuilles. Certains horticulteurs, doutant du pouvoir d'absorption de certaines plantes par leurs feuilles, décrient cette pratique. Mais je sais par expérience que les plantes en pot réagissent favorablement à ce traitement lorsqu'on les place à l'air libre. Certaines, très anciennes, maintenues depuis fort longtemps dans de grands pots, semblent tirer le plus grand profit de cet apport d'engrais foliaires.

Si le thermomètre indique une température inférieure à la température nocturne idéale mentionnée dans l'encyclopédie, n'attendez plus pour rentrer vos plantes chez vous. Passez-les au tuyau d'arrosage pour éliminer les cochenilles qui s'y seraient incrustées et nettoyez soigneusement l'extérieur des pots avant de les installer pour l'hiver.

Qu'elles aient ou non passé l'été dehors, toutes les plantes — excepté les annuelles et quelques tropicales — ont besoin d'une période de repos, sinon elles dépérissent et meurent. Aussi est-il primordial, en matière de culture de plantes d'appartement, de reconnaître le début de cette période et de savoir prodiguer les soins requis par la plante au repos. Combien de jardiniers inexpérimentés, se méprenant sur les symptômes, n'ont-ils pas mis au rebut une plante qui aurait fleuri l'année suivante ! Je pense notamment à un amateur de plantes d'appartement, pourtant aguerri, qui, ayant reçu en présent un épiphylum, l'avait entreposé dans sa serre. Ne le voyant pas fleurir au mois de mai suivant, il s'en était remis à la donatrice : « Tu n'as qu'à t'en débarrasser », lui dit-elle. Il le jeta donc, encore empoté, derrière le garage et n'en fit plus cas. Un mois plus tard, regardant par hasard derrière le garage, il constata avec stupéfaction que la plante, malgré son abandon, avait produit six fleurs.

Suivant les espèces, les plantes se reposent de diverses manières, à des saisons différentes — comportement acquis, il y a fort longtemps, lors des changements climatiques dont les habitats originels ont été le théâtre. Certaines s'arrêtent uniquement de fleurir, mais gardent des feuilles vertes. D'autres, interrompent leur croissance, mais ne donnent nullement à penser qu'elles puissent être au repos. Il en est qui perdent leurs feuilles, mais conservent des tiges et des rameaux humides, et ressemblent à des squelettes verts dressés. D'autres adoptent la forme extrême de repos appelée, dans le jargon des spécialistes, « dormance » : toute la végétation apparente dépérit ; la plante semble morte.

Les exigences des plantes au repos ou en « dormance » sont très variables (la partie encyclopédique en décrit les modalités). Aussi importe-t-il d'en suivre attentivement le cheminement. La production ultérieure de fleurs, voire la survie d'une plante, dépend souvent des soins prodigués pendant la période de repos. Le « Cactus de Noël », entre

DRAINAGE DES SUSPENSIONS

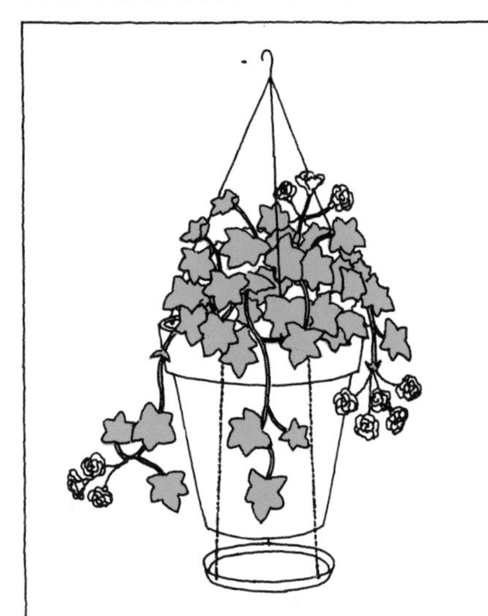

Une petite soucoupe recueille ici l'eau qui s'écoule d'une plante suspendue dans un pot ordinaire. Pour la suspendre, perforez-en le bord de trois trous que vous relierez par des ficelles à des crochets piqués dans le terreau.

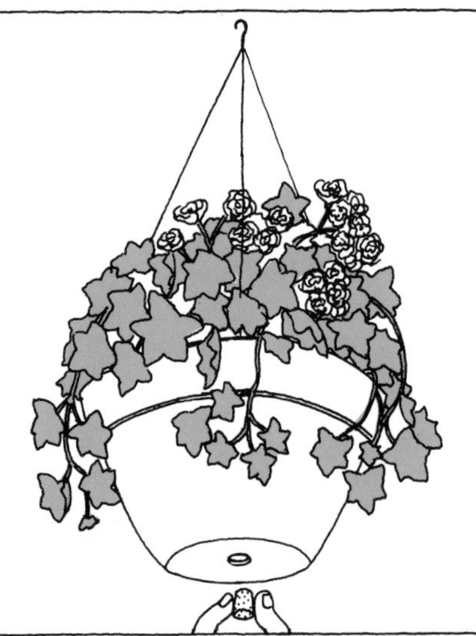

Pour éviter que l'eau ne fasse des dégâts en s'écoulant d'une suspension dépourvue de soucoupe, refermez le trou de drainage avec un bouchon. Arrosez la plante dans l'évier et laissez l'eau s'en écouler avant de la rependre.

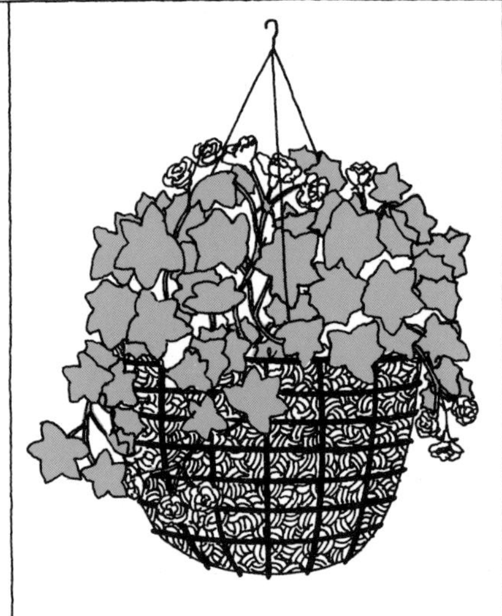

Les plantes suspendues à l'extérieur peuvent se placer, sans pots, dans des paniers tapissés de sphagnum. Pour les arroser, décrochez le panier et immergez-le dans l'évier, puis posez-le de côté pour en faciliter le drainage.

autres, doit son succès au traitement auquel on le soumet pendant sa période de repos. Bien que n'ayant apparemment nul besoin de soins particuliers, il peut ne jamais fleurir à l'époque voulue si on ne maintient pas le terreau parfaitement sec, sans engrais, à une température voisine de 13° C en novembre et décembre.

SPLENDEUR DES ORCHIDÉES

Les conseils d'entretien donnés ci-dessus concernent presque toutes les plantes d'appartement — y compris les Orchidées. Bien que redoutées pour leur fragilité et leur exotisme, elles se cultivent si aisément qu'on les retrouve à travers le monde entier.

Généralement, les Orchidées sont recouvertes à longueur d'année. Il faut en effet les protéger du soleil dès le mois de mars, et leur ménager une sorte d'abri. Pour les cymbidiums, des stores de serre font normalement l'affaire, mais d'autres Orchidées plus délicates requièrent parfois un dispositif d'ombrage semi-permanent ajusté sur la vitre. Fin août, vous pourrez réduire progressivement ce dispositif ; fin septembre, il pourra être supprimé.

Cette installation, toutefois, ne saurait être définitive car un ombrage trop poussé — en particulier pour les cymbidiums — retarde la floraison. Pour éviter toute brûlure des feuilles, il est en général facile, à l'intérieur d'une maison, d'éloigner une plante d'une fenêtre trop ensoleillée ou de la placer dans un endroit bien éclairé et aéré, mais ombragé. Dans certains cas, un éclairage nocturne artificiel s'avère fort utile. Les serres éclairées, équipées d'un système électrique latéral, ont prouvé que, éclairées, les plantes à fleurs poussaient deux fois mieux que celles dont on avait placé les bulbes dans une demi-obscurité.

Bien que vous puissiez cultiver de très belles Orchidées sans être expert, vous vous épargnerez malgré tout bien des efforts si vous en connaissez les particularités. Tout d'abord, n'essayez pas de les multiplier par semis. Une simple pincée de graines, aussi fines que du talc, engendre à elle seule des milliers de plantes ! Par conséquent, même si vous disposez de l'espace nécessaire, leur entretien risque de vous lasser : certaines Orchidées ne passent du stade germinal à la floraison qu'au bout de cinq à sept ans. De toute façon, la multiplication des Orchidées par semis est plutôt affaire de spécialistes, car celle-ci exige des matériaux, des outils et des talents spéciaux.

Si vous avez la patience d'attendre plusieurs saisons pour les voir fleurir et si vous êtes déjà quelque peu expérimenté dans ce domaine, vous pouvez cultiver des Orchidées à partir de plantules, dont le prix demeure raisonnable. Si vous achetez des plantules hautes de 5 à 8 centimètres, vous les verrez prospérer à condition de leur prodiguer les soins prescrits pour les plantes parvenues à maturité. Par contre, elles ne fleuriront pas avant deux à cinq ans. Or, préférant en général avoir immédiatement des fleurs, les amateurs d'Orchidées achètent des plantes, comme ils le feraient pour des plantes herbacées ou des azalées. Bien que quelques rares spécimens coûtent une petite fortune, les Orchidées accessibles au grand public ne reviennent pas plus cher que d'autres bonnes plantes d'appartement. Quoi qu'il en soit, avant de les acquérir, examinez-les soigneusement. Si vous devez les cultiver en

DÉCOUVERTE FORTUITE
DES ORCHIDÉES

On croit souvent que les Orchidées sont des plantes délicates, alors que la découverte des cattleyas — dont on met ordinairement les grosses fleurs lavande, roses ou blanches à une boutonnière — en a prouvé la résistance innée. Les premiers cattleyas auxquels des botanistes occidentaux prêtèrent attention, arrivèrent en Angleterre en 1818 — sous forme de matériaux d'emballage enrobant des mousses et des lichens rares, acheminés par bateau depuis le Brésil. Un horticulteur curieux, William Cattley, décida alors de mettre en pots certaines racines et tiges qui l'intriguaient. Six ans plus tard, les premiers cattleyas, plantes magnifiques, poussaient et fleurissaient sous son œil vigilant.

appartement, mieux vaut ne pas prendre les Orchidées multipliées par division de touffes ou recueillies dans la jungle, car il leur faudra trop de temps pour s'acclimater au milieu ambiant. Pour vos premiers essais, achetez plutôt des Orchidées qui sont déjà en boutons. Avec l'aide d'un spécialiste, sélectionnez des sujets qui pourront fleurir à diverses époques de l'année.

Pour cultiver des Orchidées, il vous faudra surtout connaître leurs besoins spécifiques d'aération, d'humidité et de lumière. L'éclairage, notamment, influe beaucoup sur la floraison. Des Orchidées trop ou insuffisamment éclairées ne donneront aucune ou très peu de fleurs. Leur coloration foliaire vous indiquera si l'intensité lumineuse est appropriée. En règle générale, leur croissance est optimale quand les feuilles sont vert clair; l'éclairage ne favorise pas la floraison si les feuilles sont vert foncé; la lumière est trop intense si les feuilles virent au jaune. Des rideaux doivent normalement tamiser la lumière naturelle. En Europe du Nord, la plupart des Orchidées peuvent supporter le plein soleil hivernal de novembre à mars. Le reste de l'année, il convient d'interposer un voilage entre les plantes et le soleil, du milieu de la matinée au milieu de l'après-midi. Dans les pays chauds, il faut tirer les rideaux pendant toute l'année, quand la chaleur est maximale.

Nombre d'Orchidées poussent également de manière satisfaisante si on les place sous un éclairage artificiel. Toutefois, si les plantes ont atteint leur pleine maturité, limitez la durée de cet éclairage à celle du jour, suivant la saison, et laissez les plantes dans des pièces sombres pendant la nuit. La durée du maintien dans l'obscurité régit les

EXPOSITION ET ENTRETIEN DES ORCHIDÉES

Pour exposer des Orchidées de manière attrayante et leur fournir la lumière et l'humidité nécessaires, posez les pots sur une fenêtre dans un grand plat en céramique ou autre récipient décoratif transformé en plateau humidificateur (page 43). L'eau au fond du récipient garni de cailloux humidifiera l'air ambiant (les Orchidées prospèrent mieux dans une pièce où l'humidité égale ou excède 60 %). Bassinez le feuillage au moins deux fois par jour.

mécanismes de régulation interne des plantes. Si cette période est trop brève, vos Orchidées risquent de ne pas fleurir ou d'avoir une floraison anormale. Par contre, de jeunes plantes parviennent plus vite à maturité quand on les soumet chaque jour à 16 heures d'éclairage artificiel.

Les besoins en humidité des Orchidées sont assez complexes. En hiver, elles requièrent en intérieur un degré hygrométrique de 60%, ou même plus, soit une humidité nettement supérieure à celle des appartements chauffés. Aussi aurez-vous intérêt à installer un humidificateur, dont vous trouverez divers modèles dans les grands magasins; mais il est plus simple d'accroître le taux d'humidité dans un espace restreint, à proximité des plantes. Un atomiseur ou un vaporisateur, permettant de pulvériser sur vos plantes une fine buée, suffiront si vous procédez à cette opération plusieurs fois par jour. Vous aurez moins de travail en installant vos plantes sur des plateaux humidificateurs. Pour cela, placez les pots sur des plateaux en plastique ou en métal, garnis d'une couche de 2,5 centimètres de graviers, de charbon de bois, d'éclats de marbre ou d'autres matériaux, recouverts de 2 à 3 centimètres d'eau. Les pots ne doivent pas baigner dans l'eau. Si cette couche de drainage s'avère trop faible pour supporter le poids des plantes, glissez une demi-brique sous chaque pot avant de combler les plateaux.

Bien qu'elles préfèrent un taux d'humidité relativement élevé, les Orchidées ne tolèrent pas, aussi paradoxal que ce soit, des arrosages trop copieux. Ceux-ci sont particulièrement néfastes aux orchidées éphiphytes, qui s'accrochent à l'écorce des arbres ou se logent dans leurs crevasses. Habituées à des périodes successives d'humidité et de sécheresse, les cattleyas par exemple — plantes épiphytes que la plupart des amateurs d'Orchidées commencent par cultiver —, peuvent vivre sans eau, relativement longtemps. Les orchidées terrestres, quant à elles, requièrent un matériau de culture légèrement mouillé, sans être pour autant détrempé. La saturation d'humidité se manifeste par de petites taches brunes ponctuant les fleurs et les feuilles et une noircissure des tiges. En remède à cela, réduisez vos arrosages ainsi que l'humidité, et mettez vos plantes dans un endroit mieux aéré où elles pourront sécher entre deux arrosages. Toutefois, vous n'aurez pas ce genre de problèmes si vous vous contentez d'arroser modérément vos Orchidées en début de matinée et si vous les maintenez soigneusement empotées dans un mélange poreux *(page 61)*, et dans un lieu bien ventilé.

Quand vos Orchidées seront en phase végétative, distribuez des engrais au troisième ou quatrième arrosage. Enrichissez les Orchidées, cultivées dans de l'écorce de sapin, d'un fertilisant riche en azote, car les bactéries qui se trouvent sous l'écorce en absorbent une partie.

Si les Orchidées, compte tenu de leur délicatesse, s'avèrent être de culture relativement aisée (à condition, bien sûr, d'en connaître l'art), on ne saurait en dire autant pour toutes les plantes d'appartement. Il en est d'extrêmement fragiles qui demandent une attention constante et des talents éprouvés. Par conséquent, si vous manquez de temps, choisissez les plantes les moins exigeantes. Il en existe un nombre considérable, de toutes formes et de toutes dimensions, qui égalent en beauté leurs compagnes les plus complexes.

ORIGINE DU NOM DE LA FLEUR DE LA PASSION

Au XVIe siècle, des missionnaires catholiques, découvrant la Fleur de la Passion (page 136) qui fleurissait dans les jungles d'Amérique latine, s'en servirent pour enseigner l'histoire de la Passion du Christ. Ses 10 pétales extérieurs, expliquaient-ils aux Indiens autochtones, représentent les 10 apôtres présents à la Crucifixion; l'auréole de la couronne interne, la couronne d'épines; les anthères, les plaies du Christ; les trois stigmates, les clous utilisés pour fixer son corps à la croix. Les missionnaires comparèrent même les sarments sinueux de cette plante grimpante aux cordes et aux fouets qui attachèrent et flagellèrent le Seigneur; les feuilles lobées, aux mains de ses tortionnaires.

Multiplication des plantes 5

En un sens, les amateurs de plantes d'appartement ressemblent souvent à ces habitants traditionnels d'Amérique du Sud qui, en signe d'hospitalité, ont pour coutume de vous offrir un de leurs biens que vous admirez. De même, si vous vous extasiez devant une plante d'intérieur, sans doute son propriétaire s'empressera-t-il de vous remettre une feuille, un segment de tige, voire un fragment de racine pour que vous puissiez cultiver une plante identique à la sienne. Je ne serais pas surpris d'apprendre que cette agréable coutume remontât aux plus anciens temps, aux Romains eux-mêmes. Pline l'Ancien (23-79 apr. J.-C.) décrit d'ailleurs dans son *Histoire naturelle* les divers modes de reproduction des plantes, à l'exclusion du semis, et fait couramment mention des « boutures » et des « marcottes » — traitées dans ce chapitre — et de tous les procédés visant le même but : l'émission de racines sur des parties qui n'en produisent pas naturellement.

Quand elles se reproduisent par semis — comme c'est le cas pour la plupart —, les plantes ont un comportement de nature sexuelle : les organes mâle et femelle s'unissent. Presque toutes, néanmoins, peuvent également avoir une reproduction asexuée. Les plantes bulbeuses, comme les tulipes, produisent non seulement des graines, mais de petits caïeux, appelés chacun à engendrer une plante autonome, qui se développera au pied du bulbe mère, comme des poussins autour d'une poule. Maintes plantes émettent de longues tiges, dites stolons, qui s'étalent sur le sol, s'enracinent et produisent de nouveaux plants. Une simple bouture de feuille prélevée sur une Violette du Cap peut rapidement engendrer une ou plusieurs plantes identiques. Les plantes ont divers modes de reproduction asexuée — ou multiplication végétative, comme disent les botanistes. Les jardiniers ne se sont pas contentés de les adapter : ils en ont également conçu de leur propre cru. (Pline attribue les premiers exploits dans ce domaine à un « pur accident » qui, dit-il, « nous apprit à casser les branches des arbres et à les replanter, car des pieux fichés dans le sol avaient pris racine. ») Des fragments de feuilles même peuvent produire de nouvelles plantes. Toutes ces méthodes s'avèrent fructueuses, car diverses parties des plantes contiennent des cellules capables d'en reproduire intégralement une autre. En réalité, un mode de multiplication végétative qui donne d'excellents résultats avec une

Cette serre miniature est équipée pour débuter la culture de certaines plantes (dans les plateaux posés à même le sol) et exposer les plantes parvenues à maturité. Le toit ouvrant permet de régler la température et l'humidité.

plante donnée peut ne pas aboutir avec une autre. On peut multiplier, par exemple, un Bégonia rex à partir de fragments de feuilles, ou par division de touffes; par contre, les gardénias et les balsamines, entre autres, se reproduisent à partir de sections de tiges, mais non de boutures de feuilles; un Géranium des fleuristes peut prendre racine grâce à des éclats de racines.

Mais, vu la multitude des semences et leur prix modique, le jardinier amateur peut fort bien se demander: «A quoi bon, après tout?». La réponse est nette: seule la reproduction asexuée ou végétative vous assure d'obtenir une plantule tout à fait semblable à la plante mère par ses feuilles et ses fleurs, si ce n'est même par la forme et ses dimensions. En fait, je ne devrais même pas parler de «plante mère», car la jeune plante est un fidèle prolongement de celle dont elle est issue, une réplique plus qu'un rejeton. C'est une copie parfaitement conforme, parce qu'elle possède exclusivement les caractéristiques de l'un des géniteurs. En revanche, les graines peuvent ne pas procréer d'authentiques descendants, comme disent les horticulteurs. En d'autres termes, une jeune plante multipliée par semis peut ressembler étroitement ou non à ses parents. La graine fécondée porte en elle un capital génétique que lui ont légué ses deux géniteurs, et aboutit bien souvent à un mélange.

Maintes plantes d'appartement sont le fruit d'une fécondation croisée qui, en fusionnant délibérément l'héritage génétique, peut rehausser la beauté et la vigueur des plantes, et donner de nouvelles variétés. Toutefois, les amateurs de plantes d'appartement s'en remettent plus volontiers aux résultats infaillibles de la reproduction végétative, qui présente plusieurs avantages majeurs. Le moins négligeable tient au fait que de nouvelles plantes parviennent à maturité et commencent à fleurir plus vite que les plantes multipliées par semis. Jeunes, elles sont beaucoup moins vulnérables aux maladies et aux nuisances que les plantules. Les graines, enfin, même semées en petites quantités, produisent des plantules en trop grand nombre pour que le jardinier d'intérieur puisse les entretenir toutes.

BOUTURAGE DE TIGES

De tous les modes de reproduction végétative illustrés sur ces pages, le bouturage de tiges est sans doute le plus simple et le plus fructueux. Il convient tout particulièrement aux géraniums, aux gardénias, aux Bégonias des jardins et aux nombreuses autres plantes dotées de tiges robustes. Ce bouturage se pratique de préférence à l'époque où la plante est en pleine croissance, normalement au printemps et en été, sauf contre-indication spécifiée dans l'encyclopédie *(Chapitre 6).* Pour sectionner un fragment de tige qui se prête à ce mode de bouturage, choisissez une pousse terminale de l'année en cours et parvenue à maturité. Une tige vert clair, charnue, est trop jeune et risque de pourrir avant que n'apparaissent de nouvelles racines; une tige brunâtre, coriace, est trop vieille et n'a pas la vigueur qui permet aux racines de se développer aisément. Si possible, évitez de prélever cette bouture sur une tige couverte de fleurs ou de boutons; ce genre de bouture prendra racine, mais ne produira pas une plante aussi belle qu'une pousse dégarnie de fleurs. Si vous taillez une tige en fleur, détachez-en les

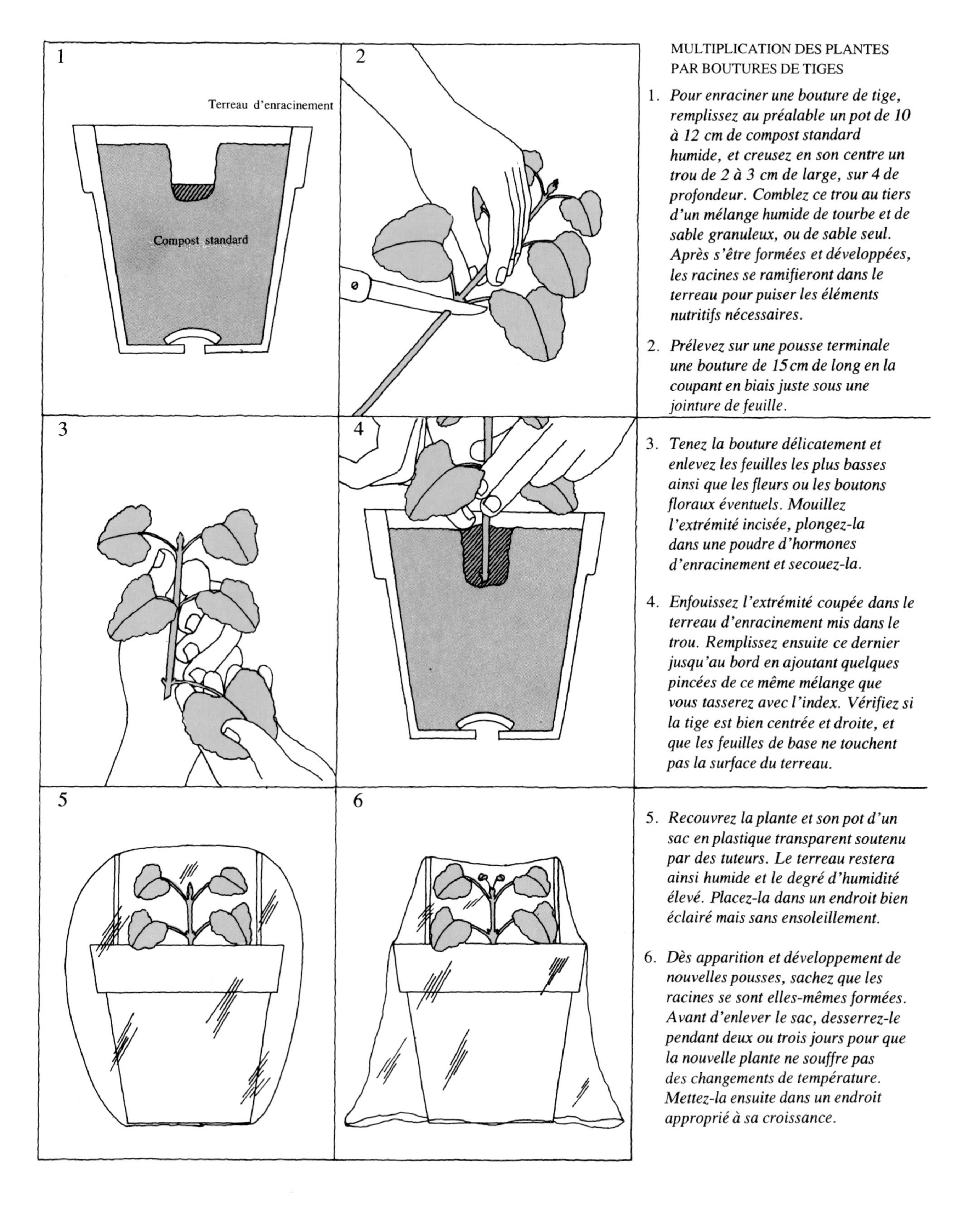

MULTIPLICATION DES PLANTES PAR BOUTURES DE TIGES

1. *Pour enraciner une bouture de tige, remplissez au préalable un pot de 10 à 12 cm de compost standard humide, et creusez en son centre un trou de 2 à 3 cm de large, sur 4 de profondeur. Comblez ce trou au tiers d'un mélange humide de tourbe et de sable granuleux, ou de sable seul. Après s'être formées et développées, les racines se ramifieront dans le terreau pour puiser les éléments nutritifs nécessaires.*

2. *Prélevez sur une pousse terminale une bouture de 15 cm de long en la coupant en biais juste sous une jointure de feuille.*

3. *Tenez la bouture délicatement et enlevez les feuilles les plus basses ainsi que les fleurs ou les boutons floraux éventuels. Mouillez l'extrémité incisée, plongez-la dans une poudre d'hormones d'enracinement et secouez-la.*

4. *Enfouissez l'extrémité coupée dans le terreau d'enracinement mis dans le trou. Remplissez ensuite ce dernier jusqu'au bord en ajoutant quelques pincées de ce même mélange que vous tasserez avec l'index. Vérifiez si la tige est bien centrée et droite, et que les feuilles de base ne touchent pas la surface du terreau.*

5. *Recouvrez la plante et son pot d'un sac en plastique transparent soutenu par des tuteurs. Le terreau restera ainsi humide et le degré d'humidité élevé. Placez-la dans un endroit bien éclairé mais sans ensoleillement.*

6. *Dès apparition et développement de nouvelles pousses, sachez que les racines se sont elles-mêmes formées. Avant d'enlever le sac, desserrez-le pendant deux ou trois jours pour que la nouvelle plante ne souffre pas des changements de température. Mettez-la ensuite dans un endroit approprié à sa croissance.*

UN IRIS « MARCHEUR »

Le Néomarica (page 132), proche parent de l'iris commun, se ramifie sur le sol en « marchant ». Ses longs rameaux se couchent sur le sol, se chevauchent, prennent racine et se redressent à nouveau. Cultivé en intérieur, il poussera de la même façon d'un pot à l'autre. Lorsque ses fleurs sont fanées, de jeunes plants se développent à leur place au sommet de chaque hampe florale. Dès qu'elles grossissent, ces plantes ploient sous leur propre poids, la tige s'incurve en un arc fort gracieux et finit par toucher le sol. Si les jeunes plants entrent en contact avec un sol humide, ils prennent racine et un nouveau Néomarica surgit et entreprend son étrange progression sans relâche.

boutons ou les fleurs avant de lui faire prendre racine. Votre bouture devra mesurer de 8 à 10 cm de long et posséder au maximum deux à six yeux, ou « cals » — points de jonction entre les feuilles et la tige ; si les feuilles sont tombées, ces yeux se manifestent sous forme de légers bourrelets rappelant les articulations de la main. Taillez votre bouture à 3 mm environ sous l'œil inférieur, à l'aide d'un couteau tranchant ou d'une lame de rasoir. Il est souvent plus aisé de couper la tige en biais. Enlevez les feuilles de la base, mais conservez quelques feuilles supérieures, dont la bouture aura besoin pour se nourrir pendant la formation des racines. N'en laissez, cependant, pas un trop grand nombre car, n'ayant pas encore pris racine, la bouture ne pourra leur fournir la quantité d'eau requise. (Si vous en laissez trop, vous comprendrez très vite votre erreur, car les feuilles se faneront et vous ne pourrez sauver votre bouture qu'en supprimant d'autres feuilles.)

Pour que les racines de votre bouture se développent, le plus simple est de la mettre dans un vase transparent rempli d'eau tiède et de la placer dans un endroit ombragé. Mais ce système comporte certains inconvénients. Si nombre de plantes à feuilles coriaces, comme le lierre et le philodendron, émettent effectivement des racines de cette manière, les plantes à fleurs, par contre, ont tendance à produire dans l'eau des racines fragiles et cassantes. Aussi vous conseillerai-je d'utiliser un milieu de bouturage plus consistant pour raffermir le système radiculaire des nouvelles plantes. Les techniques de développement des racines abondent, et, souvent, des jardiniers, même avisés, discutent avec une véhémence digne des théologiens du Moyen Age, du choix de la meilleure d'entre elles. Quoi qu'il en soit, que vous fassiez prendre racine à une tige de géranium ou à une feuille de bégonia, vous devrez prévoir les fournitures suivantes :

○ Des hormones chimiques dites d'enracinement, qui stimulent et accélèrent la formation des racines. Vendues dans les boutiques de fleuristes et les garden centers, on les trouve généralement sous forme de poudre, facile à manier.

○ Un compost standard pour rempotage, adapté aux besoins de la plante à laquelle vous faites prendre racine *(encyclopédie, Chapitre 6).*

○ Des godets en terre cuite ou en plastique de 10 à 12 cm de large où vous planterez chaque bouture séparément.

○ Des sacs en plastique transparent que vous poserez sur chaque pot en guise de serre miniature.

○ Un terreau d'enracinement, soit un mélange composé à parts égales de sable granuleux et de tourbe, ou de sphagnum pulvérisé ou de vermiculite (mica expansé).

Le sable granuleux que l'on trouve chez les fleuristes ou dans les garden centers est souvent le moins onéreux et le plus efficace des milieux d'enracinement ; il s'égoutte parfaitement bien et laisse l'air circuler vers les racines naissantes. Le mélange constitué de sable granuleux et de tourbe retient mieux l'humidité que le sable pur. Il vous sera fort utile pour des plantes comme les gardénias et les azalées, pour lesquelles un supplément d'humidité active la formation des racines. La vermiculite et le sphagnum pulvérisé retiennent également très bien

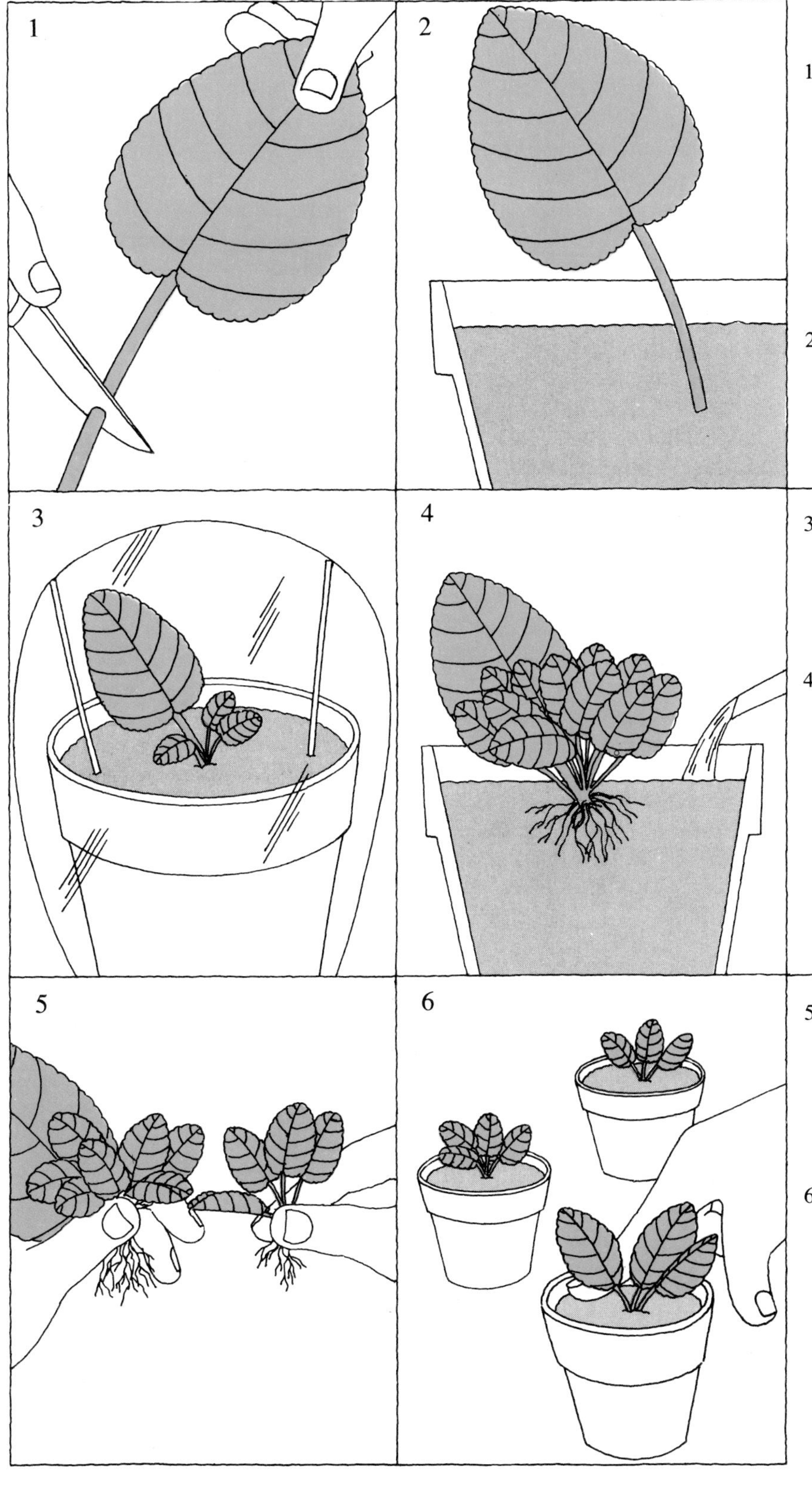

MULTIPLICATION DES PLANTES
PAR BOUTURES DE FEUILLES

1. *Les Violettes du Cap et les gloxinias, comme d'autres Gesnériacées dépourvues de tiges centrales, se propagent généralement par bouturage de feuilles. Choisissez une feuille saine de taille moyenne. Tenez d'une main l'extrémité de la feuille et, de l'autre, coupez le pétiole à l'aide d'un couteau tranchant, à 5 cm environ sous la base de la feuille.*
2. *Enfouissez le pétiole dans un pot rempli d'un mélange composé à parts égales de sable et de tourbe ou de vermiculite. Vérifiez si la tige est bien inclinée et ne risque pas de faire ombre sur la nouvelle végétation.*
3. *Recouvrez le pot d'un sac en plastique transparent, en le soutenant par des stylos ou des tuteurs. 2 ou 3 semaines après, de petites pousses apparaissent au pied de la feuille.*
4. *Dès que les jeunes plants auront poussé et porteront des feuilles atteignant le tiers de celles de la plante mère, desserrez le sac pendant 2 ou 3 jours pour laisser les plants s'acclimater au milieu ambiant. Puis enlevez-le et arrosez le terreau pour qu'il soit humide sans être détrempé. Une demi-heure après environ, ressortez tout le contenu du pot en le cognant (schémas, page 54).*
5. *Après avoir détaché le bouquet de pousses de la feuille mère et allégé le terreau, séparez les plants en les tirant soigneusement les uns après les autres de manière à ne pas blesser les nouvelles racines encore fragiles.*
6. *Empotez chaque nouveau plant dans un godet séparé de 7 à 8 cm environ de diamètre. Tassez délicatement le compost à la main à 12 mm du bord du pot, comme indiqué page 53. Faites tremper la plante et laissez l'eau s'écouler par le trou de drainage. Lorsque les racines auront envahi ces godets, transférez les plantes dans des pots plus grands.*

l'humidité tout en laissant l'air circuler librement. Peut-être serez-vous tenté d'essayer ces trois matériaux pour savoir lequel vous conviendra le mieux. Si vous préférez le sphagnum, n'oubliez pas de le faire tremper au préalable dans de l'eau très chaude pour le rendre perméable ; dans de l'eau froide, il risquerait de flotter et de rester imperméable.
Comme bien des jardiniers aguerris, je préfère recourir au mode d'enracinement de bouture de tige. La série de schémas figurant page 87 en fournit les étapes successives. J'aime cette méthode car elle n'implique pas le repiquage de la bouture après émission des racines et obtention d'une plante séparée. Il suffit de planter la bouture dans un peu de terreau d'enracinement versé dans un trou en forme de coupelle, creusé dans un pot rempli de compost standard. Après s'être formées et ramifiées dans le terreau, les racines peuvent continuer à se développer dans le compost standard garnissant le reste du pot; contrairement au terreau d'enracinement, ce dernier contient des éléments nutritifs dont la nouvelle végétation a désormais besoin. Ainsi, la plante se développe complètement à partir d'une bouture et se transforme en un spécimen à fleurs dans le pot de bouturage, sans qu'il faille la rempoter.

Pour parfaire l'enracinement de votre bouture, dosez vos arrosages et votre apport d'hormones en poudre. Étalez un peu d'hormones d'enracinement en poudre sur une feuille de papier. Plongez l'extrémité inférieure de la bouture dans l'eau; laissez-la tremper pour la mouiller; puis enfoncez-la dans la poudre pour qu'elle s'en s'imprègne. Secouez la bouture pour enlever l'excédent de poudre et insérez l'extrémité coupée

MULTIPLICATION DES BÉGONIAS PAR INCISION DES NERVURES FOLIAIRES

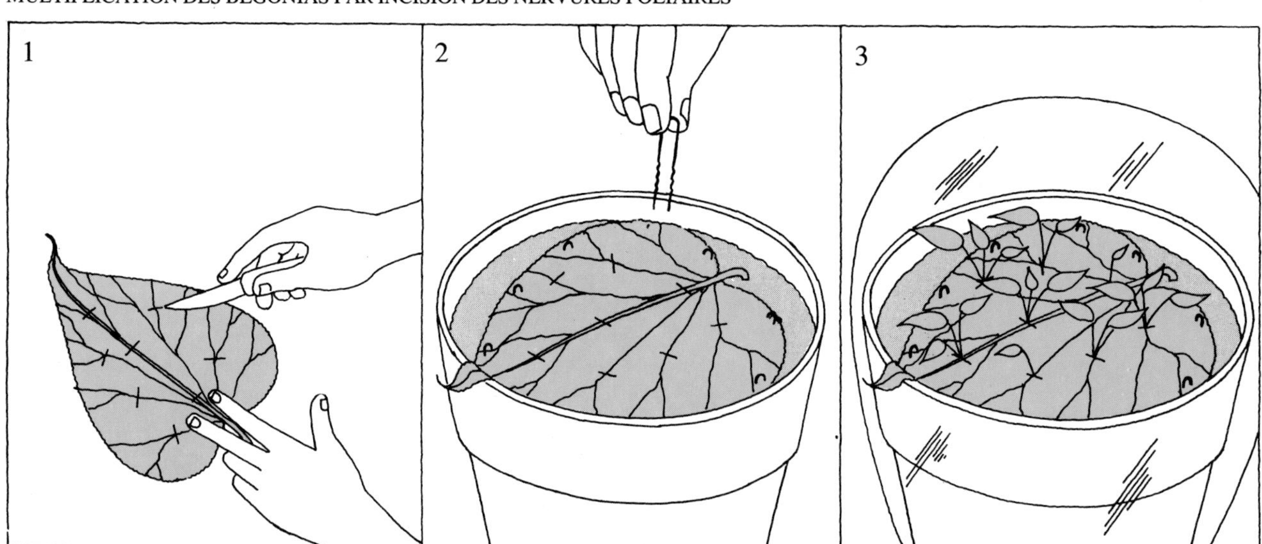

Pour reproduire en nombre des Bégonias rex à partir d'une feuille isolée, coupez une feuille sur la plante, retournez-la pour en voir les nervures plus aisément et pratiquez 6 à 7 incisions dans les nervures principales.

Posez la feuille retournée sur du sable humide dans un pot. Enfoncez le pétiole dans le sable pour que la feuille continue de s'imprégner d'humidité. Maintenez les incisions en contact avec le sable, en piquant la feuille sur ses bords.

Recouvrez le pot d'un sac en plastique. Au bout de 2 à 3 semaines, de nouveaux plants apparaîtront sur les incisions. Quand ils atteindront 5 cm de haut, desserrez le sac et enlevez-le 2 ou 3 jours après. Repiquez chaque plant séparément.

dans le terreau d'enracinement. Comblez de terreau le reste du trou en forme de coupelle et enfouissez-y la bouture en la maintenant dressée.

Après avoir arrosé le pot légèrement et l'avoir mis dans un sac en plastique transparent, placez-le dans un endroit bien éclairé, à l'abri des rayons du soleil — un rebord de fenêtre voilé d'un rideau conviendra parfaitement. Cessez vos arrosages à moins que l'intérieur du sac ne vous paraisse sec ; l'adhésion de fines gouttelettes sur le sac témoigne d'un taux d'humidité approprié ; par contre, si ces gouttelettes s'écoulent en filets sur les côtés, ouvrez le sac et laissez s'évaporer l'excès de vapeur d'eau. Laissez le fond du sac légèrement flottant pendant quelque temps pour éviter toute imprégnation excessive d'humidité. Puis, prenez patience. La plupart des plantes n'émettent des racines qu'au bout de deux semaines environ, voire plusieurs mois, suivant les espèces, la santé de la plante et l'époque du bouturage.

Dès que votre bouture aura pris racine — vous le constaterez grâce à l'apparition de nouvelles pousses —, desserrez le sac pour acclimater la plante au milieu ambiant. Deux ou trois jours plus tard, enlevez-le. Vous pourrez alors traiter votre nouvelle plante comme toutes les autres de son espèce et la laisser pousser dans sa « terre natale », si l'on peut dire — jusqu'au jour où elle deviendra trop grande pour son pot. Ce mode d'enracinement a malgré tout un inconvénient — qui, pour ma part, ne m'a jamais trop gêné car je n'entreprends que quelques bouturages simultanément : vous ne pourrez mettre dans le même pot qu'une seule bouture, alors que la méthode traditionnelle — où l'on n'utilise que du

MULTIPLICATION DES BÉGONIAS A PARTIR DE FRAGMENTS DE FEUILLES

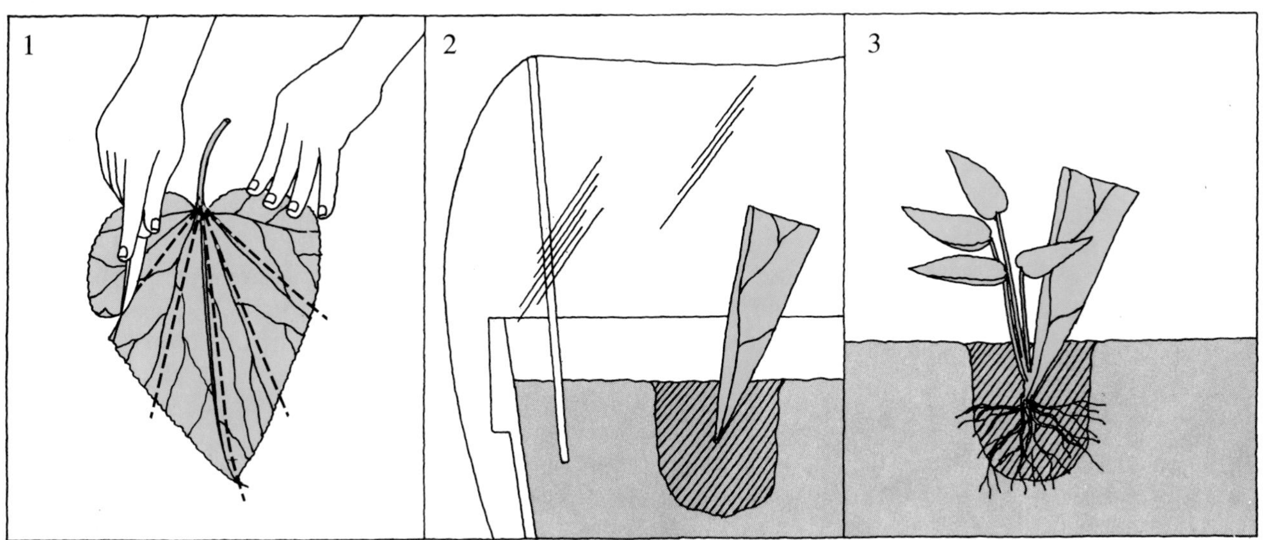

Pour multiplier des Bégonias rex sans transplanter les nouvelles pousses, retournez une feuille sur l'envers et coupez-la en triangles allongés, en conservant pour chacun une nervure principale et un morceau de pétiole.

Enfoncez droit par la pointe chaque fragment de feuille, dans un pot que vous aurez préparé comme indiqué pour les boutures de tiges (page 87). Recouvrez étroitement le pot d'un sac en plastique transparent soutenu par des tuteurs.

2 à 3 semaines après, des pousses apparaissent au pied de la feuille. Dès qu'elles atteindront 5 ou 7 cm de haut, desserrez le sac pour laisser la nouvelle plante s'acclimater au milieu ambiant pendant 2 ou 3 jours. Puis enlevez le sac.

terreau d'enracinement — permet de regrouper plusieurs boutures dans le même récipient. Mais il vous faudra les transférer dans des pots séparés dès qu'elles auront pris racine.

BOUTURAGE DE FEUILLES

De nombreuses plantes d'appartement, comme les Violettes du Cap et les gloxinias, sont démunies de tiges qui puissent se prêter au bouturage. On peut, néanmoins, leur faire prendre racine à partir de boutures de feuilles. Deux techniques sont en ce sens pratiquées. Celle qui convient le mieux aux Violettes du Cap et aux gloxinias consiste à tailler une feuille et son pétiole, ou tige, près de sa base, à l'aide d'un couteau bien aiguisé ou d'une lame de rasoir. Le mode d'enracinement *(schémas, page 89)* ne diffère de celui des boutures de tiges qu'en trois points. Premièrement, il faut incliner le pétiole de la feuille dans le terreau d'enracinement, au lieu de le placer droit, comme pour les boutures de tiges. Ainsi la feuille ne couvrira pas d'ombre les nouvelles pousses à venir. Dès formation des racines, de nouvelles feuilles apparaîtront au pied de la tige mère. Aussi vous faudra-t-il prévoir un espace suffisant pour qu'elles puissent se développer. Deuxièmement, lorsque plusieurs nouvelles plantes auront surgi, vous devrez les séparer en les tirant une à une, puis les planter chacune dans un pot séparé. Troisièmement, les boutures de feuilles ne requièrent pas l'emploi d'hormones d'enracinement en poudre.

Les boutures de Bégonias rex, quant à elles, n'ont même pas besoin d'un pétiole pour prendre racine. La feuille seule suffit, à condition que vous en incisiez les nervures principales — lignes les plus épaisses distribuées à partir du pétiole — et fixiez la feuille avec des épingles à cheveux, en accolant la face nervurée contre le terreau d'enracinement (*schémas, page 90*). Les racines et la nouvelle végétation pousseront au niveau des incisions des nervures. Ceci s'explique par le fait que les Bégonias rex possèdent apparemment des cellules de régénération très vigoureuses, à tel point même qu'on peut découper une feuille isolée en losanges et enraciner chacun d'entre eux séparément (*schémas, page 91).* Chaque losange, toutefois, doit contenir au moins une nervure principale, sinon les racines ne pourraient se former.

DIVISION DE TOUFFES

Nombre de plantes, les Violettes du Cap notamment, poussent en formant ce que les horticulteurs appellent des « couronnes multiples », c'est-à-dire qu'elles émettent un certain nombre de tiges hors du terreau, soit en touffes, soit en bouquets. Bien qu'unies à leur base, comme des sœurs siamoises, ce sont, en fait, des plantes séparées. Aussi leur multiplication par division est-elle aisée. Dès formation de ces touffes, cognez le pot pour sortir la plante. Attendez, pour ce faire, que les plantes soient au repos ou, pour celles qui ne connaissent pas de période dormante, procédez à cette opération avant ou après l'époque de la floraison. Séparez les couronnes ou les tiges à la main, là où vous apercevrez des divisions naturelles qui se détachent facilement. Si ces dernières ne sont pas apparentes, séparez-les à l'aide d'un couteau et prévenez toute infection en pulvérisant sur les incisions une poudre fongicide. Vérifiez si chaque touffe est bien dotée de son propre lot de feuilles et de racines. Repiquez chacune d'entre elles dans un pot séparé, rempli de compost standard. Inutile d'ajouter du terreau d'enracinement ou des hormones en poudre. Vérifiez uniquement si vous avez bien planté la tige à même hauteur du terreau qu'auparavant. Arrosez légèrement la première fois, puis très modérément jusqu'à ce que la nouvelle plante soit bien établie.

MULTIPLICATION PAR STOLONS ET REJETS

Les *Saxifraga stolonifera,* les épiscias et quelques autres plantes se propagent en produisant des stolons — de longues tiges arquées qui s'étalent sur le sol et émettent des racines sous chaque feuille, au fur et à mesure de leur progression. Le meilleur moyen d'exploiter cette propriété pour les plantes d'appartement est d'orienter un stolon vers un pot de fleurs voisin empli de compost standard. Dès que ce stolon commence à produire des feuilles, piquez-le dans le sol avec une épingle à cheveux: il s'y enracinera sans l'intermédiaire d'hormones ou de terreau d'enracinement. Mais ne séparez jamais le stolon de la plante mère avant que la nouvelle plante ne pousse vigoureusement.

Nombre de Broméliacées émettent, non pas des stolons, mais des drageons, ou rejets, autour de leurs bases. Vous pourrez faire pousser une nouvelle plante à partir d'un tel rejet dès que ce dernier aura formé ses racines propres. Pour en vérifier l'existence, il vous suffit de sonder le terreau. Ensuite, vous n'aurez plus qu'à détacher l'un de ces rejets avec un couteau tranchant et le repiquer dans son propre pot. Le traitement aux hormones n'est d'aucune utilité.

MULTIPLICATION DES PLANTES A PARTIR DE STOLONS

1. *Les plantes qui émettent des stolons, la* Saxifraga stolonifera *par exemple, enracinent leurs stolons au fur et à mesure de leur progression, comme s'apprête à faire le stolon le plus long se séparant de la plante en pot ci-dessus.*

2. *Sans détacher le stolon de la plante mère, placez-le dans un pot séparé rempli de compost standard. Fixez le jeune plant avec une épingle à cheveux derrière les feuilles qui jaillissent de l'œil où se formeront les racines.*

3. *Dès que seront apparues de nouvelles feuilles, en nombre suffisant pour commencer à garnir le pot, sachez que la plante aura déjà développé son système radiculaire. Elle n'est plus tributaire de la plante mère et peut être détachée.*

Le marcottage terrestre est un mode de multiplication végétative qui convient parfaitement à des plantes dotées de longs rameaux flexibles, comme les jasmins et les daphnés. Il faut d'abord inciser l'un de ses rameaux à mi-épaisseur, sur sa face inférieure, à 10 ou 20 cm de son extrémité. Puis, enduisez l'entaille de poudre d'enracinement et recouvrez-la de 15 mm environ de compost standard — le terreau d'enracinement est inutile — dans un pot placé non loin de la plante mère. Maintenez la partie enfouie avec une épingle à cheveux ou une épingle à marcottage tout en laissant l'extrémité du rameau à l'air. L'émission de racines sur l'entaille s'accompagne de l'apparition de nouvelles pousses autour de cette même entaille. C'est alors que vous pourrez séparer la nouvelle plante de la plante mère. Certaines espèces — les calliandras, par exemple —, pourvues de rameaux extrêmement rigides, rendent ce marcottage terrestre impraticable. Mais le marcottage aérien (*schémas ci-dessous*) conduit aux mêmes résultats.

MULTIPLICATION DE PLANTES PAR MARCOTTAGE AÉRIEN

1. *Une plante ligneuse peut être propagée grâce au marcottage aérien. Pratiquez au préalable 4 à 5 entailles de 2,5 cm environ sur le pourtour d'une tige, à 10 cm de son extrémité, en entaillant l'écorce et non le bois (cartouche). Pulvérisez-les de poudre d'enracinement.*

2. *Enrobez la tige dans un sac en plastique transparent maintenu sous les entailles et remplissez-le de sphagnum humide. Ce sac, de poids moyen, doit être attaché avec du raphia ou de la ficelle en coton.*

3. *Nouez solidement le sac en son sommet et enroulez encore quelques longueurs de raphia ou de ficelle autour du reste de la motte de mousse pour la maintenir en place. Quelques semaines après, de petites racines ressortiront des entailles.*

4. *Au bout de 8 semaines environ, quand les racines auront envahi la mousse, vous pourrez enlever le sac et libérer la nouvelle plante. Coupez la tige de la plante mère au ras de la mousse et empotez le plant ainsi obtenu, avec la mousse et le reste, dans un compost standard identique à celui de la plante mère (voir l'encyclopédie, Chapitre 6).*

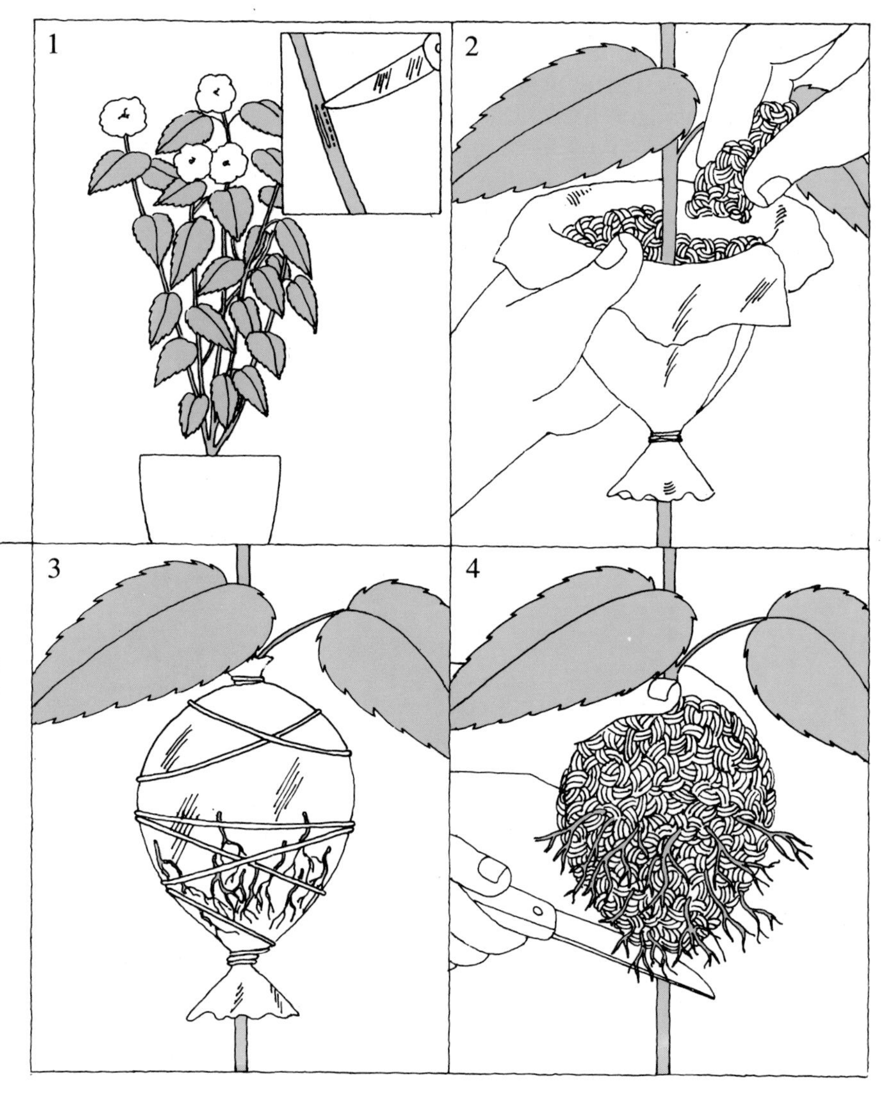

La multiplication végétative, aussi rapide et aisée soit-elle pour obtenir de nouvelles plantes à fleurs, ne saurait remplacer la multiplication par semis quand on désire cultiver des plantes en très grand nombre. Pour germer, les graines exigent des températures et une humidité très élevées (18 à 21°C pour la plupart des plantes). Outre ces semences, il vous faudra du sphagnum finement pulvérisé, du compost standard, des godets de 10 cm et des sacs en plastique transparent. Remplissez chaque godet de compost que vous tasserez à la main pour en maintenir la surface entre 12 et 18 mm du bord du pot. Semez ensuite les graines en surface. Dispersez-les délicatement pour éviter tout entassement futur des plants les uns sur les autres ; chaque pied doit pouvoir être éclairé et ventilé, disposer de l'espace nécessaire pour s'épanouir et pour éviter une maladie cryptogamique, bien connue sous le nom de toile, qui peut tuer de jeunes plantules en l'espace d'une seule nuit. A moins qu'elles ne soient extrêmement fines, telles celles des gloxinias et des bégonias, recouvrez vos graines d'une mince couche de sphagnum humide ; puis, pulvérisez en fines gouttelettes de l'eau en surface ou laissez le godet sur un plateau plein d'eau pour humecter le terreau. Si vous repiquez des graines très fines, couvrez d'abord le terreau d'une couche de sphagnum humide, de 6 mm d'épaisseur. Répandez ensuite une pincée de graines sur ce lit de mousse où les semences s'enfonceront d'elles-mêmes à la profondeur voulue. N'arrosez pas votre semis par le haut du pot car vous risqueriez de noyer les graines et de les enfouir trop profondément dans la mousse. Laissez plutôt le godet reposer sur un plateau rempli d'eau pour humecter le terreau en surface.

Glissez ensuite le godet dans un sac en plastique que vous installerez dans un endroit bien éclairé mais protégé de l'ensoleillement direct. Dès que les graines auront germé, retirez le sac en plastique. Vous pourrez exposer en plein soleil, pendant quelques jours, les plantes qui en sont avides *(encyclopédie)*; mais il vous faudra abriter les autres derrière un rideau. N'essayez pas de repiquer les jeunes plantes dès que vous verrez apparaître deux sortes de feuilles. Ces petits morceaux de verdure ne sont pas en fait de véritables feuilles, mais des cotylédons. Par contre, dès l'apparition des premières vraies feuilles — qui vous rappelleront sans que vous puissiez vous y tromper celles de la plante mère —, vous pourrez mettre chaque plante dans son propre pot.

UNE SERRE EN JARRE

Si vous désirez essayer une variante de la multiplication par semis, remplacez le sac en plastique et le godet par une jarre, carrée si possible pour qu'elle ne risque pas de se renverser. Après l'avoir nettoyée, je la garnis d'une couche de compost standard humide de 2 cm environ d'épaisseur. J'étale ce mélange et l'ameublis légèrement avec une spatule. Je disperse ensuite les graines délicatement. J'humecte la terre avec un atomiseur, referme légèrement la jarre et installe cette serre miniature sur un rebord de fenêtre, voilé d'un rideau, en attendant de pouvoir transplanter les plants d'une grosseur suffisante. Ainsi, en conservant plusieurs jarres de plants parvenus à différents stades de croissance, vous décorerez votre salon de manière fort originale et vous pourrez offrir à l'un de vos visiteurs l'un des plants ainsi cultivés.

Une encyclopédie des plantes d'appartement à fleurs

Connaissez-vous tous les coloris des Violettes du Cap ? Dans votre salon, votre fenêtre garnie de potées d'azalées est-elle suffisamment ensoleillée ? Savez-vous multiplier des fuchsias ? Quelles sont les espèces d'Orchidées les plus faciles à cultiver ? Vous trouverez réponse à toutes ces questions, et à bien d'autres encore, en consultant le chapitre encyclopédique suivant, où l'on a répertorié les caractéristiques et les exigences de 150 variétés de plantes d'appartement à fleurs réputées.

Chaque rubrique précise les conditions les plus favorables en matière d'éclairement pour chaque plante et mentionne celles dont la croissance est favorisée par un éclairage d'appoint. Sous chaque article, vous trouverez également les fourchettes des températures, notamment nocturnes, essentielles quand une plante entame sa période de repos avant de fleurir et d'atteindre son plein épanouissement. L'emplacement des plantes est souvent fonction de leurs besoins de fraîcheur nocturne : les camellias, les daphnés et les jacinthes, par exemple, requièrent des températures nocturnes oscillant entre 4 et 10° C et, par conséquent, un local froid ou peu chauffé.

Mais les plantes savent s'adapter ! Si le milieu ambiant ne répond pas aux normes idéales, elles prospéreront quand même, mais leur floraison sera moins riche ou spectaculaire.

Les plantes d'appartement à fleurs se cultivent pour la plupart selon des normes standard. A moins qu'elles n'exigent un terreau spécial pour rempotage, utilisez un mélange composé d'1 part de compost standard, 1 part de tourbe grossière et 1 part de sable granuleux ; ajoutez 100 grammes de calcaire broyé par 28 litres, sauf indication contraire. A moins qu'un fertilisant spécial ne soit prescrit, administrez un engrais complet standard pour plantes d'appartement.

La liste suit l'ordre alphabétique des noms botaniques latins des plantes, adoptés dans le monde entier. On trouvera par exemple sous la rubrique des campanules la *Campanula isophylla* « Alba » : le nom du genre, *Campanula,* est suivi de celui de l'espèce, *isophylla;* le troisième nom, « Alba », indique le cultivar à fleurs blanches. Les noms vulgaires renvoient à leurs équivalents latins indiqués dans l'index. Les tableaux figurant aux pages 152 à 154 permettent de retrouver plus rapidement les caractéristiques et les différentes exigences des plantes d'appartement à fleurs illustrées dans le présent volume.

L'artiste Allianora Rosse a regroupé sur ce schéma de 24 plantes d'appartement, décrites et illustrées dans l'encyclopédie, un échantillon de couleurs dont on peut apprécier les nuances, en intérieur, tout au long de l'année.

ABUTILON
Abutilon megapotamicum « Variegatum »

PLANTE-CHENILLE
Acalypha hispida

ACHIMENES HYBRIDE
Achimenes hybride

A

ABUTILON

A. x *hybridum; A. megapotamicum* « Variegatum » ; *A. striatum* « Thompsonii » (tous appelés aux États-Unis « Érable à fleurs »)

Les abutilons, dont les feuilles longues de 5 à 8 cm ressemblent à celles du tilleul d'appartement (Sparmannia), portent des fleurs campanulées pendantes, d'environ 5 cm de diamètre, qui s'épanouissent du printemps à l'automne. *A. megapotamicum* « Variegatum » a des fleurs jaune-rouge pourvues de grandes anthères marron foncé ; les plantes âgées, très élancées, atteignent 1,50 m de haut et font beaucoup d'effet dans des potiches suspendues.

A. striatum « Thompsonii », aux fleurs orange saumoné, et *A. hybridum,* aux fleurs blanches, jaunes, saumon ou pourpres, variétés à port buissonnant, se taillent à 60 cm de haut.

CULTURE. Exposez les abutilons à 4 heures d'ensoleillement par jour. Les températures idéales sont de 10 à 13°C la nuit, de 20 à 22°C le jour. Maintenez le sol humide et fertilisez une fois par mois. La multiplication s'effectue au printemps par bouturage de tiges ou semis.

ACALYPHA

A. hispida (Plante-chenille) ; *A. wilkesiana* « Godseffiana » (à feuilles de cuivre ; aux États-Unis, « Plante beefsteak »)

La Plante-chenille se distingue par ses fleurs réunies en longs chatons rougeâtres et retombants de 20 à 50 cm, que l'on imaginerait aisément en franges de draperies ; un cultivar, *A. hispida* « Alba », porte des fleurs blanc rosé. Toutes deux fleurissent à profusion en automne et en hiver, voire à longueur d'année quand les conditions de l'air ambiant s'y prêtent. Elles ont des feuilles rêches vert foncé de 8 à 12 cm.

Les autres espèces se remarquent davantage par leur feuillage richement tacheté que par leurs modestes petites fleurs. Les feuilles de l'espèce *A. wilkesiana,* longues de 8 à 10 cm, sont marbrées de rouge, cuivre et rose, tandis que *A. wilkesiana* « Godseffiana » a des feuilles vert foncé, longues de 5 à 8 cm, à pourtour blanc. Tous les acalyphas sont des plantes à feuillage touffu, érigé, que l'on taille généralement pour leur laisser 60 à 90 cm de hauteur.

CULTURE. Les acalyphas demandent beaucoup de chaleur et d'humidité et préfèrent un ensoleillement ; elles prospèrent également dans une pièce vivement éclairée protégée du soleil direct. Des températures nocturnes de 16 à 18°C et diurnes de 21°C ou plus sont idéales. Le terreau doit être tourbeux et toujours humide. Fertilisez une fois par mois pour maintenir les plantes constamment fleuries. Pour régénérer des plantes âgées, taillez-les généreusement au début du printemps, à 20 ou 30 cm de hauteur. La propagation se fait par bouturage de tiges en été, et par division de touffes à une température élevée de 21 à 27°C.

ACHIMENES

A. hybride

Du printemps à l'automne, les achimènes produisent en abondance de superbes fleurs, richement colorées, de 2 à 6 cm de diamètre. Voisines des Violettes du Cap, ces Gesnériacées à feuillage touffu peuvent atteindre 20 à 30 cm de haut ; leurs rameaux flexueux sont garnis de feuilles luisantes, souvent velues, longues de 4 à 8 cm. La gamme des coloris comprend du bleu pastel, rose foncé, jaune pur (avec feuillage argenté), rouge foncé à gorge jaune, pourpre foncé et rose vif. Toutes font de l'effet en suspension, mais présentent également bien quand on dissimule les potées dans des jardinières remplies de tourbe ou de sphagnum humide.

CULTURE. Les achimènes tirent profit d'une lumière vive sans ensoleillement, ou tamisée par un rideau, ou bien d'un éclairage artificiel de 14 à 16 heures par jour. Les températures idéales sont de 18 à 21°C la nuit et de 24°C, ou plus, le jour. On les cultive dans un mélange composé de 2 parts de tourbe pour 1 de compost standard et 1 de sable granuleux. Arrosez à l'eau tiède et maintenez le terreau humide; fertilisez tous les mois quand les plantes sont en pleine floraison. Après la floraison, laissez les plantes dépérir.

Tenez les rhizomes au sec à 16°C tout l'hiver, pendant leur période de repos, dans des sacs en plastique remplis de tourbe ou de vermiculite. La propagation s'effectue soit pendant la période de repos par division des petits rhizomes qui apparaissent sur les racines ou les rameaux feuillés, soit par semis ou bouturage de tiges au printemps.

AECHMEA

A. caudata; A. chantinii, ou *Billbergia chantinii; A. fasciata,* ou *Billbergia fasciata* et *Billbergia rhodocyanea* («Plante urne»)

Les aechméas sont des Broméliacées spectaculaires, caractérisées par des épis de fleurs disposés sur une hampe florale haute de 60 cm et des feuilles engainantes, épineuses, incurvées, en rosette de 20 à 25 cm. Elles peuvent fleurir à n'importe quelle saison. *A. caudata* est couronnée d'une panicule hérissée de fleurs jaunes qui ressemblent à des perles; les feuilles du cultivar *A. caudata* «Variegata» sont zébrées de blanc sur toute leur longueur.

A. chantinii a des bractées rouges aux extrémités jaunes, et des feuilles vert brunâtre nervurées d'argent. *A. fasciata* porte des bractées roses d'où pointent de minuscules fleurs bleues; ses feuilles vert clair sont striées de bandes argentées. La hampe florale reste colorée pendant 4 mois.

CULTURE. Les aechméas requièrent une lumière vive sans ensoleillement, ou tamisée par un rideau, des températures nocturnes de 16 à 18°C et diurnes de 21°C ou plus. On les cultive dans un mélange composé à parts égales d'aiguilles de pin, de terreau de feuilles et de tourbe. Maintenez le mélange humide. Laissez la rosette centrale pleine d'eau à la température ambiante et dispensez une très faible dose d'engrais liquide une fois par mois, en été uniquement.

La multiplication se fait grâce aux rejets qui apparaissent au pied de la plante après la floraison; rempotez-les séparément dès qu'ils ont pris racine.

AESCHYNANTHUS, ou TRICHOSPORUM

A. lobbianus, ou *A. parvifolius* («Plante bâton de rouge à lèvres); *A. pulcher* («Clairon royal rouge»); *A. speciosus* (tous appelés «Plante à suspension»)

Les aeschynanthus, surnommés «Plantes à suspensions» en raison de l'effet qu'ils produisent dans des potiches suspendues, sont des Gesnériacées dont les gracieux rameaux retombants, longs de 60 à 90 cm, se terminent par des fleurs tubuleuses de 5 à 10 cm. *A. lobbianus* a des fleurs cireuses écarlates à gorge jaune, dont les sépales (calice) sont pourpre foncé; les fleurs d'*A. pulcher* ont des sépales verts. Tous deux fleurissent au printemps, en produisant des boutons qui ressemblent à des bâtons de rouge à lèvres. *A. speciosus* porte des fleurs cireuses orange, frangées d'écarlate, qui s'épanouissent en hiver et au printemps.

CULTURE. Les aeschynanthus prospèrent mieux s'ils disposent de 4 heures par jour au moins d'ensoleillement en hiver, et d'une lumière vive sans ensoleillement, ou tamisée par un rideau, le reste de l'année. Les températures idéales sont de 18 à 21°C la nuit et de 24°C, ou plus, le jour. Cultivez-les dans un mélange composé de 2 parts de tourbe, 1 part de compost standard et 1 part de sable granuleux. Maintenez le terreau humide et fertilisez une fois par mois. Après la floraison, taillez les pousses terminales pour favoriser le développement d'une nouvelle végétation. La multiplication des aeschynanthus se fait par boutures de tiges, de préférence au printemps.

AGAPANTHUS

A. africanus, ou *A. umbellatus* (Agapanthe en ombelle); *A.* hybrides; *A. praecox* ssp *orientalis,* ou *A. orientalis* (tous appelés Agapanthe bleue, «Lis africain», «Lis du Nil»)

L'agapanthe est une plante que l'on apprécie pour ses longues

«PLANTE URNE»
Aechmea fasciata

«PLANTE BÂTON DE ROUGE A LÈVRES»
Aeschynanthus lobbianus

AGAPANTHE EN OMBELLE
Agapanthus africanus

feuilles rubanées de 30 à 60 cm et ses grosses ombelles de fleurs de 3 à 12 cm, semblables à des lis, qui s'épanouissent en été. *A. africanus* porte des fleurs bleues (une trentaine par ombelle) et atteint 45 à 60 cm de haut. Il existe, parmi les hybrides, un nombre incalculable de variétés horticoles, diversement colorées, du blanc et bleu pâle jusqu'au bleu marine, qui atteignent 45 à 75 cm de haut. *A. praecox* ssp *orientalis,* plus volumineux, peut atteindre 1,20 à 1,50 m de haut et porter plus d'une centaine de fleurs bleues ou blanches par ombelle.

CULTURE. L'agapanthe se cultive dans de grands bacs qui lui permettent de s'étaler jusqu'au prochain rempotage. Utilisez un compost à base de terre fraîche et exposez vos plantes dans un endroit très ensoleillé et bien éclairé. Les agapanthes prospèrent mieux sur une terrasse extérieure, orientée plein sud, qu'à l'intérieur. En hiver, entreposez-les dans un endroit frais où elles ne risquent pas de geler et maintenez le terreau presque sec. Pendant leur période de croissance, ils préfèrent des températures nocturnes de 10 à 13°C et diurnes de 20 à 22°C. Maintenez le sol humide et fertilisez tous les 15 jours pendant cette même période. La multiplication se fait en février ou en mars, en divisant les souches charnues, ou par semis au printemps.

AGATHAEA Voir *Felicia*

ALLAMANDA

A. cathartica («Trompette d'or»); *A. neriifolia*

Les allamandas sont des plantes grimpantes tropicales, vigoureuses, toutes adaptées à la lumière, la chaleur et l'aération des solariums, des orangeries, des halls d'entrée de bureaux avec de grandes baies vitrées. Les feuilles persistantes sont oblongues et disposées par trois en verticilles espacés; les fleurs jaune d'or, en forme d'entonnoir, odorantes chez quelques espèces, peuvent atteindre 8 à 10 cm de diamètre.

On trouve, parmi les hybrides d'*A. cathartica,* les variétés «Grandiflora», aux fleurs de 10 à 12 cm, et les variétés «Schottii», jaunes striées de brun à l'intérieur. On peut cultiver *A. cathartica* «Williamsii» en plante à port buissonnant. *A. neriifolia,* arbuste à port érigé, atteint 90 cm de haut et porte des fleurs dorées striées d'orange.

CULTURE. Les allamandas requièrent 4 heures par jour au moins d'ensoleillement, des températures nocturnes de 16 à 18°C, et diurnes de 21°C ou plus.

Maintenez le sol humide et fertilisez tous les 15 jours d'avril à septembre; modérez vos arrosages et ne dispensez aucun engrais pendant le reste de l'année. Un bon drainage est essentiel. Taillez les rameaux au printemps et faites des boutures de tiges pour la multiplication.

ALLAMANDA ou «TROMPETTE D'OR»
Allamanda cathartica «Williamsii»

x AMARCRINUM Voir *Crinodonna*

AMARYLLIS Voir *Sprekelia*

ANANAS

A. comosus «Variegatus»; *A. sagenaria,* ou *A. bracteatus* (tous appelés ananas)

A. sagenaria, l'ananas que l'on cultive le plus souvent en intérieur, a des feuilles arquées d'un vert grisâtre, longues de 30 à 40 cm, qui se déploient autour d'un épi central, haut de 35 cm, hérissé de boutons rouges qui font penser à une pelote à épingles; ces boutons, qui s'épanouissent en fleurs pourpres, donnent un fruit comestible, parfumé, haut de 5 cm. Plus grand et plus élancé, *A. comosus* «Variegatus» est formé d'une rosette de feuilles zébrées vert et crème, teintées de rose, atteignant 60 cm ou plus de diamètre. Ses fleurs violettes qui coiffent un épi de 0,60 à 1,20 m se transforment en un fruit comestible.

CULTURE. Les ananas requièrent 4 heures par jour au moins d'ensoleillement, des températures nocturnes de 16 à 18°C et diurnes de 21°C ou plus. Rempotez dans un mélange composé de

ANANAS
Ananas comosus «Variegatus»

2 parts de tourbe, 1 part de compost standard et 1 part de sable granuleux ; n'ajoutez pas de calcaire. Maintenez le terreau humide et fertilisez une fois par mois. La multiplication s'effectue au moyen des rejets qui se développent au pied de la plante après maturation et dépérissement du fruit, ou en bouturant la rosette de feuilles qui coiffe le fruit.

ANGRAECUM, ou ANGREC
A. distichum, ou *A. mystacidium distichum* — voir aussi *Neofinetia*

L'angrec, orchidée miniature ravissante, qui n'atteint que 8 à 12 cm de haut, peut porter plus d'une centaine de fleurs de 6 mm, délicatement parfumées, d'un blanc laiteux, étroitement groupées sur des tiges souples de 15 cm *(photographie, page 57)*. Les fleurs s'épanouissent à profusion à la fin de l'été et en automne, et par intermittence le reste de l'année. Ses feuilles épaisses, larges de 6 mm, se replient en tresses serrées et régulières sur les tiges.

CULTURE. *A. distichum* prospère mieux sous une lumière vive et indirecte, à des températures nocturnes de 13 à 20°C, et diurnes de 20°C ou plus. Il pousse particulièrement bien sur une souche de fougère, mais aussi dans un mélange composé de 2 parts d'écorce de sapin ou de racines de fougères pulvérisées et 1 part de tourbe grossière. Placez le pot sur un plateau humidificateur *(page 82)* et maintenez le terreau légèrement humide, quelle que soit la saison. Dispensez une fois par mois un engrais riche en azote, en diluant 50 g d'engrais dans 1 litre d'eau.

« FLAMANT ROSE »
Anthurium scherzerianum

ANTHURIUM
A. andreanum (« Langue-de-feu ») ; *A. scherzerianum* (« Flamant rose »)

Les touristes, passionnés de voyages sous les tropiques, ne se lassent pas de s'extasier devant les fleurs étranges en forme de feuilles, ou spathes, des anthuriums. Ces spathes, orange, rouges, roses ou blanches, dures et cireuses comme du cuir, portent des organes charnus jaunes, semblables à des queues, appelés spadices, sur lesquels sont regroupées les vraies fleurs minuscules de la plante. *A. andreanum* a des spathes de 10 à 15 cm de diamètre, qui surgissent à l'extrémité de longues tiges dénudées et dressées hautes de 60 à 90 cm. *A. scherzerianum,* qui dépasse rarement 30 cm de haut, porte des spathes presque ovales mesurant 5 à 8 cm de long, d'où sortent des spadices contournés en spirales. Les deux espèces fleurissent sans discontinuité ; les spathes seules durent un mois.

CULTURE. Les anthuriums requièrent une lumière vive sans ensoleillement, ou tamisée par un rideau, et des températures nocturnes de 16 à 18°C et diurnes de 20°C ou plus. La culture se fait dans un mélange composé à parts égales d'écorce de sapin et de sphagnum grossier. Placez le pot sur un plateau humidificateur ou vaporisez régulièrement les plantes dans les pièces trop sèches. Maintenez le terreau humide et fertilisez tous les 15 jours. Dès que les couronnes et les racines aériennes se seront développées, recouvrez-les de sphagnum humide. La multiplication se fait par séparation des bourgeons, à n'importe quel moment.

« PLANTE ZÈBRE »
Aphelandra squarrosa « Louisae »

APHELANDRA
A. aurantiaca ; A. squarrosa (« Plante zèbre »)

Fort prisées dans les orangeries de l'ère victorienne, les aphélandras, dont les inflorescences pyramidales atteignent 10 à 20 cm de haut, sont redevenues populaires. Parmi les variétés dominantes se distinguent *A. squarrosa* « Louisae », de couleur jaune, et les hybrides d'*A. squarrosa* « Brockfeld », « Dania » et « Friz Prinsler » ; *A. aurantiaca* écarlate et *A. aurantiaca* var. *roezlii.* Tous fleurissent six semaines durant en automne, parfois même à d'autres saisons. Il faut généralement les tailler pour les maintenir à 30 ou 45 cm de haut.

CULTURE. Les aphélandras requièrent une lumière vive sans ensoleillement, ou tamisée par un rideau, des températures nocturnes de 16 à 18°C, et diurnes de 21°C ou plus. Cultivez-les dans un mélange composé de 2 parts de tourbe, 1 part de compost standard et 1 part de sable granuleux. Placez le port sur un plateau humidificateur *(page 43)*. Maintenez le terreau humide de mars à octobre et réduisez vos arrosages le reste de l'année. Fertilisez tous les 15 jours pendant la floraison.

Au mois de mars, taillez de moitié les pousses de la saison précédente et rempotez. La multiplication se fait par boutures de tiges au printemps.

« BAIE CORAIL »
Ardisia crenata

ARDISIA

A. crenata, ou *A. crispa; A. japonica* (« Baie corail »)

Les ardisies, aux grappes massives de baies rouges de la grosseur d'un pois, acquièrent un attrait particulier à Noël, époque à laquelle leurs fruits parviennent à maturité. Souvent, les baies restent accrochées aux plantes pendant une année, voire même après l'apparition, au milieu de l'hiver ou au début du printemps, des minuscules fleurs odorantes. *A. crenata,* à fleurs blanches, peut atteindre 90 cm de haut; *A. japonica,* à fleurs blanches elle aussi, 60 cm de haut. Parvenues à 45 ou 60 cm, elles perdent leurs feuilles de base et ressemblent à des arbres dénudés.

CULTURE. Les ardisies requièrent une lumière vive sans ensoleillement, ou tamisée par un rideau, et des températures nocturnes de 10 à 13° C, et diurnes de 22° C. Ne les laissez pas se dessécher. Maintenez le sol humide et fertilisez tous les 15 jours. Pour leur conserver leur port buissonnant, taillez-les à une hauteur de 5 cm au début du printemps; laissez le terreau sécher presque complètement jusqu'au départ de la nouvelle végétation. Supprimez ensuite toutes les pousses affaiblies et ne conservez que les trois plus vigoureuses. Rempotez dans un terreau neuf. La multiplication se fait au printemps par semis, boutures de tiges ou marcottes *(page 94)*.

ASTER Voir *Felicia*

ASTILBE
Astilbe x arendsii hybride

ASTILBE

A. x *arendsii* hybrides (appelés communément, mais à tort, spirées)

Ces plantes vivaces, touffues et herbacées, font d'excellentes potées, particulièrement durables dans des pièces fraîches. Elles ont des feuilles de toute beauté, profondément découpées, qui ressemblent à des fougères, et des tiges de 60 à 90 cm surmontées de grandes panicules de fleurs minuscules au printemps. Ces fleurs peuvent être blanches, roses, rouges ou rose fuchsia.

CULTURE. En intérieur, les astilbes requièrent une lumière vive sans ensoleillement, ou tamisée par un rideau, des températures nocturnes de 10 à 16° C, et diurnes de 20° C ou plus. Elles sont très avides d'eau pendant leur période de croissance et ne doivent jamais se dessécher aux racines. Après leur floraison, on peut les mettre en pleine terre dans le jardin, les déterrer et les rempoter, si l'on veut, à la fin de l'été, en vue de la prochaine floraison printanière. Mettez de l'engrais chaque mois pendant la période de croissance. La multiplication se fait par division des touffes, au printemps.

AZALÉE Voir *Rhododendron*

B

BÉGONIA

B. rex (Bégonia rex); *B. semperflorens* hybride (Bégonia des jardins); *B. tuberhybrida* (Bégonia tubéreux); *B.* « Gloire de Lorraine »

Le genre bégonia regroupe le plus grand nombre de plantes adaptées à la culture en appartement. Le Bégonia des jardins, le plus populaire, porte des fleurs satinées de moins de 2,5 cm de diamètre. Il en existe des blancs, rose saumon ou rose-rouge, aux feuilles ovales, luisantes, vertes ou rougeâtres, atteignant 10 cm de large. Les cultivars, à floraison compacte et régulière, ont de 15 à 35 cm de haut. Les fleurs du Bégonia tubéreux, qui s'épanouissent l'été, mesurent généralement 8 à 10 cm de diamètre et sont blanches, roses, rouge-rose, rouge foncé, jaunes et orange. De nombreuses variétés horticoles, de 8 à 10 cm de haut, à fleurs doubles, continuent à fleurir de l'été au début de l'automne. Certaines, à port retombant, ont des tiges florales qui ploient gracieusement sous le poids de fleurs simples ou mi-doubles de 5 à 8 cm.

Les Bégonias rex, dont les fleurs roses ou blanches de 2 à 5 cm s'épanouissent généralement au printemps, doivent surtout leur renommée à leurs larges feuilles, souvent velues, en forme d'oreilles d'éléphant, tachetées de vert, rouge, bronze, de reflets argentés ou de rose.

Le Bégonia « Gloire de Lorraine », à floraison hivernale d'une durée exceptionnelle, est un hybride dérivé de *B. socotrana,* très florifère, à fleurs roses. Il se cultive comme le *B. semperflorens.*

CULTURE. Le Bégonia des jardins et le Bégonia tubéreux requièrent 4 heures par jour au moins d'ensoleillement de novembre à mars, mais une lumière vive indirecte, ou tamisée par un rideau, le reste de l'année. Le Bégonia rex doit toujours être abrité du soleil direct.

Tous ces bégonias requièrent des températures nocturnes de 10 à 13°C, et diurnes de 20 à 22°C. La culture se fait dans un compost très organique, composé à parts égales de tourbe et de compost standard. Pendant le cycle végétatif, laissez le *B. semperflorens* sécher légèrement entre deux arrosages, mais maintenez les autres dans un sol tout juste humide; cessez tout arrosage des Bégonias tubéreux en période de repos. Fertilisez tous les 15 jours durant la période de croissance.

Toutes ces espèces se multiplient par semis. *B. semperflorens* et *B.* « Gloire de Lorraine » peuvent se propager par boutures de tiges à tout moment; les Bégonias tubéreux, par boutures de tiges au début du printemps ou par division des tubercules; les Bégonias rex, par boutures de feuilles ou par division de touffes en été ou en automne.

BÉGONIA DES JARDINS
Begonia semperflorens

BELOPERONE

B. comosa; B. guttata (Bélopérone tacheté) (tous deux appelés « Plante crevette »)

La « Plante crevette » doit son nom à la forme caractéristique de ses inflorescences pendantes, longues de 8 à 10 cm, pourvues de bractées qui enserrent de minuscules fleurs blanches. Selon le cultivar, ces bractées peuvent être jaunes, jaunes et rouges ou brun rougeâtre. Pincez les pousses terminales pour maintenir la plante entre 35 et 45 cm de haut.

CULTURE. Les bélopérones requièrent 4 heures par jour au moins d'ensoleillement, des températures nocturnes de 10 à 13°C, et diurnes de 20 à 22°C. Laissez le sol sécher légèrement entre deux arrosages. Fertilisez tous les 15 jours. La multiplication se fait par boutures de têtes.

« PLANTE CREVETTE »
Beloperone guttata « Yellow Queen »

BILLBERGIA
Billbergia « Fantasia »

BILLBERGIA

B. « Fantasia » ; *B. horrida* var. *tigrina; B. leptopoda* (« Plante à permanente »); *B. nutans* (« Larmes de reine »); *B. pyramidalis* (« Torche d'hiver »). Voir aussi *Aechmea*

Les billbergias sont des Broméliacées qui portent des bractées et des fleurs tubulaires sur des hampes florales longues de 30 à 60 cm, entourées de feuilles engainantes disposées en cornet. « Fantasia », un hybride de *B. pyramidalis,* produit des feuilles marbrées de blanc et des bractées roses dont les fleurs roses frangées de bleu s'épanouissent en été; *B. horrida* var. *tigrina* a des feuilles brun rougeâtre nervurées d'argent et des bractées roses dont les fleurs vertes frangées de violet s'épanouissent à la fin de l'hiver; *B. leptopoda* a des feuilles panachées de crème, aux extrémités recourbées, et des bractées rouge rosé dont les fleurs bleues frangées de vert s'épanouissent au début du printemps; *B. nutans,* des feuilles vert-gris et des bractées roses dont les fleurs vertes frangées de bleu s'épanouissent en hiver;

c'est la variété qui se prête le mieux à la culture en appartement; *B. pyramidalis,* des feuilles vertes zébrées de gris et des bractées écarlates dont les fleurs cramoisies frangées de bleu s'épanouissent en hiver.

CULTURE. Les billbergias requièrent 4 heures par jour au moins d'ensoleillement, mais une lumière indirecte, ou tamisée par un rideau, à midi en été. Les températures idéales sont de 16 à 18° C la nuit, de 21° C ou plus le jour. Plantez-les dans un mélange dépourvu de calcaire, composé à parts égales de sable granuleux et de tourbe. Maintenez le sol humide; fertilisez tous les 15 jours. Laissez la rosette remplie d'eau. La multiplication se fait par division ou au moyen des rejets qui se développent au pied de la plante après floraison.

BOUGAINVILLÉE
Bougainvillea x *buttiana* «Barbara Karst»

BOUGAINVILLEA
B. x *buttiana*

Les bougainvillées, arbustes grimpants tropicaux à croissance rapide, se remarquent surtout par leurs bractées foliacées de 2 à 3 cm, très minces et regroupées en ombelles spectaculaires, dont les teintes vont du pourpre vif au rouge et rose en passant par le cuivre, le jaune et le blanc. Un cultivar d'un rouge éclatant, «Barbara Karst», fleurit presque sans interruption — comme les autres, s'ils disposent d'assez de chaleur et de soleil. A défaut de conditions optimales, la plupart des cultivars fleurissent du début du printemps à la fin de l'automne, et se reposent en automne et au début de l'hiver.

CULTURE. Les bougainvillées requièrent 4 heures par jour au moins d'ensoleillement, des températures nocturnes de 16 à 18° C, et diurnes de 21°C ou plus. Laissez le sol sécher modérément entre deux arrosages et fertilisez tous les 15 jours pendant la période de croissance; cessez tout apport d'engrais et réduisez vos arrosages quand les plantes sont au repos. Rempotez au tout début du printemps sans déranger les racines. On peut tailler les bougainvillées en forme de petit buisson ou les disposer en espalier. Vous pouvez également en obtenir de petits, en choisissant des variétés peu vigoureuses et en les palissant sur des fils de fer fixés au pot. La multiplication se fait en été par bouturage des tiges auxquelles vous ferez prendre racine dans un local très bien chauffé.

BRASSAVOLA
B. nodosa («Dame de la nuit»)

Dégageant un parfum exquis du début de la soirée au milieu de la nuit, *B. nodosa* fleurit toute l'année, en déployant des fleurs de 8 à 10 cm, à longue floraison, blanches, jaunes ou vert pâle, et dotées de labelles flamboyants blancs *(photographie, page 57);* une cinquantaine d'entre elles peuvent s'ouvrir simultanément. Ces plantes, qui ont des feuilles effilées, dépassent rarement 30 cm de haut.

CULTURE. *B. nodosa* requiert une lumière vive sans ensoleillement, des températures nocturnes de 13 à 21° C, et diurnes de 20° C ou plus. On peut le faire pousser dans un mélange composé de 2 parties d'écorce de sapin ou de terreau de fougères pulvérisé et 1 partie de tourbe grossière, ou simplement sur une souche de fougère. Placez le pot sur un plateau humidificateur *(page 82)* et laissez le terreau sécher modérément entre deux arrosages. Dispensez tous les mois une solution d'engrais riche en azote, en diluant ¼ de cuillerée à café d'engrais dans 1 litre d'eau.

BRASSIA
B. caudata

Ces orchidées ont des fleurs odorantes, d'aspect cireux, à longue floraison *(photographie, page 59),* dont les pétales jaune verdâtre maculés de brun peuvent atteindre 6 cm et les sépales 12 à 20 cm de long. Les épis floraux, longs d'au moins 37 cm, portent chacun jusqu'à 12 fleurs, généralement en automne et au début de l'hiver. Les feuilles arquées, longues de 20 à 25 cm, sont vertes, tachetées de brun rougeâtre.

CULTURE. *B. caudata* requiert 4 heures par jour au moins d'ensoleillement, des températures nocturnes de 18 à 21°C, et diurnes de 24°C ou plus. Plantez-le dans un mélange composé de 2 parts d'écorce de sapin ou de terreau de fougères pulvérisé et 1 part de tourbe granuleuse, ou simplement sur une souche de fougère. Placez le pot sur un plateau humidificateur *(page 82)*. Maintenez le terreau humide ; dispensez tous les mois une solution d'engrais riche en azote, en diluant ¼ de cuillerée à café dans 1 litre d'eau.

BROWALLIA
B. hybrides ; *B. speciosa* « Major » ; *B. viscosa*

Plantes herbacées annuelles, dont les tiges grêles atteignent 60 cm de long, les browallias portent toute l'année des fleurs satinées en forme de trompettes de 3 à 5 cm. Les cultivars, « Ultramarine », de couleur bleu foncé, et « Sapphire », de teinte bleue et hauts de 15 à 20 cm, sont dérivés de *B. viscosa. B. speciosa* « Major » porte des fleurs bleues ou blanches ; le cultivar « Silver Bells » a des fleurs blanches.

CULTURE. Les browallias fleurissent en fonction de la date de leur semis. Les semis datant du début du printemps fleurissent en été ; ceux de l'été, en hiver. Ils requièrent 4 heures par jour au moins d'ensoleillement de novembre à février ; le reste de l'année, exposez-les au soleil le matin, mais en les protégeant des rayons directs. Les températures idéales sont de 13 à 16°C la nuit, de 20 à 22°C le jour.

La culture se fait dans un compost à base de terre de jardin que vous maintiendrez humide ; fertilisez une fois par quinzaine, et une fois par mois en hiver. La multiplication s'effectue par semis.

BRUNFELSIA
B. pauciflora var. *calycina*, ou *B. calycina* et *B. calycina* var. *eximea* (« Plante caméléon »)

Plante à feuilles persistantes et à croissance lente, elle est appelée « Plante caméléon » en raison du changement de couleurs de ses fleurs au parfum suave, de 5 cm de diamètre, qui sont pourpre foncé le premier jour de leur éclosion, lavande le deuxième jour et virent au blanc le troisième jour. Placées dans des conditions idéales, les brunfelsias fleurissent à profusion à longueur d'année, mais se reposent généralement pendant quelques semaines à la fin du printemps.

CULTURE. Les brunfelsias requièrent 4 heures par jour au moins d'ensoleillement de novembre à février, une lumière indirecte, ou tamisée par un rideau, le reste de l'année. Des températures nocturnes de 10 à 13°C, et diurnes de 20 à 22°C leur conviennent parfaitement.

Maintenez le sol humide et fertilisez tous les 15 jours quand les plantes sont en pleine croissance ; modérez vos arrosages et cessez tout apport d'engrais quand elles sont au repos. Pour leur laisser un port compact et buissonnant, pincez de temps à autre les pousses terminales ; au printemps, vous pourrez faire prendre racine à ces pousses détachées.

C

CALCEOLARIA
C. x *herbeohybrida* (ou *C.* hybride ; *C. integrifolia*) ou *C. rugosa* (toutes deux appelées « Fleur pantoufle »)

Les calcéolaires ont des feuilles larges, atteignant 15 cm de long, et des fleurs renflées en deux poches arrondies atteignant 5 cm de diamètre ; la partie inférieure est très développée et arrondie, la division supérieure insignifiante. Les fleurs, qui éclosent à profusion au printemps sont rouges, roses, marron, bronze ou jaunes, presque toujours ponctuées de brun ou de pourpre. Nombre de variétés horticoles de *C.* x *herbeohybrida* se trouvent dans le commerce et mesurent de 15 à 30 cm de haut. *C. integrifolia*, petit arbuste ligneux, atteint 30 à 60 cm de haut et fleurit du printemps à l'automne. Difficiles à cultiver, les calcéolaires s'achètent généralement chez les fleuristes en pleine

BROWALLIA
Browallia speciosa « Major »

« PLANTE CAMÉLÉON »
Brunfelsia pauciflora var. *calycina*

« FLEUR PANTOUFLE »
Calceolaria x *herbeohybrida* « Multiflora Nana »

«HOUPPE A POUDRE»
Calliandra haematocephala

CAMELLIA DU JAPON
Camellia japonica «Débutante»

période de floraison, puis sont mises au rebut environ un mois après, dès que cesse la floraison.

CULTURE. Les calcéolaires requièrent une lumière vive sans ensoleillement, ou une lumière vive mais tamisée par un rideau, des températures nocturnes de 4 à 7°C, et diurnes de 13 à 16°C. Évitez de mouiller les couronnes fournies de feuilles au niveau du terreau; maintenez le sol à peine humide pour qu'il sèche à la tombée de la nuit. Ne fertilisez pas quand les plantes sont en fleur. La multiplication se fait par semis en été pour obtenir des fleurs au printemps. *C. integrifolia* se propage également par bouturage de tiges en automne.

CALLIANDRA
C. haematocephala, ou *C. inequilatera* («Houppe à poudre»); *C. tweedyi.*

Les calliandras, rares en Europe, font souvent d'excellentes plantes d'appartement aux États-Unis. Elles portent des feuilles profondément découpées et des têtes de fleurs duveteuses de 5 à 8 cm pourvues de plusieurs centaines d'étamines délicates rouge vif, roses ou rouge pourpré. Ces plantes fleurissent pendant plusieurs semaines en hiver et au printemps, dès qu'elles atteignent 30 cm environ de haut; leur feuillage, couleur bronze dès son apparition, a beaucoup d'attrait l'année durant. De port buissonnant, on les maintient généralement à une hauteur de 60 à 90 cm en les taillant.

CULTURE. Les calliandras requièrent 4 heures par jour au moins d'ensoleillement, des températures nocturnes de 16 à 18°C, et diurnes de 21°C ou plus. Maintenez le sol à peine humide. Fertilisez une fois par mois de mars à septembre. La multiplication se fait par bouturage de tiges au printemps ou par marcottage aérien à n'importe quel moment *(page 94).*

CAMELLIA
C. japonica (Camellia du Japon); *C. reticulata; C. sasanqua*

Les camellias doivent leur renommée à la perfection de leurs fleurs blanches, roses, rouges ou bariolées, qui atteignent 7 à 8 cm de diamètre. Ils fleurissent à profusion pendant plusieurs semaines — *C. sasanqua* généralement de l'automne au printemps, *C. japonica* et *C. reticulata* de la fin de l'hiver à la fin du printemps, suivant la variété.

Ces plantes, qui ont des feuilles luisantes vert foncé, atteignant 10 cm de long environ, se taillent généralement à une hauteur de 75 à 90 cm.

CULTURE. Les camellias préfèrent la lumière vive sans ensoleillement, ou tamisée par un rideau, des températures nocturnes de 4 à 7°C, et diurnes de 16°C, ou moins. On les cultive dans un mélange composé de 2 parts de tourbe, 1 part de compost standard et 1 part de sable granuleux; n'ajoutez pas de calcaire. Maintenez le terreau constamment humide et dispensez un engrais acide au début du printemps et en été. Pour obtenir des fleurs plus grosses, ne conservez qu'un bouton par bouquet. Évitez tout changement brusque de température ou de lumière; arrosez régulièrement pour ne pas laisser le terreau trop humide ou trop sec — trois conditions à respecter pour ne pas faire tomber les boutons.

Pendant les mois d'été, après la floraison, enfouissez les pots jusqu'au bord en pleine terre, dans un endroit frais et ombragé, et recouvrez-les de tourbe humide. Pour obtenir des plantes à port plus trapu, taillez-les après la floraison. La multiplication se fait par bouturage de tiges.

CAMPANULA
C. elatines; C. fragilis; C. isophylla (Campanule «Étoile de Marie»)

Toutes ces campanules portent en abondance des fleurs de 2 à 4 cm du milieu de l'été à la fin de l'automne. Elles ont des teintes variées: bleu-violet foncé chez *C. elatines,* bleu moyen chez *C. fragilis,* bleu pâle chez *C. isophylla* et blanches chez *C. isophylla*

« Alba ». Une autre variété au feuillage lavé de crème est connue sous le nom de *C. isophylla* « Mayi ». Toutes ces variétés ont des tiges retombantes de 15 à 30 cm et sont d'un très bel effet floral en suspension.

CULTURE. Ces campanules affectionnent le plein soleil, sauf au milieu de l'été où elles requièrent une lumière vive sans ensoleillement, ou tamisée par un rideau. Des températures nocturnes de 10 à 13° C, et diurnes de 20 à 22° C sont idéales. Plantez-les dans un mélange composé de 2 parts de tourbe, 1 part de compost standard et 1 part de sable granuleux.

Maintenez le terreau constamment humide et fertilisez une fois par mois pendant la période de floraison; laissez le sol sécher légèrement, et ne dispensez aucun engrais pendant le reste de l'année. La multiplication des campanules s'effectue au printemps, par boutures de tiges.

CAPSICUM
C. annuum (Piment commun)

Cette espèce se remarque non par ses minuscules fleurs blanches mais par ses grappes de fruits ovoïdes très colorés. Les piments, longs de 5 à 8 cm, apparaissent en été et en automne et changent de couleur au fur et à mesure de leur maturation. La même plante peut parfois porter simultanément des fruits verts, blancs, jaunes, rouges ou pourpres.

Ces plantes, qui commencent à donner des fruits lorsqu'elles sont âgées de six à huit mois, atteignent une trentaine de centimètres de haut.

CULTURE. Les piments cultivés à des fins ornementales requièrent 4 heures par jour au moins d'ensoleillement, des températures de 16 à 18° C la nuit, de 21° C ou plus le jour. Maintenez le sol humide mais ne dispensez aucun engrais. Traités comme des plantes annuelles, les piments se jettent dès qu'ils manquent d'attrait; la multiplication se fait généralement par semis au début du printemps.

CARISSA
C. macrocarpa (« Prunier du Natal »)

Le carissa est une plante épineuse, à feuillage persistant, dont les feuilles ovales, d'un vert éclatant, serrées les unes contre les autres, mesurent 2,5 cm de long, et dont les fleurs odorantes, de 4 à 5 cm de diamètre, donnent des fruits écarlates de 4 à 5 mm qui ressemblent à des prunes mais ont un goût d'airelles. Les fleurs peuvent s'épanouir à n'importe quelle période de l'année, souvent même alors que des fruits mûrs pendent encore aux branches. Certaines variétés, cultivées aux États-Unis, à croissance lente ou procombante, ne se trouvent généralement pas en Europe. On les maintient à l'état nain en les taillant régulièrement. *C. macrocarpa* « Nana compacta » dépasse rarement 45 à 60 cm de haut.

CULTURE. Les carissas requièrent 4 heures par jour au moins d'ensoleillement, des températures nocturnes de 10 à 18° C, et diurnes de 20° C ou plus.

Maintenez le sol humide; fertilisez tous les trois ou quatre mois. La propagation s'effectue par semis (si les graines sont disponibles) ou par marcottage aérien.

CATTLEYA
C. gaskelliana; C. labiata; C. mossiae; C. trianae

Les cattleyas, les plus connus de toutes les Orchidées, que l'on met communément à la boutonnière, sont des plantes de toute beauté dont les fleurs, de 12 à 18 cm, coiffent des hampes de 30 à 45 cm. *C. labiata* *(photographie, page 57)* porte de 2 à 7 fleurs aux labelles crispés; leurs teintes vont du mauve foncé et rose au blanc pur ou blanc à labelle rosé, souvent à gorge jaune.

C. trianae produit des fleurs allant du rose clair au lavande foncé, isolées ou par grappes de cinq. *C. mossiae* porte sur chaque hampe de 2 à 5 fleurs lavande rosé au printemps.

C. gaskelliana, espèce odorante, légèrement plus ramassée, porte des épis de 25 à 35 cm garnis de quelque cinq fleurs dont

CAMPANULE « ÉTOILE DE MARIE »
Campanula isophylla « Alba »

PIMENT COMMUN
Capsicum annuum

« PRUNIER DU NATAL »
Carissa macrocarpa « Nana compacta »

les teintes vont du lavande moyen au lavande très foncé.

CULTURE. Les cattleyas sont des plantes qui requièrent des températures élevées et beaucoup d'humidité pendant leur croissance mais un local sec durant leur période de repos. De culture difficile en appartement, ils poussent mieux dans une serre chauffée où ces conditions sont remplies. Ils préfèrent les températures nocturnes de 13 à 18° C et diurnes de 20° C ou plus. Le compost doit être composé de 3 parts de racines de fougères broyées, 1 part de spaghum et 1 part de polystyrène en grains. Les pots doivent être bien drainés. La multiplication s'effectue au printemps par division des rhizomes.

«JASMIN NOCTURNE»
Cestrum nocturnum

CESTRUM

C. diurnum («Jasmin diurne»); *C. nocturnum* («Jasmin nocturne»); *C. parqui; C. purpureum*

Comme les jasmins, les cestrums sont des plantes très parfumées. Leurs fleurs dont les coloris varient du blanc au jaune verdâtre, longues de 2 à 3 cm, s'épanouissent en ombelles durant toute l'année, et donnent généralement des baies noires. *C. diurnum,* odorant dans la journée, a des feuilles brillantes, longues de 7 à 10 cm. *C. nocturnum* dégage son parfum la nuit; les baies sont blanches et les minces feuilles ovales peuvent atteindre 20 cm de long. *C. parqui,* parfumé lui aussi la nuit, porte des feuilles semblables à celles des saules, longues de 5 à 12 cm. Il existe également des variétés aux fleurs roses ou rouges, notamment *C. purpureum,* l'un des plus prisés, aux bouquets de fleurs tubulaires écarlates. Toutes les espèces sont de port élevé mais on peut les réduire à moins de 60 cm de haut par pincement périodique des pousses terminales.

CULTURE. Les cestrums requièrent 4 heures par jour au moins d'ensoleillement, des températures nocturnes de 16 à 18° C, et diurnes de 21° C ou plus. Maintenez le sol humide; fertilisez tous les trois ou quatre mois. Pour stimuler le développement des rameaux, taillez les vieilles pousses une fois les fleurs fanées. La multiplication s'effectue par bouturage de tiges à n'importe quel moment de l'année.

CHIRITA

C. lavandulacea («Gentiane d'Hindoustan»); *C. sinensis* («Chirita argenté»)

La plus commune de ces Gesnériacées, *C. lavandulacea,* porte des fleurs de 3 cm environ de diamètre, aux lobes d'un ton lavande flamboyant et à gorge blanche, de la fin de l'été jusqu'à la fin de l'année. En revanche, chaque plante ne dure qu'une année. Les feuilles, tendres et velues, peuvent atteindre 20 cm de long et les plantes 30 à 60 cm de haut. *C. sinensis,* espèce à souche tubéreuse, à floraison estivale, portant des ombelles de fleurs minuscules d'un ton lavande, n'atteint que 15 cm de haut et forme une rosette de feuilles elliptiques, à pilosité dense, vert foncé, ponctuées de taches argentées.

CULTURE. Les chiritas font d'excellentes plantes d'appartement et de serre à condition d'être placés dans un local chauffé, humide et ombragé.

C. sinensis peut également pousser avec 14 à 16 heures d'éclairage artificiel par jour. Des températures nocturnes de 18 à 21° C, et diurnes de 24° C, ou plus, sont idéales.

Maintenez le sol humide; placez le pot sur un plateau humidificateur *(page 43).* Fertilisez une fois par mois pendant la période de croissance. La multiplication s'effectue avec des boutures de feuilles en été ou par semis.

«GENTIANE D'HINDOUSTAN»
Chirita lavandulacea

CHRYSANTHEMUM

C. frutescens (Marguerite); *C. indicum hybrides,* ou *C.* x *hortorum* (Chrysanthème des fleuristes)

Les marguerites produisent en très grand nombre des fleurs blanches, jaunes ou roses, de 5 à 8 cm de diamètre, à floraison ininterrompue toute l'année; leurs feuilles gris-vert, fines comme de la dentelle, ont de 8 à 15 cm de long. Ces plantes commencent à fleurir quand elles atteignent 15 cm de haut et peuvent être maintenues à moins de 45 cm par pincement des pousses terminales. Les Chrysanthèmes des fleuristes, quant à eux, ne fleurissent que 2 ou 3 semaines et sont appréciés pour leurs nombreux capitules de fleurs blanches, jaune doré, bronze, marron, roses ou lavande, de formes et de tailles variées. Les pépiniéristes font appel à différentes techniques pour contrôler la floraison de façon que les chrysanthèmes puissent être vendus, généralement en boutons, à n'importe quelle époque de l'année. Contrairement aux marguerites, on peut les planter en pleine terre après leur période floraison à l'intérieur.

CULTURE. Les marguerites requièrent 4 heures par jour au moins d'ensoleillement, et préfèrent des températures nocturnes de 4 à 13° C et diurnes de 20° C, ou moins. Maintenez le terreau humide; fertilisez tous les 15 jours. On les multiplie à tout moment par bouturage de tiges. Cultivez les Chrysanthèmes des fleuristes comme les marguerites, mais ne les exposez pas en plein soleil quand ils sont en fleur. Vous pourrez les planter en pleine terre dès que leurs fleurs sont fanées; s'ils survivent, ils refleuriront l'automne suivant. A longueur d'année, les fleuristes vendent des chrysanthèmes nains en pots qui n'ont que 30 à 40 cm de haut. A cet effet, ils exploitent des techniques élaborées impliquant un réglage de l'intensité lumineuse diffusée dans la serre par un système électrique. Le maintien de ces plantes dans l'obscurité pendant plus de 9 heures et demie provoque l'éclosion des boutons floraux, aussi doit-on faire usage de stores en été et de lampes de 100 W, situées à 1,20 m de distance, au-dessus des plantes en hiver, pour doser l'intensité lumineuse. Au cours des années suivantes, les plantes reprendront leur taille normale ainsi que leur période de floraison. La multiplication s'effectue par boutures de tiges ou par division des drageons au début du printemps.

EN HAUT: MARGUERITE
Chrysanthemum frutescens

EN BAS: CHRYSANTHÈME DES FLEURISTES
Chrysanthemum indicum hybride

CINERARIA Voir *Senecio*

CITRUS

C. limon (citronnier); *C. microcarpa,* ou *C. mitis; C. reticulata* (mandarinier); *C. sinensis* (oranger doux); *C. taitensis* (oranger)

Les fleurs odorantes des citrus s'épanouissent sans interruption à longueur d'année, mais surtout au printemps et en automne; le fruit suit les fleurs et, souvent, reste sur les plantes pendant de nombreux mois. Les plantes reproduites à partir de boutures commencent, pour la plupart, à fleurir et à donner des fruits dès la première année; on peut en restreindre indéfiniment la hauteur à 1,20 m par pincement des pousses terminales. Parmi les meilleurs cultivars destinés à la culture en appartement, il faut citer *C. limon* « Meyeri », dont les fruits sont un peu moins amers que les citrons ordinaires; *C. microcarpa* qui, en intérieur, dépasse rarement 60 cm de haut et donne des oranges amères d'un peu moins de 2,5 cm de diamètre; *C. reticulata,* dont les cultivars donnent des mandarines et des oranges de Satsouma; *C. sinensis,* qui porte des oranges bien proportionnées et comestibles; *C. taitensis,* qui produit à profusion des oranges amères de 2,5 cm de diamètre.

CULTURE. Les citrus requièrent 4 heures par jour au moins d'ensoleillement, des températures nocturnes de 10 à 13° C, et diurnes de 20 à 22° C. Leur culture se fait dans de grands pots ou de petits bacs, remplis de compost à base de terre de jardin, que vous placerez, si possible, à l'extérieur en été ou sur un rebord de fenêtre ouverte. Entreposez-les en hiver dans un local bien éclairé mais frais, où la température n'excède pas 4 à 6° C. Arrosez copieusement pendant la période de croissance.

Dispensez de l'engrais au début du printemps, et au début et à la fin de l'été. Pour en conserver le port trapu, pincez en temps voulu les pousses terminales. La multiplication s'effectue par boutures de tiges ou, mieux encore, en greffant des cultivars réputés sur des jeunes plants. Mais, sans doute, les amateurs, déroutés par la complexité de cette opération, préfèreront-ils acheter leurs plantes chez le fleuriste.

ORANGER
Citrus taitensis

PÉRAGUT DE THOMSON
Clerodendrum thomsoniae

CLIVIA A FLEURS ROUGE MINIUM
Clivia miniata

CAFÉIER D'ARABIE
Coffea arabica

CLERODENDRUM, ou CLERODENDRON, ou PERAGUT
C. speciosissimum, ou *C. fallax; C. philippinum* « Pleniflorum », ou *C. fragrans; C. thomsoniae* (Péragut de Thomson)

Les clérodendrons, plantes volumineuses, font bel effet dans de grands pots ou des bacs, mais peuvent être réduits à une hauteur de 60 à 90 cm par pincement des pousses terminales. Toutes les espèces portent de grosses ombelles de fleurs de 2 à 5 cm de diamètre. *C. speciosissimum* fleurit en été et porte des fleurs écarlates. *C. philippinum* « Pleniflorum », dont les fleurs blanches lavées de rose ont un parfum semblable à celui des jacinthes, fleurit sans interruption toute l'année. *C. thomsoniae* retombe gracieusement de potiches suspendues. Il porte des fleurs d'un blanc immaculé, en forme de calice, d'où émergent des pétales écarlates ; les fleurs s'épanouissent au printemps et en été, parfois même en hiver dans un local bien chauffé.

CULTURE. Les clérodendrons requièrent une lumière vive sans ensoleillement, ou tamisée par un rideau, des températures nocturnes de 16 à 18° C, et diurnes de 21° C ou plus. Maintenez le compost humide pendant la période de croissance, et laissez-le sécher quand les plantes sont au repos. Fertilisez tous les 15 jours pendant le cycle végétatif. Pour obtenir une floraison plus riche sur les nouvelles pousses, taillez les plantes après leur floraison ; il y aura lieu de retailler sérieusement *C. speciosissimum* et *C. philippinum* « Pleniflorum » mais, en qui concerne *C. thomsoniae,* il suffira de couper les tiges en désordre ou de raccourcir celles qui sont trop longues. La multiplication s'effectue par boutures de tiges au printemps et au début de l'été.

CLIVIA, ou IMANTOPHYLLUM
C. miniata (Clivia à fleurs rouge minium) ; *C.* x *cyrtanthiflora*

Les clivias, à floraison hivernale, portent des fleurs vivement colorées, de 7 à 8 cm de diamètre, ressemblant à celles de certains lis, réunies par 12 ou 20 en une ombelle volumineuse, coiffant une hampe florale de 30 à 35 cm, dressée au milieu de feuilles en lanières d'un vert foncé luisant, longues de 45 à 60 cm. *C. miniata* a des fleurs orange ou écarlates, à gorge jaune ; l'hybride *C.* x *cyrtanthiflora,* des fleurs rose saumon, et il existe également de nombreux autres cultivars aux fleurs écarlates, couleur saumon, jaunes et blanches, voire de ces différents coloris mélangés. Si vous parvenez à les obtenir, ils peuvent donner d'excellents résultats en fleurs coupées.

CULTURE. Les clivias requièrent une lumière vive sans ensoleillement, ou tamisée par un rideau, des températures nocturnes de 10 à 13° C, et diurnes de 20 à 22° C. Du milieu de l'hiver à la fin de l'été, laissez le sol sécher légèrement entre deux arrosages et fertilisez tous les mois ou tous les deux mois. En automne, laissez les plantes se reposer sans leur prodiguer d'engrais et dosez l'humidité pour éviter qu'elles ne flétrissent. On les multiplie à la fin du printemps par division de touffes. Contentez-vous de les rempoter quand elles deviennent trop touffues (tous les 3 ou 4 ans environ), car les clivias fleurissent d'autant mieux que leurs racines ne sont pas dérangées.

COFFEA
C. arabica (Caféier d'Arabie)

A la base de leurs feuilles d'un vert luisant, longues de 10 à 15 cm, les caféiers portent des ombelles de fleurs blanches, de 18 mm, délicieusement parfumées, qui fleurissent à longueur d'année ; parvenues à maturité, ces fleurs se transforment en baies pulpeuses de 12 mm, d'un rouge lumineux. Chacune d'entre elles contient deux semences, les « grains de café ». Les plantes qui ne commencent à fleurir ou ne donnent des fruits qu'au bout de 3 ou 4 ans poussent droites jusqu'à 1,20 m de haut, à moins qu'on en pince les pousses terminales.

CULTURE. Le caféier requiert une lumière tamisée par un rideau, des températures nocturnes de 16 à 18° C, et diurnes de 21° C ou plus. Maintenez le sol constamment humide ; fertilisez tous les 15 jours du printemps à l'automne et une fois par mois le reste de l'année. Essayez de ne pas toucher les feuilles qui sont minces et tendres.

La multiplication s'effectue en toute saison par semis de graines fraîches ou par bouturage des extrémités de rameaux droits (et non des rameaux latéraux qui, généralement, donnent des plantes chétives).

COLUMNEA

C. affinis; C. gloriosa; C. linearis; C. hybrides

Richement parées à longueur d'année en fleurs tubulaires de 5 à 10 cm, les columnéas se prêtent mieux que toutes autres à la culture en suspension.

Les feuilles de ces Gesnériacées, opposées, souvent velues, atteignent 2 à 12 cm de long; les sarments, 1,20 m, si l'on n'en pince pas les pousses terminales.

C. affinis a des fleurs jaunes couvertes de poils orange; *C. gloriosa,* des fleurs rouges à gorge jaune; *C. linearis,* des fleurs roses couvertes d'une villosité blanche. Parmi les hybrides, il faut citer *C.* x *banksii,* vermillon; *C. gloriosa* « Purpurea », à feuilles pourprées, et « Yellow Dragon », aux fleurs jaune vif. La variété horticole appelée « Stavanger » est de culture plus aisée et moins délicate que les autres espèces.

CULTURE. Les columnéas requièrent une lumière vive sans ensoleillement, ou tamisée par un rideau, mais poussent également bien sous un éclairage artificiel quotidien de 14 à 16 heures. Les températures nocturnes de 18 à 21° C, et diurnes de plus de 24° C sont idéales. (En hiver, les columnéas requièrent des températures nocturnes de 10 à 16° C pour fleurir à profusion ultérieurement.)

On les cultive dans un mélange composé à parts égales de compost standard et de sable granuleux. Maintenez le sol humide et dispensez de l'engrais une fois par mois. Pour stimuler la croissance de nouveaux rameaux, taillez les plantes après leur floraison. La multiplication s'effectue en été par bouturage de tiges, division de touffes ou semis.

x CRINODONNA

x *C. memoria-corsii,* ou x *Amarcrinum memoria-corsii*

Les crinodonnas sont des hybrides intergénériques obtenus en croisant *Amaryllis belladonna* et *Crinum moorei.* Ils ont de grosses ombelles de fleurs roses odorantes, dont certaines atteignent jusqu'à 10 cm de diamètre, à la fin de l'été et au début de l'automne.

La floraison apparaît au sommet d'une hampe florale de 90 cm de haut, entourée de feuilles vert foncé, semblables à des courroies, larges de 4 à 7,5 cm, et jusqu'à 60 cm de longueur.

CULTURE. Les crinodonnas requièrent 4 heures par jour au moins d'ensoleillement, des températures nocturnes de 10 à 13° C, et diurnes de 20 à 22° C. Maintenez le sol humide et fertilisez tous les mois pendant la période de croissance; réduisez vos arrosages et cessez tout apport d'engrais durant le repos des plantes en hiver.

Cultivez-les en serre ou dans des bacs; ces plantes sont trop volumineuses pour la plupart des pots. Laissez le bulbe émerger d'un tiers du sol. Les crinodonnas fleurissent mieux quand on ne dérange pas leurs racines; aussi, attendez 3 ou 4 ans pour les rempoter. La multiplication se fait au moyen des bulbilles qui se développent sur les côtés des gros bulbes.

CRINUM

C. bulbispermum, ou *C. capense; C.* hybrides; *C. moorei* (tous appelés crinoles)

Les crinoles, plantes bulbeuses majestueuses, produisent à la fin de l'été une hampe florale de 60 à 90 cm, couronnée d'une ombelle très parfumée, composée de fleurs ressemblant à des lis, de 7 à 15 cm; au pied de la tige, des feuilles engainantes, longues de 0,60 à 1,20 m, se déploient en arcs gracieux. *C. bulbispermum* porte des fleurs rouge rosé, veinées de blanc à l'intérieur. Il existe

COLUMNÉA
Columnea « Yellow Dragon »

CRINODONNA
x *Crinodonna memoria-corsii*

CRINOLE
Crinum hybride

des hybrides de crinoles, notamment *C.* x *powellii,* blancs, rose foncé, rouge rosé ou de teintes plus soutenues; *C. moorei* porte des fleurs incarnates; celles-ci forment des cornets largement ouverts, d'où sortent les étamines, et chacune des tiges peut porter jusqu'à dix fleurs séparées.

CULTURE. Les crinoles requièrent 4 heures par jour au moins d'ensoleillement (sauf au plus fort de l'été, saison durant laquelle il faut les protéger par un rideau ou un store), des températures nocturnes de 10 à 13° C, et diurnes de 20 à 22° C. Maintenez le sol humide et fertilisez tous les mois pendant la période de croissance, de la fin du printemps au début de l'automne. Laissez le terreau sécher légèrement et ne dispensez aucun engrais quand les plantes sont au repos.

Cultivez les crinoles dans des bacs, des vasques ou des récipients de grande dimension. La multiplication s'effectue au début du printemps au moyen des bulbilles qui se développent sur le côté des gros bulbes; ils parviendront à floraison au bout de deux ou trois ans, si vous les cultivez dans les mêmes conditions que les plantes adultes. Multipliées par semis de graines, les plantes mettront un ou deux ans de plus pour fleurir.

CROCUS
Crocus «Pickwick»

CROCUS

Nombreuses espèces et cultivars connus sous le nom de crocus.

Célébrant le retour du printemps, les multiples espèces et cultivars de crocus fournissent de gracieuses potées à floraison hivernale, atteignant 10 à 15 cm de haut, déployant des fleurs en coupe de 5 cm, tandis que des cormus commencent à émerger des feuilles effilées et linéaires. Parmi les plus belles variétés, on peut citer «Pickwick» (aux fleurs zébrées lilas clair et foncé), «Jeanne d'Arc» (blanc), «Little Dorrit» (bleu améthyste), «Remembrance» (pourpre) et «E.A. Bowles» (jaune bouton d'or).

CULTURE. Les crocus requièrent 4 heures par jour au moins d'ensoleillement, des températures nocturnes de 4 à 7° C, et diurnes de 16° C environ. S'il fait trop chaud, les boutons floraux ne réussissent pas à se développer correctement. Maintenez le sol humide en permanence tant que le feuillage reste vert; ne fertilisez à aucun moment.

Souvent, les crocus s'achètent quand ils sont en fleur, en plein hiver, chez les fleuristes ou les pépiniéristes; on peut toutefois en entreprendre la culture à partir des cormus de grande taille au stade de repos. Plantez les cormus en pots dès le début de l'automne et laissez-les au frais sous un châssis jusqu'à mi-janvier, voire au-delà. Rentrez-les ensuite en intérieur. Lorsque la floraison est terminée et que le feuillage s'est fané, tapotez le pot pour en extraire les crocus, et plantez les nouveaux cormus en pleine terre à la fin de l'été.

CROSSANDRA
Crossandra infundibuliformis

CROSSANDRA

C. infundibuliformis, ou *C. undulifolia*

Les plantes d'appartement dont les fleurs pastel, orange saumon s'épanouissent sans interruption sont rares. Aussi les crossandras revêtent-elles un intérêt particulier et sont-elles sélectionnées pour agrémenter les jardins intérieurs. Leurs fleurs superposées émergent au-dessus de feuilles vert foncé, longues de 5 à 8 cm environ.

Les plantes commencent à fleurir 7 à 9 mois après le semis et atteignent environ 30 cm de haut. Un cultivar suédois appelé «Mona Wallhed», plus vigoureux, se prête merveilleusement à la culture en appartement.

CULTURE. Les crossandras requièrent 4 heures par jour au moins d'ensoleillement, sauf au plus fort de l'été, saison durant laquelle il faut les protéger par un rideau ou un store. Des températures nocturnes de 16 à 18° C, et diurnes de 21° C, ou plus, leur conviennent parfaitement. Plantez-les dans un mélange composé de 2 parts de tourbe, 1 part de compost standard et 1 part de sable granuleux; maintenez le terreau humide en permanence et fertilisez tous les 15 jours à longueur d'année. La multiplication se fait par semis au printemps ou par boutures de tiges en été.

CRYPTANTHUS

C. bivittatus, ou *C. rosea picta; C. bromelioides* «Tricolor» («Étoile arc-en-ciel»); *C. fosterianus; C. zonatus* («Plante zèbre»); (tous appelés «Étoile de terre»)

Les Broméliacées connues sous le nom d'«Étoile de terre» sont ainsi désignées en raison de la manière dont ces espèces étalent sur le sol leurs feuilles aplaties, disposées en étoile, et étrangement zonées, entourant des capitules de fleurs minuscules. Les plantes énumérées ci-dessous portent en été des fleurs blanches mais diffèrent par leur coloration foliaire. *C. bivittatus* a des feuilles vert bronze avec des bandes longitudinales blanches; *C. fosterianus,* des feuilles brun chocolat zébrées de gris; *C. bromelioides* «Tricolor», des feuilles diversement bariolées vert et crème, marginées de rose; *C. zonatus,* des feuilles brun rougeâtre striées transversalement de bandes argentées. Toutes s'étalent sur 30 cm ou plus, à l'exception de *C. bivittatus,* qui n'atteint que 10 à 15 cm de diamètre.

CULTURE. Les cryptanthus requièrent une lumière vive sans ensoleillement, ou tamisée par un rideau, des températures nocturnes de 16 à 18° C, et diurnes de 21° C ou plus. Plantez-les dans un mélange composé de 2 parts de tourbe, 1 part de compost standard et 1 part de sable granuleux; n'ajoutez pas de calcaire. Laissez le terreau sécher légèrement entre deux arrosages et fertilisez tous les mois, du milieu du printemps au début de l'automne. La multiplication se fait au moyen des rejets qui se développent au pied de la plante mère.

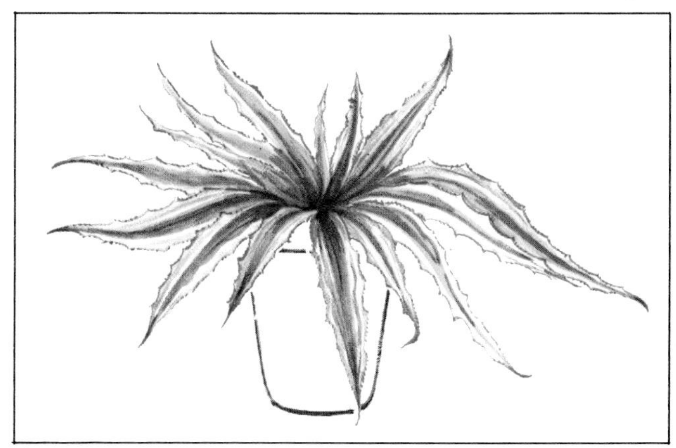

«ÉTOILE ARC-EN-CIEL»
Cryptanthus bromelioides «Tricolor»

CUPHEA

C. hyssopifolia; C. ignea, ou *C. platycentra* (Cuphéa à fleurs couleur feu); *C. llavea* var. *miniata* «Firefly»

Les cuphéas sont des plantes à feuillage touffu qui atteignent 15 à 60 cm de haut et fleurissent abondamment toute l'année. *C. ignea* (Cuphéa à fleurs couleur feu), le plus prisé pendant des générations, doit son nom à ses fleurs de 18 mm, en forme de cigares, de couleur écarlate, aux extrémités gris cendré; il en existe des variétés lavande, roses, pourpres et blanches. Deux autres espèces produisent de minuscules fleurs campanulées — *C. hyssopifolia,* aux fleurs lavande, et *C. llavea* var. *miniata* «Firely» aux fleurs rouge vif. Toutes ont des feuilles vertes de 2 à 3 cm de long, dont les bords virent au rouge sous le soleil, et sont ovales, à l'exception de *C. hyssopifolia,* qui a des feuilles aciculaires.

CULTURE. Les cuphéas requièrent 4 heures par jour au moins d'ensoleillement, des températures nocturnes de 10 à 13° C, et diurnes de 20 à 22° C. Maintenez le terreau humide; fertilisez tous les 15 jours.

La multiplication se fait en toute saison par boutures de tiges ou semis. Les cuphéas cultivés à partir d'un semis commencent à fleurir au bout de 4 ou 5 mois.

CUPHÉA A FLEURS COULEUR FEU
Cuphea ignea

CYCLAMEN

C. persicum (Cyclamen de Perse)

Classés parmi les plantes d'appartement les plus ravissantes, les cyclamens portent des fleurs de 5 à 8 cm, dont les pétales, redressés vers le ciel, ressemblent à des ailes de papillons. Les fleurs, roses, rouges, pourpres, blanches, émergent d'un feuillage charnu vert foncé, souvent marbré de taches argentées. Ces plantes fleurissent à profusion dès la mi-automne jusqu'au milieu du printemps, et atteignent 30 cm environ de haut.

CULTURE. Les cyclamens requièrent une lumière vive sans ensoleillement, ou tamisée par un rideau, des températures nocturnes de 4 à 13° C, et diurnes de 18° C, voire moins. Plantez-les dans un mélange composé de 2 parts de tourbe, 1 part de compost standard et 1 part de sable granuleux; laissez la moitié du cormus bien dégagé du terreau. Maintenez le sol humide; fertilisez tous les 15 jours pendant la période de croissance. Quand les feuilles commencent à brunir, réduisez graduellement vos arrosages jusqu'à la période de repos du cormus. Entreposez-les à la fin de l'été (août ou septembre) en couchant le pot sur le côté, puis rempotez pour le départ de la nouvelle végétation. Utilisez une eau non calcaire et maintenez les boutons et le cormus au sec. La multiplication peut s'effectuer par semis, mais la plupart des jardiniers préfèrent acheter ces plantes chez les fleuristes, quand elles sont déjà en fleur.

CYCLAMEN DE PERSE
Cyclamen persicum

CYMBIDIUM
C. hybride (miniatures hybrides)

Les cymbidiums, orchidées miniatures, excèdent rarement 30 cm de haut, mais portent de longs épis d'une trentaine de fleurs, de 5 à 8 cm de diamètre, dont les teintes varient de l'acajou, le bronze et le marron au vert, jaune, rose et blanc. Les fleurs s'ouvrent de l'automne au printemps, suivant la variété, et durent souvent 2 ou 3 mois.

La variété représentée sur la photographie de la page 57, dite «Minuet», est un cymbidium brun rosâtre répertorié en 1931 comme la première miniature hybride.

CULTURE. Les cymbidiums miniatures requièrent 4 heures par jour au moins d'ensoleillement, mais doivent être protégés de la chaleur du soleil à midi pour ne pas voir leurs feuilles brunir. Les températures de 10 à 16° C la nuit, et de 20° C ou plus le jour, sont idéales.

Maintenez les racines au frais mais la partie aérienne de la plante dans un local bien chauffé, éclairé et aéré. Plantez-les dans un mélange composé à parts égales de terre franche fibreuse, de tourbe, de racines de fougères et de sable, ou mélangez de la tourbe fibreuse à du sphagnum. Placez le pot sur un plateau humidificateur *(page 82)*. Maintenez le terreau humide et fertilisez une fois par mois avec un engrais riche en azote. Multipliez-les par division au moment du rempotage.

CYRTANTHERA Voir *Jacobinia*

Illustration de Pamela Freeman

GENÊT
Cytisus x *racemosus*

CYTISUS
C. canariensis; C. x *racemosus* (appelés tous deux genêt, et par certains botanistes *Teline canariensis).*

Les cytisus, ou genêts, sont de petits arbustes qui, une fois taillés, ont de 60 à 90 cm de haut. Au début du printemps et en été, ils se couvrent de petites fleurs jaune d'or, parfumées, en forme de papillons. Les feuilles persistantes sont petites et ressemblent à des trèfles.

CULTURE. Les genêts se cultivent dans un terreau contenant un peu de calcaire et peuvent ainsi être arrosés sans crainte avec une eau dure. Maintenez le sol humide; ne le laissez jamais sécher. Cultivez-les dans un compost terreux, dispensez de l'engrais pendant la période de croissance à 3 semaines d'intervalle. En été, les plantes profitent d'un séjour à l'air libre. En hiver, entreposez-les dans un local frais où règnent des températures de 4 à 8° C, mais déplacez les plantes dans un endroit bien plus chaud en vue de leur floraison. La multiplication s'effectue par boutures des jeunes pousses de base, enracinées dans un local bien chauffé ou, plus aisément, par semis.

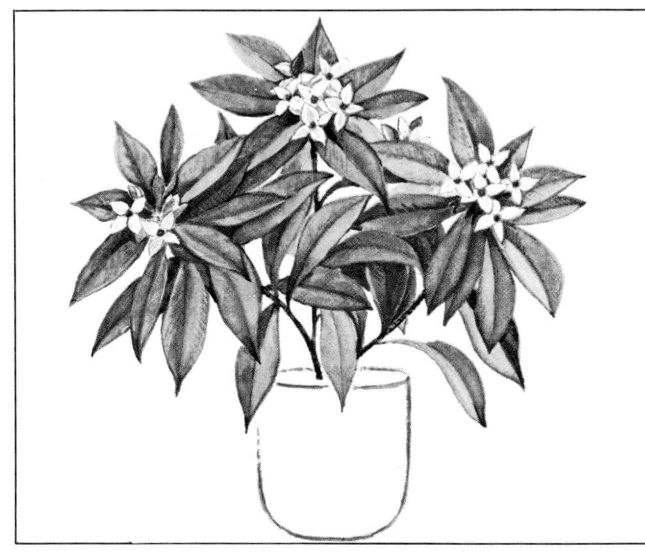

DAPHNÉ D'HIVER
Daphne odora

D

DAPHNE
D. odora, ou *D. indica* («Daphné d'hiver»)

D. odora doit son nom botanique à la délicatesse de son parfum. Des ombelles de fleurs de 12 mm de diamètre, dont les coloris varient du rose au pourpre rougeâtre, s'épanouissent en intérieur de novembre à mars. Les feuilles, longues de 5 à 8 cm, sont d'un vert luisant, pareilles à du cuir et marginées de jaune crème chez le cultivar *D. odora* «Aureo-marginata», dont les fleurs presque blanches sont souvent pourprées à l'extérieur.

CULTURE. Le daphné requiert une lumière vive sans soleil, ou tamisée par un rideau, des températures nocturnes de 4 à 7° C, et diurnes de 20° C, voire moins. Maintenez le sol à peine humide.

Un seul apport d'engrais acide à action lente au début du printemps lui suffit pour l'année.

La multiplication s'effectue en été par bouturage des tiges ou par marcottage aérien *(page 94).*

DENDROBIUM
D. loddigesii

Des centaines d'Orchidées que regroupe le genre *Dendrobium,* il en est une qui se prête parfaitement à la culture en appartement: *D. loddigesii,* dont les fleurs odorantes, à longue floraison, de 4 à 5 cm de diamètre environ, s'épanouissent à la fin de l'hiver ou au début du printemps.

Ces fleurs, de couleur rose lilas et dotées d'un labelle volumineux au centre orange, apparaissent isolées le long des rameaux pendants que dominent des feuilles de 7 à 8 cm *(photographie, page 59).*

CULTURE. *D. loddigesii* requiert une lumière vive sans ensoleillement, ou tamisée par un rideau, des températures nocturnes de 10 à 16°C, et diurnes de 16 à 21°C. Il peut pousser sur une souche de fougère ou dans un mélange composé de 2 parts d'écorce de sapin, ou de racines de fougères pulvérisées, et 1 part de tourbe grossière.

Maintenez le compost très humide pendant la période de croissance et placez le pot sur un plateau humidificateur *(page 82).* Fertilisez une fois par mois dès le printemps et tout l'été avec un engrais riche en azote, dilué à raison d'1/4 de cuillerée à café dans 1 litre d'eau. A la fin de l'automne et en hiver, cessez tout apport d'engrais et arrosez parcimonieusement de manière à ne pas laisser la plante se sécher.

DIPLADENIA
D. amoena; D. boliviensis; D. sanderi «Rosea»; *D. splendens,* ou *Mandevilla splendens*

Ces plantes grimpantes de toute beauté déploient des fleurs soyeuses de 6 à 7,5 cm, fort semblables aux volubilis, disséminées parmi des feuilles brillantes de 2 à 5 cm. *D. amoena,* aux fleurs rose foncé, et *D. boliviensis,* aux fleurs blanches, s'épanouissent généralement de mars à septembre; *D. sanderi* «Rosea», aux fleurs rose saumon, fleurit sans interruption toute l'année. *D. splendens* porte des fleurs d'un blanc rosé qui peuvent atteindre 10 cm de diamètre en été.

Ces plantes commencent à fleurir quand elles ont moins de 30 cm de haut, et l'on peut aisément les maintenir à moins de 90 cm en pinçant leurs pousses terminales.

CULTURE. Les dipladénias requièrent une lumière vive sans ensoleillement, ou tamisée par un rideau, des températures nocturnes de 16 à 18°C, et diurnes de 21°C ou plus. Laissez le sol sécher légèrement entre deux arrosages; fertilisez tous les 15 jours, sauf quand les plantes sont au repos. La multiplication se fait par bouturage de tiges, au début du printemps, que vous enracinerez dans un local bien chauffé.

DYCKIA
D. brevifolia; D. fosteriana «Silver Queen»

En été, ces Broméliacées portent 15 à 20 fleurs cireuses, longues de 12 à 25 mm chacune, sur une hampe florale élancée et rameuse, de 30 à 60 cm, dominant des rosettes de feuilles arquées. *D. brevifolia* a des fleurs tubulaires orange vif dressées au-dessus de feuilles vert foncé; *D. fosteriana* «Silver Queen», des fleurs rouge orangé dominant des feuilles dentées gris argenté.

CULTURE. Les dyckias préfèrent le plein soleil ou un endroit très légèrement ombragé, des températures nocturnes de 10 à 13°C, et diurnes de 20 à 22°C. Plantez dans un mélange composé de 2 parts de tourbe, 1 part de compost standard et 1 part de sable granuleux; n'ajoutez pas de calcaire. Laissez le compost sécher modérément entre deux arrosages; fertilisez tous les 15 jours. La multiplication s'effectue au moyen des rejets qui se développent au pied de la plante mère.

DIPLADENIA
Dipladenia amoena

DYCKIA
Dyckia fosteriana «Silver Queen»

E

EPIDENDRUM

E. cochleatum («Orchidée coque»)

Cette Orchidée, connue pour son labelle en forme de coquillage vert et noir pourpré, présente des pétales élancés vert jaunâtre, de 6 à 8,5 cm, qui pendent gracieusement. Les fleurs, au parfum suave, réunies par groupes de 3 à 7 en haut d'une hampe florale longue de 20 à 25 cm *(photographie, page 60),* peuvent s'épanouir à n'importe quelle saison.

CULTURE. *E. cochleatum* préfère la lumière vive sans ensoleillement, des températures nocturnes de 10 à 18 ou plus. Plante épiphyte, on peut la faire pousser sur une souche de fougère ou la planter dans un mélange composé de 3 parts de racines de fougères broyées et 2 parts de sphagnum broyé ; un bon drainage est essentiel.

Placez le pot sur un plateau humidificateur *(page 43)* et maintenez le terreau constamment humide en l'arrosant avec de l'eau non calcaire. Fertilisez une fois par mois avec un engrais riche en azote, qu'il vous faudra diluer à raison de 1/4 de cuillerée à café par litre d'eau.

«CACTUS ORCHIDÉE»
Epiphyllum hermosissimum

ÉPISCIA
Episcia lilacina «Ember Lace»

EPIPHYLLUM

E. ackermannii, ou *Nopalxochia ackermannii ; E. oxypetalum,* ou *Phyllocactus grandis* («Reine de la nuit») ; *E.* hybride (tous appelés «Cactus orchidées»). Voir aussi *Zygocactus*

Dépourvu d'épines ou de feuilles mais orné de fleurs richement colorées, l'épiphyllum fait partie des plantes à fleurs cultivées les plus spectaculaires. Ses fleurs, souvent odorantes, naissent directement sur des rameaux tendres et cireux, formés d'articles aplatis ou crénelés sur les bords, accolés les uns aux autres. Bien que les épiphyllums fleurissent généralement au printemps, nombre d'hybrides, notamment *E. hermosissimum,* ont une floraison hivernale. Les fleurs peuvent être diurnes ou nocturnes.

Il en existe des variétés hautes de 30 cm faites pour les rebords de fenêtres, et des spécimens géants, hauts de 1,50 à 1,80 m, dont les fleurs ont des diamètres variant de 6 à 25 cm. Outre les hybrides, que l'on compte par milliers, deux espèces se prêtent parfaitement bien à la culture en appartement : *E. ackermannii,* dont les nombreuses fleurs écarlates de 10 à 15 cm s'ouvrent principalement dans la journée, et *E. oxypetalum,* parfois surnommé «Reine de la nuit» car ses fleurs blanches et cireuses de 10 à 15 cm s'ouvrent dans la soirée.

CULTURE. Les épiphyllums préfèrent une lumière vive sans ensoleillement, ou tamisée par un rideau, des températures nocturnes de 10 à 13°C, et diurnes de 20 à 22°C. (En hiver, une température nocturne plus élevée stimule la croissance des rameaux plus que des fleurs.) Plantez-les dans un mélange composé de 2 parts de tourbe, 1 part de compost standard et 1 part de sable granuleux.

Maintenez le terreau humide ; arrosez à l'eau douce et fertilisez tous les 15 jours, d'avril à août, avec un engrais pour plantes d'appartement faiblement dosé en azote ; laissez le terreau presque sec et cessez tout apport d'engrais le reste de l'année.

La multiplication des épiphyllums s'effectue par bouturage de tiges en été.

EPISCIA

E. dianthiflora ; E. hybride ; *E. lilacina ; E. punctata* (tous appelés Épiscia)

Les épiscias, Gesnériacées d'un bel effet en suspensions, ont de belles feuilles de 5 à 7,5 cm et des fleurs délicates de 12 mm à 4 cm, à floraison ininterrompue du début de l'été au début de l'automne. *E. dianthiflora* porte des feuilles vertes légèrement velues et des fleurs blanches frangées sur les bords ; son cultivar «Ember Lace», de forme esthétique mais rare, a des feuilles panachées vert et rose. *E. punctata* a des feuilles vertes et des fleurs blanches maculées de pourpre. Divers cultivars donnent des fleurs blanches, roses, jaunes ou rouges.

CULTURE. Les épiscias requièrent une lumière vive sans ensoleillement, ou tamisée par un rideau, ou éventuellement 14 à 16 heures d'éclairage artificiel par jour. Les températures nocturnes de 18 à 21° C, et diurnes de 24° C, ou plus, sont idéales. On les cultive dans un mélange composé de 2 parts de tourbe, 1 part de compost standard et 1 part de sable granuleux.

Maintenez le terreau constamment humide et placez le pot sur un plateau humidificateur *(page 43).* Fertilisez une fois par mois pendant la période de croissance. Pincez les extrémités des rameaux pour en accroître la ramification. Pour favoriser le départ de la nouvelle végétation, taillez les plantes quand elles ont cessé de fleurir. La multiplication se fait au moyen des stolons *(page 93)* ou de boutures de tiges en toute saison.

ERANTHEMUM

E. nervosum, ou *E. pulchellum; E. wattii* (tous deux appelés Éranthème, « Sauge bleue »)

Les épis de fleurs de toute beauté des éranthèmes, de 2 à 3 cm de diamètre, jaillissent des feuilles vertes, allongées, longues de 7 à 8 cm, tout au long de l'hiver et au début du printemps. *E. nervosum* porte des fleurs bleues et atteint 45 à 60 cm de haut; *E. wattii,* des fleurs pourpres, et ne dépasse pas 30 cm de haut.

CULTURE. Les éranthèmes requièrent 4 heures par jour au moins d'ensoleillement en hiver et un léger ombrage en été. Des températures nocturnes de 16 à 18° C, et diurnes de 21° C ou plus leur conviennent parfaitement.

Maintenez le sol humide et fertilisez tous les 15 jours pendant la période de croissance; réduisez vos arrosages et cessez tout apport d'engrais à la fin du printemps et au début de l'été. Taillez les rameaux sur une hauteur de 12,5 cm environ à partir de la base, après la période de repos, et pincez les pousses terminales en été pour accroître la ramification et donner aux plantes un port buissonnant. La multiplication des éranthèmes s'effectue par bouturage des tiges de l'année.

« SAUGE BLEUE »
Eranthemum nervosum

ERICA

E. gracilis (« Bruyère rose »); *E. hiemalis* (ou *E. hyemalis*); *E.* x *willmorei* (toutes appelées Bruyères)

Plusieurs bruyères d'Afrique du Sud se cultivent fréquemment en pots pour Noël, notamment *E. gracilis* qui a de minuscules feuilles vert pâle et de longs épis de fleurs tubuleuses roses ou pourpre pâle garnissant des tiges de 45 cm; « Nivalis » a des fleurs blanches. *E. hiemalis* atteint jusqu'à 60 cm et porte des fleurs blanches nuancées de rose. Les hybrides *E. willmorei,* à floraison printanière, sont roses, rouge lilas et blanches.

CULTURE. Les bruyères apprécient le plein soleil à raison de 4 heures d'ensoleillement par jour, des températures nocturnes de 8 à 10° C, et diurnes de 18° C environ. Utilisez uniquement de l'eau douce et pulvérisez fréquemment le feuillage; les feuilles aciculaires tombent si la motte de terre devient sèche ou si l'air ambiant est trop chaud.

On les cultive dans un compost dépourvu de calcaire, riche en humus. Nourrissez-les en été, après la floraison, et pincez les jeunes pousses pour obtenir un port compact; maintenez les plantes au frais, en les plaçant à l'extérieur, si possible dans le jardin. Rentrez-les à la fin de l'été. La multiplication des bruyères s'effectue en prélevant de jeunes boutures au pied de la plante, à la fin de l'été.

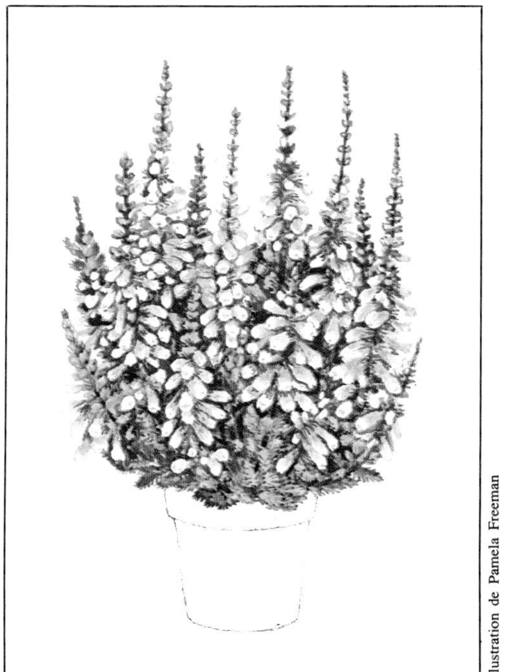

Illustration de Pamela Freeman

« BRUYÈRE ROSE »
Erica gracilis

ERVATAMIA

E. divaricata, ou *E. coronaria,* et *Tabernaemontana coronaria, Nerium coronarium* (« Jasmin crêpe »)

Avec ses feuilles de 7 à 10 cm, d'un vert foncé luisant, et ses fleurs blanches odorantes de 5 cm de diamètre, qui s'épanouissent tout l'été et par intermittence le reste de l'année, on peut aisément confondre *E. divaricata* — en particulier la variété dotée de nombreux pétales, « Plena » — avec le gardénia, si ce n'est que ses fleurs sont plus petites et dotées de pétales froncés. Ces plantes peuvent dépasser 1,80 m de haut si on ne les taille pas.

CULTURE. Les ervatamias requièrent 4 heures par jour au moins d'ensoleillement, des températures nocturnes de 18 à 21° C, et diurnes de 24°C ou plus. Maintenez le sol humide en permanence; fertilisez tous les 15 jours d'avril à septembre, une fois par mois le reste de l'année. Avant le départ de la nouvelle végétation, au début du printemps, taillez les plantes à la hauteur désirée et rempotez-les dans un terreau neuf, dans des récipients plus volumineux si nécessaire.

La multiplication se fait par bouturage des jeunes pousses prélevées au pied de la plante mère en été.

«JASMIN CRÊPE»
Ervatamia divaricata «Plena»

EUCHARIS

E. grandiflora, ou *E. amazonica* («Lis d'Amazonie»)

L'eucharis est une superbe bulbeuse dont les fleurs blanches odorantes ressemblent quelque peu à des narcisses blancs, pourvus de couronnes internes à pointes aiguës.

Ces fleurs apparaissent irrégulièrement en été par ombelles de 3 à 6, de 5 cm environ chacune, sur une hampe florale de 30 à 60 cm de haut, qui se dresse au-dessus de feuilles brillantes, longues de 20 cm.

CULTURE. Les eucharis préfèrent une lumière vive sans ensoleillement, ou tamisée par un rideau, des températures nocturnes de 18 à 21° C, et diurnes de 24° C ou plus. Plantez-les dans un mélange composé de 2 parts de tourbe, 1 part de compost standard et 1 part de sable granuleux. Maintenez le terreau très humide et fertilisez pendant la période de croissance; le reste du temps, laissez les plantes dans un endroit légèrement ombragé, arrosez-les moins souvent et cessez tout apport d'engrais. La multiplication des eucharis se fait en toute saison par division des bulbes latéraux.

«LIS D'AMAZONIE»
Eucharis grandiflora

EUPHORBIA

E. pulcherrima (poinsettia); *E. fulgens,* ou *E. jacquiniiflora* («Aigrette écarlate»)

Les poinsettias, dont les bractées foliacées rouge vif apparaissent à la fin de l'automne, ont été longtemps considérées comme des plantes particulièrement bien venues au moment de Noël. Les fleurs, minuscules et jaune verdâtre, émises au centre des bractées peuvent aussi bien être blanches que roses ou rouges. Chez les fleuristes, ces plantes ont pour la plupart 30 à 60 cm de haut, mais il en existe qui atteignent 0,90 à 1,20 m. Les bractées — dont certaines ont quelque 30 cm de diamètre — peuvent rester colorées pendant 6 mois, voire davantage.

Une variété apparentée, mais beaucoup moins connue, appelée «Aigrette écarlate», doit son nom à des tiges arquées de 60 cm garnies de fleurs cireuses écarlate orangé, de 12 mm de diamètre, qui s'épanouissent en hiver.

CULTURE. Les deux espèces requièrent 4 heures par jour au moins d'ensoleillement, dans un endroit qui ne soit pas trop sec. Les températures nocturnes de 10 à 18° C, et diurnes de 20° C ou plus sont idéales. Laissez le sol légèrement sécher entre deux arrosages. Taillez les plantes à la fin du printemps, après la floraison, et rempotez dans un terreau neuf. Les boutures de jeunes pousses peuvent se faire en été. Fertilisez tous les 15 jours au printemps et en été; ne dispensez aucun engrais le reste de l'année. Pour les poinsettias, les fleurs ne s'épanouissent que si l'on place les plantes dans un endroit bien éclairé, puis dans l'obscurité complète pendant au moins 14 heures, ceci durant une quarantaine de jours.

Les horticulteurs utilisent ordinairement des produits chimiques pour obtenir des plantes naines, à courtes tiges garnies de plusieurs grosses têtes florales. Toutefois, sans traitement spécial, ces plantes adoptent à nouveau un port élevé et dégagé, la saison suivante. Aussi est-il généralement plus simple d'acheter de nouvelles plantes en fleur chaque année. Bien entretenues, ces plantes restent colorées pendant 6 à 8 mois; rabattues après floraison, elles refleurissent l'année suivante.

POINSETTIA
Euphorbia pulcherrima

EXACUM

E. affine («Violette de Perse»)

Des masses de fleurs bleues odorantes, de 12 mm de diamètre, aux étamines jaunes, proéminentes, apparaissent parmi les feuilles luisantes en forme de cœur, longues de 12 à 25 mm, d'*Exacum affine*. Cette plante charmante, haute de 15 à 20 cm, contrairement aux Violettes du Cap, plus familières, ne fleurit à profusion que pendant 4 mois pour être ensuite mise au rebut. *E. affine* «Atrocaeruleum» a des fleurs lavande foncé; «Blithe Spirit», des fleurs blanches; «Midget», des fleurs bleues.

CULTURE. Les exacums requièrent une lumière vive sans ensoleillement, ou tamisée par un rideau, des températures de 16 à 18°C la nuit, et de 21°C ou plus le jour. Plantez-les dans un compost à base de tourbe ou de terre de jardin. Maintenez le terreau humide en toute saison et fertilisez tous les 15 jours. La multiplication se fait au printemps au moyen de semences, fines comme de la poussière, qui germeront aussitôt et fleuriront durant l'automne et l'hiver. On peut également procéder à la multiplication en semant les graines à la fin de l'été, qui produiront des plantes robustes et importantes. Les exacums fleuriront ainsi l'année suivante. Pour assurer une bonne germination, faites germer les graines à une température de 18°C.

F

FELICIA

F. amelloides, ou *F. capensis, Agathaea caelestis, Aster rotundifolius* (Aster du Cap); *F. bergeriana* («Marguerite martin-pêcheur»)

Ces marguerites bleu ciel à cœur jaune, qui fleurissent presque sans discontinuité toute l'année, agrémentent de manière insolite un ensemble floral en appartement. Les fleurs s'ouvrent sur des tiges filiformes dressées au-dessus de feuilles ovales mouchetées de 12 mm. *F. amelloides,* que l'on peut maintenir à 30 cm de hauteur en pinçant ses tiges rameuses, a des fleurs de 2 à 4 cm de diamètre.

L'espèce *F. bergeriana,* vivace, porte des fleurs bleues à disque jaune; c'est une plante délicate qui atteint 15 cm de haut. Les fleurs de ces deux espèces ne s'ouvrent qu'au soleil.

CULTURE. Les félicias requièrent 4 heures par jour au moins d'ensoleillement, des températures nocturnes de 10 à 13°C, et diurnes de 20 à 22°C. Maintenez le sol humide et fertilisez tous les 15 jours. Pour ces deux espèces, la multiplication se fait par semis (les graines semées au milieu de l'été donnent de ravissantes plantes en fleur à la fin de l'automne). *F. amelloides* peut également se propager par bouturage de tiges au printemps. Faites-leur prendre racine à une température relativement douce et transférez-les progressivement dans des pots plus grands. Pincez la tige principale pour obtenir une plante au port buissonnant, qui viendra à floraison à la fin de l'automne.

FORTUNELLA

F. hindsii (Kumquat nain); *F. margarita* («Kumquat ovale»)

Petits arbres épineux, ces deux espèces portent de petites fleurs blanches odorantes au printemps, puis des fruits très décoratifs en automne. *F. margarita,* que l'on maintient généralement à 60 cm de haut en intérieur, a des feuilles luisantes vert foncé, longues de 4 cm environ; ses fruits orange doré, de 4 cm, restent sur les plantes d'octobre à janvier ou plus (on peut en faire des confitures). *F. hindsii,* qui atteint environ 30 cm de haut, porte des fruits orange écarlate, gros comme des cerises.

CULTURE. Les fortunellas requièrent des températures nocturnes de 10 à 13°C, et diurnes de 20 à 22°C. Laissez le terreau sécher légèrement entre deux arrosages. Dispensez de l'engrais trois fois par an, au tout début du printemps, au début et à la fin de l'été. La multiplication des fortunellas s'effectue par bouturage de tiges à la fin du printemps, ou par semis en toute saison à une température relativement douce.

«VIOLETTE DE PERSE»
Exacum affine «Midget»

ASTER DU CAP
Felicia amelloides

«KUMQUAT OVALE»
Fortunella margarita

FUCHSIA
Fuchsia « Pink Cloud »

FUCHSIA

F. magellanica hybride ; *F. triphylla* (Fuchsia chèvrefeuille) (tous appelés Fuchsia)

Les fuchsias ont des fleurs délicates en forme de clochettes semblables à des tutus, longues de 4 à 8 cm, disséminées parmi des feuilles ovales gaufrées, sur des tiges de 30 à 90 cm. Bien que la plupart d'entre eux fleurissent au printemps et en été, nombre de fuchsias s'épanouissent à longueur d'année. On en cultive d'innombrables cultivars unicolores (rose, rouge, pourpre, magenta et blanc) ou bicolores. Leurs fleurs sont simples ou doubles, de teintes et de formes variées. Certains, à port retombant, conviennent aux suspensions ou à des vases montés sur piédestal ; d'autres peuvent être élevés à tige dans des angles de pièces bien éclairés. Parmi les hybrides, il faut citer « Abundance » (plante grimpante à fleurs doubles rose clair), « Cascade » (plante grimpante à fleurs simples roses et rouges), « Mrs. Victor Reiter » (plante grimpante à fleurs simples cramoisies et blanches) et « Pink Cloud » (à port élancé et à tiges arquées, à fleurs simples roses). Le fuchsia chèvrefeuille, *F. triphylla,* qui atteint 45 cm de haut, porte toute l'année des bouquets de fleurs tubuleuses de 2,5 cm de diamètre ; la variété « Gartenmeister Bonsted » a des fleurs orange saumoné entourées de feuilles rougeâtres, et « Swanley Yellow », malgré son nom, des fleurs orange.

CULTURE. Les fuchsias requièrent 4 heures par jour au moins d'ensoleillement, mais doivent être protégés du soleil de midi en été. Les températures idéales sont de 10 à 13°C la nuit, de 20 à 22°C le jour. Maintenez le terreau humide quand les plantes sont en fleur et fertilisez tous les 15 jours ; mais dispensez de l'engrais seulement une fois par mois et laissez le sol sécher pour les plantes qui se reposent en automne et en hiver. Taillez les espèces à floraison estivale à 15 cm environ du niveau du sol, mais ne raccourcissez que les pousses latérales des fuchsias tiges qui traversent une période de repos, de l'automne au début de l'hiver. La multiplication de ces diverses variétés s'effectue par bouturage des tiges de l'année.

JASMIN DU CAP
Gardenia jasminoides « Veitchii »

G

GARDENIA

G. jasminoides, ou *G. florida* (Jasmin du Cap)

Nombreux sont les jardiniers qui aiment cultiver chez eux un gardénia très parfumé. Parmi les multiples variétés, *G. jasminoides* « Veitchii » demeure celle qui se cultive le plus en appartement ; ses fleurs cireuses, blanc neige, qui atteignent environ 7 à 8 cm de diamètre, apparaissent normalement en hiver et au printemps parmi des feuilles brillantes vert foncé, de 10 à 15 cm, formant des arbustes de 30 à 90 cm de haut. Les variétés portant les plus grosses fleurs — jusqu'à 12 cm de diamètre — que l'on met souvent à la boutonnière, se cultivent parfois en pots. C'est le cas pour « Belmont » et « Fortuniana ».

CULTURE. Les gardénias requièrent 4 heures par jour au moins d'ensoleillement. La plupart réussissent à fleurir sans interruption s'ils bénéficient de températures nocturnes de 16 à 18° C, mais n'émettent pas de nouveaux boutons floraux si la température dépasse 18°C. Le jour, les températures idéales sont de 20 à 22°C.

La culture se fait dans un mélange composé de 2 parts de tourbe, 1 part de compost standard et 1 part de sable granuleux ; n'ajoutez pas de calcaire. Maintenez le mélange humide et bien drainé. Fertilisez tous les mois.

La chute des boutons, fréquente lorsqu'on installe chez soi des plantes qui sortent d'une serre, peut être réduite en seringuant les boutons à l'eau tiède et en mettant les plantes sur un plateau humidificateur (*page 43*).

La multiplication se fait en toute saison par bouturage avec chaleur de fond de tiges de l'année demi-ligneuses et de préférence avec talon, mais n'oubliez pas de recouvrir le pot d'un sac en plastique transparent pour conserver l'humidité.

GAZANIA
G. hybride (« Fleur trésor »)

La gazania, en forme de marguerite, dont la plupart des variétés sont des hybrides de *G. longiscapa,* porte des fleurs de 7 à 10 cm, à longue floraison, dont la base des ligules est auréolée de noir, et présentent des coloris variés : jaune, or, crème, jaune-orange, rose ou cuivre rouge. Les fleurs ne s'ouvrent qu'au soleil, se referment la nuit et par temps nuageux. Les plantes, qui fleurissent en été, atteignent de 15 à 30 cm de haut. Les fleurs s'arquent au-dessus de bouquets de feuilles allongées, irrégulièrement lobées, dont la face supérieure est vert foncé et le revers blanc velouté.

CULTURE. Les gazanias apprécient l'ensoleillement, seule exposition qui leur permet de s'ouvrir correctement ; les températures idéales sont de 10 à 13° C la nuit, et de 20 à 22° C le jour. Le sol doit être léger et bien drainé. Laissez-le devenir presque sec entre deux arrosages. Fertilisez chaque mois pendant toute l'année. La multiplication des gazanias se fait par semis à la fin de l'hiver ou au début du printemps, la germination requérant une température de 16° C. Empotez les jeunes pousses quand elles sont suffisamment importantes pour pouvoir être manipulées, généralement en juin. On peut également obtenir de nouvelles plantes, qui viendront à floraison l'année suivante, par bouturage effectué à la fin de l'été.

GAZANIA
Gazania hybride

GELSEMIUM
G. sempervirens (Faux jasmin)

Cette plante grimpante s'orne, en hiver et au début du printemps, de fleurs jaunes odorantes, de 2,5 cm, qui apparaissent parmi des feuilles luisantes, semblables à celles des saules, de 4 à 8 cm. Ces plantes se cultivent aussi bien en suspensions que sur un treillage de 1,20 m de haut, en entrelaçant les rameaux grêles dans le treillis.

CULTURE. Le gelsémium préfère le plein soleil ou un très léger ombrage, des températures nocturnes de 10 à 13° C, et diurnes de 20 à 22° C. Maintenez le sol humide et fertilisez tous les mois, sauf en automne, période de repos des plantes. La multiplication peut aisément s'effectuer par marcottage aérien *(page 94),* par bouturage de tiges prélevées au printemps sur des pousses bien acclimatées, ou par semis au printemps. Taillez les plantes au printemps, après la floraison, pour les maintenir à hauteur désirée.

GLORIOSA
G. rothschildiana; G. superba

Cette plante grimpante tubéreuse, gracieuse et décorative, qui porte d'impressionnantes fleurs, de 7 à 10 cm, ressemblant à celles des lis, atteint une hauteur de 0,90 à 1,20 m en s'accrochant à un tuteur, grâce aux vrilles fixées à l'extrémité de ses feuilles lancéolées. *G. rothschildiana* a des fleurs écarlates et jaunes ; *G. superba,* des fleurs allant du vert-jaune à l'orange et au rouge. Étant donné l'alternance de leurs périodes de repos et de croissance, les gloriosas peuvent fleurir en toute saison quand on les plante à différents moments de l'année.

Les jardiniers le font pour la plupart en avril afin que les plantes fleurissent au milieu de l'été, période de floraison normale (de la fin de l'été à l'automne pour *G. superba*).

CULTURE. Les gloriosas requièrent 4 heures par jour au moins d'ensoleillement, des températures nocturnes de 18 à 21° C, et diurnes de 24° C ou plus. Maintenez le sol humide et fertilisez tous les 15 jours jusqu'à ce que les fleurs se fanent ; cessez tout arrosage et tout apport d'engrais pendant la période de repos, qui se situe normalement d'octobre à janvier.

La multiplication s'effectue par division des caïeux (opération risquée) pendant la période de repos, ou par semis. Il est cependant plus facile de procéder par séparation des rejets au moment du rempotage.

FAUX JASMIN
Gelsemium sempervirens

GLORIOSA
Gloriosa rothschildiana

GLOXINIA Voir *Sinningia*

GUZMANIA
Guzmania monostachya

« FLEUR DE SANG »
Haemanthus multiflorus

HÉLIOTROPE DU PÉROU
Heliotropium arborescens

GUZMANIA
G. lingulata; G. monostachya, ou *G. tricolor*

Depuis longtemps, les amateurs de Broméliacées apprécient les guzmanias pour leurs épis de bractées éclatantes dont les vives couleurs persistent pendant plusieurs mois. Les feuilles brillantes, aux bords lisses, groupées en rosette, sont elles aussi souvent colorées, veinées de brun, de pourpre ou de marron dans le sens de la longueur.

G. lingulata « Cardinalis » a des bractées rouges, garnies de fleurs blanc jaunâtre, dressées au-dessus d'une rosette, de 45 cm de diamètre ou plus, formée de feuilles allongées vert pourpré. *G. lingulata* « Minor » porte des bractées écarlates, jaunes ou orange, garnies de fleurs blanc jaunâtre, dressées au-dessus de rosettes de 20 à 30 cm de diamètre, formées de feuilles engainantes à aspect de cuir, rayées de pourpre. *G. monostachya* a des rosettes de 30 à 45 cm, composées de feuilles lancéolées vert-jaune encerclant une tige robuste, couronnée de bractées rouge saumoné garnies de fleurs blanches.

CULTURE. Les guzmanias préfèrent une lumière vive sans ensoleillement, ou tamisée par un rideau, mais peuvent être exposés directement au soleil durant les mois d'hiver. Des températures nocturnes de 16 à 18°C, et diurnes de 21°C ou plus, leur conviennent parfaitement.

Plantez-les dans un mélange composé de 2 parts de tourbe, 1 part de sable granuleux et 1 part de compost standard; n'ajoutez pas de calcaire. Maintenez constamment le terreau humide; fertilisez les guzmanias une fois par mois. Laissez en permanence de l'eau douce dans le cornet de feuilles. La multiplication se fait par séparation des rejets qui apparaissent au pied de la plante mère. Au printemps, il est recommandé de planter les jeunes pousses dans des pots séparés.

H

HAEMANTHUS
H. coccineus (« Langue-de-bœuf ») ; *H.* x hybride ; *H. katharinae; H. multiflorus* (tous appelés « Fleur de sang »)

Les haemanthus, appelés « Fleur de sang » en raison de la couleur de leurs fleurs en ombelles, font des potées spectaculaires. Chaque inflorescence, de 15 à 30 cm de diamètre, se compose de nombreuses fleurs tubuleuses de 2 à 5 cm — d'où dépassent 6 étamines généralement jaunes —, qui se développent sur une hampe florale dressée de 20 à 50 cm de haut. Ces plantes portent deux ou plusieurs feuilles charnues atteignant 45 cm de long sur 15 cm de large. *H. coccineus* produit des fleurs rouge corail en automne ; *H. katharinae* (à fleurs roses) et des hybrides rose saumon et écarlates fleurissent à la fin du printemps ou au début de l'été ; *H. multiflorus* porte sur de très grandes tiges des fleurs rouges en été.

CULTURE. Les haemanthus requièrent 4 heures par jour au moins d'ensoleillement, des températures nocturnes de 10 à 13°C, et diurnes de 20 à 22°C. Maintenez le terreau humide et fertilisez tous les mois pendant la période de croissance ; maintenez le sol presque sec et cessez tout apport d'engrais à la fin de l'automne et en hiver. La multiplication se fait quand les plantes sont au repos, par séparation des caïeux qui se développent au pied des gros bulbes. Plantez chaque bulbe dans un pot séparé, en prenant soin de ne l'enterrer qu'à moitié. Le diamètre du pot doit dépasser de 5 cm celui du bulbe. Ces plantes fleuriront d'autant plus si vous ne les rempotez que tous les 3 à 5 ans. A chaque printemps, enlevez une partie de la vieille terre en évitant d'abîmer les racines, et remplacez-la par du terreau frais.

HEERIA Voir *Schizocentron*

HELIOTROPIUM
H. arborescens, ou *H. peruvianum* (Héliotrope du Pérou) ; *H.* x hybride (tous appelés Héliotrope)

Le parfum des héliotropes est si suave et persistant qu'un simple bouquet réussit à embaumer une pièce entière. Nombre de variétés cultivées de nos jours sont en fait des hybrides d'*H. arborescens,* qui porte de gros épis de minuscules fleurs pourpres, douces au toucher, épanouies à longueur d'année. Les hybrides ont des teintes allant du lavande, et du pourpre, au bleu et blanc, et produisent des épis de fleurs de 8 à 15 cm.

On peut cultiver les héliotropes sous forme de plantes arbustives de 15 à 30 cm de haut, voire davantage, ou à tige unique de 0,90 à 1,20 m de haut.

CULTURE. Les héliotropes requièrent 4 heures par jour au moins d'ensoleillement, des températures nocturnes de 10 à 13°C et diurnes de 20 à 22°C. Maintenez en permanence le sol humide ; fertilisez les plantes tous les 15 jours. La multiplication des héliotropes se fait par semis, ou, pour obtenir des couleurs encore plus chatoyantes, par boutures de tiges au printemps ou en été.

Certains jardiniers laissent ces plantes reposer en automne, les taillent à hauteur désirée pour en accroître la ramification et en stimuler la floraison, à la fin de l'hiver et au printemps.

HETEROCENTRON Voir *Schizocentron*

HIBISCUS
H. rosa-sinensis (Rose de Chine) ; *H. schizopetalus* (« Lanterne japonaise »)

Malgré leur fragilité apparente, les hibiscus, à floraison ininterrompue, se cultivent sans difficulté et durent quelque 25 ans. Les fleurs minces comme du papier d'*H. rosa-sinensis* atteignent 12 à 13 cm de diamètre et ont des couleurs qui vont du blanc neige et crème au jaune, saumon, orange et écarlate. Un cultivar dénommé « Cooperi » possède des fleurs écarlates de 6 cm de diamètre et des feuilles étroites de 5 cm lavées de vert olive, rose, cramoisi et blanc.

H. schizopetalus a des fleurs pendantes rouge orangé, de 6 cm, aux pétales dentelés sur les bords. On peut maintenir ces plantes à une hauteur de 90 cm en taillant les rameaux.

CULTURE. Les hibiscus requièrent 4 heures par jour au moins d'ensoleillement, des températures nocturnes de 16 à 18°C, et diurnes de 21°C ou plus. Maintenez en permanence le sol humide ; fertilisez les plantes tous les mois.

La multiplication s'effectue par bouturage des nouvelles tiges de l'année à la fin du printemps.

HIPPEASTRUM
H. hybride, ou *H.* x *hortorum* (Amaryllis hybride)

Communément appelés amaryllis, les *Hippeastrum* hybrides portent des fleurs lisses qui ressemblent à des lis et atteignent parfois 20 à 25 cm de diamètre. Ils fleurissent en hiver ou au printemps par ombelles de 3 ou 4 fleurs, portées sur une hampe de 30 à 60 cm et qui s'épanouissent en même temps que les feuilles rubanées vert foncé. La plupart des bulbes émettent une seconde hampe florale dès que les premières fleurs commencent à se faner. Les bulbes obtenus de semis s'achètent par couleurs ; les cultivars de qualité supérieure, reproduits par voie végétative, se vendent d'après leurs noms. Parmi ces derniers, il faut citer « Appleblossom » (incarnat), « Fire Dance » (rouge vif), « Minerva » (blanc et rouge veiné de rouge), « Parsifal » (écarlate orangé) et « Mont Blanc » (blanc neige).

CULTURE. Les amaryllis requièrent 4 heures par jour au moins d'ensoleillement, des températures nocturnes de 16 à 18°C, et diurnes de 21°C ou plus. Quand elles sont en fleur, laissez les plantes dans un endroit frais, protégé du soleil. Plantez chaque bulbe dans un pot séparé, en ménageant un espace de 5 cm entre le bulbe et le pot. Arrosez copieusement la première fois et attendez que la hampe florale émerge pour arroser à nouveau. Maintenez le sol humide et fertilisez une fois par mois jusqu'à jaunissement des feuilles à la fin de l'été ; réduisez ensuite vos arrosages et cessez tout apport d'engrais pendant un mois environ

ROSE DE CHINE
Hibiscus rosa-sinensis

AMARYLLIS
Hippeastrum « Fire Dance »

en attendant la floraison. Avant le départ de la nouvelle végétation, prélevez une partie de l'ancien compost et remplacez-le par du frais. Rempotez tous les 3 ou 4 ans. La multiplication s'effectue par séparation des caïeux latéraux. Les plantes multipliées par semis ne fleurissent qu'au bout de 3 à 4 ans.

HOYA

H. australis; H. bella, ou *H. paxtonii; H. carnosa; H. cinnamomifolia; H. coronaria,* ou *H. grandiflora; H. purpureo-fusca* (tous appelés « Fleur de cire »)

Plantes grimpantes dotées de feuilles de 5 à 10 cm, les hoyas doivent leur nom vulgaire à leurs ombelles de fleurs étoilées de 12 à 25 mm, à longue floraison, au parfum suave, et d'aspect si brillant qu'on croirait de la cire. Parmi les espèces les plus connues, il faut citer *H. australis,* dont les fleurs blanches légèrement teintées de rose, à centre rouge, apparaissent à la fin de l'été; *H. bella,* plante à port buissonnant, dont les rameaux retombants portent des fleurs blanches, au centre violet-rose, en été; *H. carnosa,* qui, en été, porte des fleurs blanc rosé à centre rouge et dont le feuillage est parfois marginé de rose et de crème; *H. cinnamomifolia,* qui porte des fleurs vert jaunâtre à centre rouge-pourpre en été; *H. coronaria,* dont les fleurs jaunes, à floraison estivale, sont parsemées de 5 points rouges à leur base; et *H. purpureofusca,* dont les fleurs rouge brunâtre, à floraison automnale, ont un centre pourpre hérissé de poils blancs. Cette dernière est également connue sous le nom de « Silver Pink » en raison de ses feuilles maculées de rose argenté.

CULTURE. Les hoyas requièrent 4 heures par jour au moins d'ensoleillement, mais prospèrent également sous une lumière vive tamisée par un rideau. Les températures nocturnes de 16 à 18° C, et diurnes de 21° C ou plus sont idéales. Arrosez copieusement pendant la floraison, mais laissez le sol devenir presque sec entre deux arrosages quand les plantes sont au repos. Fertilisez tous les deux mois au printemps et en été. Cultivez ces plantes sur un treillis de 0,60 à 1,20 m. N'enlevez pas les pédoncules floraux qui supportent les ombelles, car ils fleurissent chaque année. La multiplication s'effectue en toute saison par marcottage aérien (*page 94*) ou bouturage de tiges.

« FLEUR DE CIRE »
Hoya carnosa

HYACINTHUS

H. orientalis (Jacinthe d'Orient); *H. orientalis* var. *albulus* (Jacinthe romaine)

Les jacinthes, dont les grappes de fleurs cireuses et campanulées atteignent 15 à 25 cm de haut, dégagent l'un des premiers parfums suaves du printemps. Les plus répandues sont les cultivars à fleurs géantes d'*H. orientalis,* notamment « Amsterdam » (rose saumon), « Bismarck » (bleu pâle), « City of Haarlem » (jaune primevère), « L'Innocence » (blanc), « King of the Blues » (bleu indigo) et « Pink Pearl » (rose foncé). Lesdites « Jacinthes romaines », dérivées d'une variété connue sous le nom d'*H. orientalis* var. *albulus,* portent des fleurs bleues, roses ou blanches. Les jacinthes à fleurs doubles, issues du croisement de jacinthes à fleurs géantes et de jacinthes romaines, produisent plusieurs inflorescences sur chaque bulbe.

CULTURE. La culture des jacinthes s'entreprend en septembre ou octobre. Plantez-les dans un mélange fibreux pour bulbes ou un compost à base de tourbe, en laissant les collets dégagés. Enterrez les pots dans un endroit humide du jardin, à une quinzaine de centimètres de profondeur, sous une couche de terre légère, de feuilles ou de cendres, pendant 8 ou 9 semaines; puis exposez-les progressivement à la lumière, à une température d'environ 10° C. Les feuilles développées et les boutons sortis, faites-les fleurir à une température de 16° C.

A ce stade, les jacinthes requièrent beaucoup de lumière et une terre humide. Si vous ne pouvez placer les bulbes dormants en plein air, enveloppez les pots dans des sacs de polyéthylène noir et entreposez-les dans un local froid à 4° C. N'essayez pas de multiplier des bulbes de jacinthes.

JACINTHE D'ORIENT
Hyacinthus orientalis
« King of the Blues »

HYDRANGEA

H. macrophylla, ou *Hortensia* (Hortensia commun)

L'une des inoubliables joies printanières est bien la vue des hortensias, dont les fleurs, réunies en grosses panicules sphériques, prennent des teintes roses, rouges, lavande, bleues et pourpres comme blanches. Chaque inflorescence, qui peut atteindre 20 à 25 cm de diamètre, se compose d'une masse de fleurs stériles de 2 à 4 cm, entourées de feuilles ovales de 5 à 15 cm, d'un vert foncé luisant. Les hortensias achetés en pleine floraison ont 45 à 60 cm de haut et fleurissent 6 semaines durant, voire davantage, quand on leur prodigue les soins appropriés.

CULTURE. Les hortensias requièrent une lumière vive sans ensoleillement, ou tamisée par un rideau, des températures nocturnes de 13 à 16° C, et diurnes de 20 à 22° C. Maintenez le sol très humide ; ne dispensez aucun engrais. Arrosez à l'eau douce, en particulier les variétés à fleurs bleues. On peut obtenir une floraison bleue artificielle en ajoutant à l'eau d'arrosage des colorants bleus spéciaux (à base d'alun ammoniacal). Pour ce faire, respectez les instructions du fabricant et administrez ce produit chaque semaine au moment de l'arrosage. Coupez les rameaux après la floraison et rempotez chaque année dans un compost à base de tourbe. L'été, enfouissez le pot en pleine terre jusqu'au bord, dans un endroit où la plante ne risque pas de se dessécher ; rentrez-le à la fin de l'automne.

I

IMPATIENS

I. walleriana, ou *I. holstii; I. sultani* (balsamine)

Les balsamines, appelées également « impatientes », appréciées pour la facilité avec laquelle elles arrivent à fleurir continuellement sous une faible lumière, portent un nom qui convient fort bien à des plantes qui, dès que leurs fruits sont parvenus à maturité, catapultent leurs graines dans toutes les directions. Fort prisée pendant des générations, la balsamine atteint 15 à 30 cm de haut et porte des fleurs à pétales doux et plats, de 2 à 5 cm de diamètre, roses, rouges, écarlate orangé, pourpres, or, blancs ou rouges et blancs. Les feuilles luisantes, de 3 à 5 cm, peuvent être vertes, marron ou panachées vert et blanc.

CULTURE. Les balsamines prospèrent aussi bien sous une lumière vive sans ensoleillement, ou tamisée par un rideau, que dans un endroit légèrement ombragé ou sous un éclairage artificiel de 14 à 16 heures par jour. Les températures nocturnes de 16 à 18° C, et diurnes de 21° C, ou plus, sont idéales. Plantez-les dans un mélange composé de 2 parts de tourbe, 1 part de compost standard et 1 part de sable granuleux. Maintenez le sol humide ; fertilisez environ tous les 15 jours pendant la période de croissance. La multiplication des balsamines se fait en toute saison par bouturage de tiges ou par semis.

IPOMOEA, ou PHARBITIS

I. purpurea ; I. violacea, ou *I. tricolor* et *I. rubro-caerulea* (toutes deux appelées Ipomée volubilis)

Bien que l'on considère généralement les volubilis comme des plantes de jardin à floraison estivale, ces plantes grimpantes fort décoratives, dont les fleurs en forme d'entonnoir atteignent 6 à 20 cm et les feuilles, en forme de cœur, 5 à 8 cm, peuvent également agrémenter des jardins intérieurs en raison de leur facilité de culture. *I. purpurea* et *I. violacea* portent des fleurs à larges corolles atteignant 10 cm de diamètre, bleues, pourpres, écarlates, roses, blanches ou panachées. Les fleurs rouge rosé d'« Early Call », de 8 cm ou plus de diamètre, s'épanouissent à la fin de l'été.

CULTURE. Les volubilis requièrent 4 heures par jour au moins d'ensoleillement et beaucoup de lumière, des températures nocturnes de 16 à 18° C, et diurnes de 21° C ou plus. Maintenez le sol à peine humide et dispensez de l'engrais une fois par mois dès que les plantes atteignent 10 cm de haut. Multipliez par semis au début

HORTENSIA COMMUN
Hydrangea macrophylla

BALSAMINE
Impatiens « Scarlet Baby »

du printemps pour obtenir des fleurs en été. Entaillez les graines avec un canif ou frottez-les au papier de verre pour favoriser l'absorption d'humidité, et plantez 6 à 8 semences dans un pot de fleurs de 25 cm. Dès que les plantules auront atteint 5 cm de haut, allégez la plante en ne conservant que les trois plants les plus robustes. Faites-les grimper sur un treillage ou sur des tuteurs. Jetez les plantes après floraison.

IPOMÉE VOLUBILIS
Ipomoea «Early Call»

ISOLOMA Voir *Kohleria*

IXORA
I. chinensis; I. coccinea; I. hybride; *I. javanica* (tous appelés Ixora, «Flamme des bois»)

Les ixoras sont des plantes à port compact qui fleurissent surtout en été et par intermittence le reste de l'année, quand on leur prodigue des soins appropriés; leurs coloris varient du rouge vif à l'orange, jaune, rose et blanc. *I. coccinea,* espèce la plus cultivée, dont les fleurs rouges à 4 pétales atteignent 2 à 3 cm de diamètre, s'épanouit en ombelles de 10 à 15 cm de diamètre; les feuilles, de couleur bronze quand elles sont jeunes, deviennent d'un vert foncé luisant au fur et à mesure de leur maturation. Avec *I. chinensis,* orange clair, cette espèce a produit de nombreux hybrides. *I. javanica* porte des fleurs légèrement plus grosses, rouge saumoné. De nombreux hybrides se prêtent à la culture en appartement. On peut aisément maintenir ces plantes à 90 cm de hauteur en taillant leurs rameaux.

CULTURE. Les ixoras requièrent 4 heures par jour au moins d'ensoleillement, des températures nocturnes de 16 à 18°C, et diurnes de 21°C ou plus. Plantez-les dans un mélange composé de 2 parts de tourbe, 1 part de compost standard et 1 part de sable granuleux; n'ajoutez pas de calcaire. Maintenez le sol humide; fertilisez tous les 15 jours au printemps et en été, une fois par mois le reste de l'année. Pour prospérer, ces plantes doivent toujours rester au même endroit car elles risquent de perdre leurs boutons quand on les déplace. La multiplication des ixoras se fait par bouturage de tiges au printemps.

«FLAMME DES BOIS»
Ixora coccinea

JACOBINIA
Jacobinia suberecta

J

JACOBINIA
J. carnea, ou *Justicia carnea* et *Cyrtanthera carnea* («Couronne du roi», «Prunier du Brésil»); *J. pauciflora,* ou *Libonia floribunda* et *Sericographis pauciflora; J. suberecta*

Ces plantes tropicales portent des fleurs allongées à deux lèvres, dont les épis, semblables à des pompons, coiffent les rameaux. *J. carnea* a des épis duveteux de 8 à 15 cm composés de fleurs rosées longues de 5 cm, qui s'épanouissent parmi des feuilles ovales et rêches de 10 à 20 cm à la fin de l'été; ces plantes atteignent une hauteur de 30 à 90 cm. *J. suberecta* atteint environ 30 cm de haut et produit, au printemps, des fleurs écarlate orangé, de 2 à 3 cm environ, qui se dressent en ombelles au-dessus de feuilles veloutées de 6 cm. *J. pauciflora,* qui atteint également 30 cm environ, est une espèce à floraison hivernale portant de nombreuses fleurs solitaires écarlates, de forme tubulaire, longues de 2 à 3 cm, aux extrémités jaunes, entourées de feuilles de 2 cm.

CULTURE. Les jacobinias requièrent 4 heures par jour au moins d'ensoleillement en hiver, une lumière vive indirecte ou tamisée par un rideau le reste de l'année. Des températures nocturnes de 10 à 13°C, et diurnes de 18°C, ou plus, sont idéales. Maintenez le sol humide et placez le pot sur un plateau humidificateur (*page 43*), ou vaporisez de l'eau sur le feuillage de temps à autre. Fertilisez tous les 15 jours pendant la période de croissance. Taillez les plantes âgées pour éviter que leurs rameaux ne soient trop épars et rempotez-les après la floraison pour en stimuler la croissance.

La multiplication peut s'effectuer par bouturage de tiges au printemps, à condition de leur faire prendre racine dans un terreau recevant de la chaleur par le fond.

JASMINUM

J. volubile, ou *J. simplicifolium; J. humile* «Revolutum»; *J. mesnyi,* ou *J. primulinum* («Jasmin primevère»); *J. officinale,* ou *J. officinale affine* et *J. grandiflorum* (Jasmin officinal); *J. parkeri; J. polyanthum* (Jasmin de Chine); *J. sambac* (Jasmin d'Arabie)

La plupart des jasmins ont pour particularité d'être très odorants. *J. volubile* porte des ombelles de fleurs blanches en forme d'étoiles de 2,5 cm de diamètre en hiver et a des feuilles ovales et cireuses de 5 cm. *J. humile* «Revolutum», des ombelles de fleurs jaune citron de 5 cm entourées de feuilles plumeuses, de juin à septembre. *J. mesnyi* porte des fleurs arrondies jaunes de 5 cm, au printemps. De juin à octobre, *J. officinale* porte des fleurs jaunes en forme d'étoiles de 6 à 12 mm. *J. polyanthum J. parkeri,* qui n'atteint que 20 à 30 cm de haut, a, en été, des fleurs jaunes en forme d'étoiles de 6 à 12 mm. *J. polyanthum,* produit au printemps des ombelles de fleurs blanches à boutons roses de 2 cm, en forme d'étoiles. *J. sambac,* qui fleurit du début du printemps à la fin de l'automne, porte des ombelles de fleurs en forme de rosettes de 2,5 cm qui, du blanc gardénia, virent progressivement au pourpre, au fur et à mesure de leur fanaison. La variété «Plena» a des fleurs doubles.

CULTURE. Les jasmins s'épanouissent à merveille avec 4 heures par jour au moins d'ensoleillement. *J. humile* «Revolutum» requiert des températures nocturnes de 4 à 7° C, et diurnes de 20° C, voire moins; *J. sambac* et ses variétés, des températures nocturnes de 16 à 18° C, et diurnes de 22° C ou plus; les autres jasmins prospèrent à des températures nocturnes de 10 à 13° C, et diurnes de 20 à 22° C.

Maintenez le sol humide en permanence et fertilisez tous les 15 jours, excepté pendant la période de repos. La multiplication des jasmins se fait en toute saison par bouturage de tiges. Taillez toutes les espèces, excepté *J. parkeri,* après la période de floraison pour maintenir les plantes à 90 cm de hauteur. Coupez les pousses portant des fleurs jusqu'au niveau d'un bouton robuste, à environ 5 cm de la base, et enlevez toutes les anciennes tiges. Vous pouvez également contrôler la hauteur des jasmins en entrelaçant leurs rameaux sur un treillage peu élevé. Durant les mois d'été, sortez vos plantes à l'extérieur et mettez-les en plein soleil.

JUSTICIA Voir *Jacobinia*

K

KALANCHOË

K. blossfeldiana

Plantes d'appartement très colorées, à floraison hivernale, dont les fleurs durent plusieurs semaines, les cultivars de *K. blossfeldiana* atteignent 20 à 30 cm de haut, en formant des touffes régulières de fleurs rouges ou jaunes à 4 pétales, de 6 à 12 mm, qui recouvrent presque entièrement les feuilles épaisses et cireuses de 3 à 5 cm. Parmi les plus beaux cultivars de couleur rouge, il faut citer «Vulcan», «Scarlet Gnome», «Tom Thumb» et «Brilliant Star»; le cultivar «Tom Thumb Golden», est jaune vif; les hybrides d'Hummel, diversement colorés.

CULTURE. Les kalanchoës requièrent 4 heures par jour au moins d'ensoleillement, des températures nocturnes de 10 à 16° C, et diurnes de 20 à 22° C. Laissez le sol sécher presque complètement entre deux arrosages et fertilisez tous les 15 jours jusqu'au moment de la floraison. La multiplication des kalanchoës se fait par bouturage de tiges au début de l'automne ou, pour obtenir des plantes encore plus délicates, par semis de janvier à juillet (plus vous tarderez à effectuer votre semis, plus les plantes seront petites quand elles commenceront à fleurir). Si vous voulez avoir des fleurs au moment de Noël, plongez les plantes dans l'obscurité complète pendant 14 heures au moins par jour, du 1er septembre environ jusqu'au début du mois d'octobre.

JASMIN DE CHINE
Jasminum polyanthum

KALANCHOË
Kalanchoë blossfeldiana «Vulcan»

KOHLERIA

K. amabilis; K. bogotensis; K. eriantha, ou *Isoloma erianthum; K. lindeniana*

Les kohlérias, faciles à cultiver, atteignent 20 à 75 cm de haut; leurs feuilles sont voyantes et velues et leurs fleurs tubuleuses à 5 pétales adoptent divers coloris, souvent tachetées en constraste. Certaines de ces Gesnériacées poussent droites, mais la plupart ont des tiges retombantes idéales pour les suspensions. *K. amabilis* porte des fleurs rose foncé de 5 cm, tachetées de rouge, de la fin de l'hiver à l'été; *K. bogotensis,* des fleurs jaunes tachetées de rouge de 2 à 3 cm de long, et *K. eriantha,* des fleurs rouge orangé de 2 à 3 cm, tachetées de rouge en hiver et au printemps; *K. lindeniana* donne de belles fleurs odorantes de 12 mm, blanches et lavande à gorge jaune, à la fin de l'automne et au printemps.

CULTURE. Les kohlérias prospèrent mieux s'ils bénéficient d'une lumière vive sans ensoleillement, ou tamisée par un rideau, ou éventuellement sous un éclairage artificiel de 14 à 16 heures par jour. Des températures nocturnes de 18 à 21°C, et diurnes de 24°C, ou plus, sont idéales. Plantez-les dans un mélange composé de 2 parts de tourbe, 1 part de compost standard et 1 part de sable granuleux. Maintenez le sol humide et fertilisez une fois par mois pendant la période de croissance. Les espèces énumérées ci-dessus traversent une période de semi-repos entre leurs périodes de floraison. Taillez-les pour en favoriser la croissance quand elles sont au repos. Réduisez vos arrosages et cessez tout apport d'engrais pendant cette période. La multiplication se fait par bouturage de tiges, sans oublier de recouvrir le pot d'un sac en plastique transparent pour conserver l'humidité.

KOHLÉRIA
Kohleria amabilis

L

LACHENALIA

L. aloides, ou *L. tricolor; L. bulbifera,* ou *L. pendula* (tous deux appelés «Coucou du Cap»)

Les lachénalias sont des plantes bulbeuses qui se prêtent aisément à la culture en pots ou en paniers suspendus. Hauts de 20 à 30 cm, ils produisent, en hiver et au début du printemps, des épis de fleurs tubulées d'aspect cireux, longues de 2 à 3 cm. Les feuilles, de 15 à 20 cm de long, sont souvent parsemées de petites taches pourpres. Parmi les plus belles variétés, il faut citer *L. aloides* «Lutea» (fleurs jaunes), *L. aloides* «Nelsonii» (jaune d'or teinté de vert), *L. bulbifera* (corail, jaune et pourpre) et *L. aloides* (vert avec des bandes rouges et jaunes).

CULTURE. Les lachénalias requièrent 4 heures par jour au moins d'ensoleillement, des températures nocturnes de 4 à 7°C, et diurnes de 20°C, voire moins. Maintenez le sol humide et fertilisez une fois par mois pendant la période de croissance. Laissez le terreau sécher pendant la période de repos. La multiplication se fait par séparation des caïeux.

«COUCOU DU CAP»
Lachenalia bulbifera

LAELIA

L. flava; L. lundii var. *regnellii*

L. flava, l'une des plus belles Orchidées que l'on puisse cultiver en appartement, porte des ombelles de 4 à 10 fleurs, jaune d'or, de 5 à 6 cm, sur des tiges rameuses de 45 cm (*photographie, page 58*). Les fleurs, à longue floraison, s'épanouissent au milieu de l'hiver. *L. lundii* var. *regnellii* dépasse rarement 10 à 12 cm de haut et porte une ou deux fleurs rose pâle de 2 à 4 cm de diamètre, à labelle ridé délicatement veiné de rouge.

CULTURE. Les laelias requièrent 4 heures par jour au moins d'ensoleillement, mais doivent être protégés du plein soleil par un rideau léger ou des stores au moment le plus chaud de la journée. Des températures nocturnes de 13 à 18°C, et diurnes de 20°C, ou plus, sont idéales. La culture des laelias s'effectue dans un mélange composé de 2 parts d'écorce de sapin ou de racines de fougères pulvérisées et 1 part de tourbe grossière. Placez le pot sur un plateau humidificateur (*page 82*) ou vaporisez fréquemment de l'eau sur la plante ; laissez le terreau sécher légèrement entre deux arrosages. Fertilisez une fois par mois avec un engrais riche en azote, qu'il vous faudra diluer à raison d'1/4 de cuillerée à café pour 1 litre d'eau.

x LAELIOCATTLEYA

Hybrides de *Cattleya* et de *Laelia*

Les laeliocattleyas, qui fleurissent à différentes époques de l'année, font partie des Orchidées les plus colorées qui se prêtent à la culture en appartement. La plupart des variétés cultivées de nos jours sont des plantes à port compact présentant des grosses fleurs, qui produisent des ombelles de fleurs de 7,5 à 10 cm, à longue floraison, dont les coloris vont du jaune verdâtre, jaune d'or à l'orange et au rose, et les labelles vivement colorés du rose au pourpre.

« El Cerrito » *(photographie, page 59)* est une variété de couleur jaune de toute beauté.

CULTURE. Les laeliocattleyas sont des plantes d'appartement qui requièrent une lumière vive sans ensoleillement, ou tamisée par un rideau, des températures nocturnes de 13 à 18° C, et diurnes de 20° C ou plus. Plantez-les dans un mélange composé de 2 parts d'écorce de sapin ou de racines de fougères pulvérisées et 1 part de tourbe grossière. Placez le pot sur un plateau humidificateur *(page 82)* ou vaporisez de l'eau fréquemment sur le feuillage ; laissez le terreau sécher légèrement entre deux arrosages.

Fertilisez une fois par mois en dispensant un engrais riche en azote, qu'il vous faudra diluer à raison d'1/4 de cuillerée à café dans 1 litre d'eau.

LANTANA

L. camara (Camara) ; *L.* hybride ; *L. montevidensis,* ou *L. sellowiana* et *L. delicatissima* (Lantana de Sellow)

Les lantanas portent de nombreuses petites fleurs odorantes réunies en bouquets serrés de 2 à 3 cm, qui s'épanouissent principalement au printemps et en été, et par intermittence en automne et en hiver, parmi des feuilles vertes rudes et rêches, longues de 2 à 3 cm. Les fleurs des camaras et des lantanas hybrides sont blanches, jaunes, roses, rouges, orange et bicolores. Ces plantes peuvent être maintenues sur une hauteur de 20 à 30 cm par pincement de leurs pousses terminales, ou cultivées en petit arbre, de 60 à 90 cm de haut, à tête buissonnante garnie de fleurs et de feuilles.

Les lantanas à rameaux retombants, aux fleurs lilas rosé, peuvent atteindre 1,20 m de long et fleurissent surtout durant les mois d'été ; ces plantes sont particulièrement gracieuses dans des paniers en suspension.

CULTURE. Les lantanas requièrent 4 heures par jour au moins d'ensoleillement, des températures nocturnes de 13 à 16°C, et diurnes de 20°C ou plus. Laissez le terreau sécher légèrement entre deux arrosages. Fertilisez environ tous les 15 jours. La multiplication des latanas s'effectue par bouturage de tiges à tout moment de l'année.

LIBONIA Voir *Jacobinia*

LILIUM

L. longiflorum (« Lis de Pâques »)

Les « Lis de Pâques », réputés pour leurs fleurs blanc neige et leur parfum suave, sont cultivés par millions chaque année, en vue de leur pleine floraison au moment de Pâques. Les fleurs, longues de 15 à 20 cm, se déploient en coupe évasée de 10 à 12 cm, pendant une semaine environ ; les feuilles peuvent atteindre 15 cm de long. Parmi les variétés les plus répandues, au port comparativement moins élancé, il faut citer le lis « Croft », haut de 60 cm environ ; « Ace », de 30 à 60 cm, et « Estate », de 90 cm environ.

CULTURE. Les « Lis de Pâques » requièrent une lumière vive sans ensoleillement, ou tamisée par un rideau, quand ils sont en

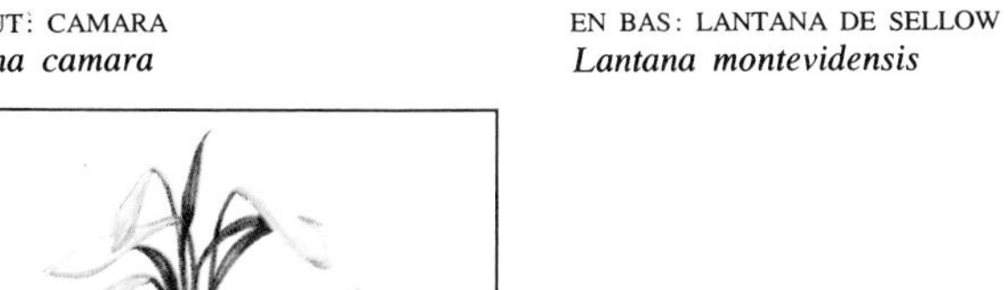

EN HAUT : CAMARA
Lantana camara

EN BAS : LANTANA DE SELLOW
Lantana montevidensis

« LIS DE PÂQUES »
Lilium longiflorum « Croft »

fleur, des températures nocturnes de 4 à 13°C, et diurnes de 20°C ou moins. Maintenez le sol humide pendant la floraison mais ne dispensez aucun engrais. Après que les fleurs se sont fanées, placez les plantes au soleil et arrosez-les soigneusement jusqu'à maturation du feuillage.

La culture en appartement des bulbes de « Lis de Pâques » est complexe pour le jardinier amateur et les plantes ainsi obtenues égalent rarement celles que cultivent les professionnels et que vendent les fleuristes.

Vous pouvez mettre en pots les bulbes : ils y fleuriront sans forçage en été, tant en intérieur que dans le jardin.

« HOUX MALPIGHIE »
Malpighia coccigera

M

MALPIGHIA

M. coccigera (« Houx Malpighie ») ; *M. glabra* (« Cerisier des Barbades »)

Les malpighies sont de petits arbres, que l'on trouve rarement en Europe. *M. coccigera,* aux feuilles bordées d'épines, semblables à celles du houx, commence à donner des fleurs roses de 12 mm, aux pétales frangés, dès qu'il atteint 8 à 10 cm de haut. Les fleurs s'ouvrent à profusion en été, puis produisent des fruits rouges de 12 mm.

Ces plantes poussent lentement jusqu'à 30 cm de haut et servent souvent à la confection de bonsai japonais miniatures. *M. glabra* peut dépasser 90 cm de haut ; il produit en été des fleurs éparpillées rouge rosé, de 2 cm, suivies de fruits rouges gros comme des cerises.

CULTURE. Ces deux espèces préfèrent l'ensoleillement, ou un très léger ombrage, des températures nocturnes de 13 à 16°C, et diurnes de 20 à 22°C.

Laissez le sol sécher légèrement entre deux arrosages ; fertilisez vos plantes deux fois par an, au début du printemps et de l'été. La multiplication des malpighies s'effectue au printemps ou en été par bouturage de tiges ou semis.

« HIBISCUS ENDORMI »
Malvaviscus arboreus

MALVAVISCUS

M. arboreus (« Hibiscus endormi »)

Plante à port buissonnant et droit, aux feuilles en forme de cœur, longues de 5 à 8 cm, cet arbuste produit des fleurs rouges de 4 à 6 cm dès qu'il atteint 25 cm de haut. Ces fleurs s'épanouissent à longueur d'année, mais ne s'ouvrent jamais entièrement — d'où le nom vulgaire attribué à cette plante. Cultivé en intérieur, le malvaviscus se taille généralement à 60 cm environ de hauteur. Les cultivars à fleurs blanches ou roses sont des plantes assez peu courantes. L'espèce elle-même se rencontre rarement en Europe.

CULTURE. Les malvaviscus requièrent 4 heures par jour au moins d'ensoleillement, des températures nocturnes de 16 à 18°C, et diurnes de 21°C ou plus. Maintenez le sol humide en permanence et fertilisez tous les 15 jours. Taillez les plantes âgées à une hauteur de 15 à 30 cm et rempotez-les dans un compost frais au début du printemps. La multiplication se fait par boutures de tiges, en toute saison.

MANDEVILLA Voir *Dipladenia*

MANETTIA

M. bicolor (« Plante pétard ») ; *M. inflata*

M. bicolor tire son nom vulgaire de ses fleurs écarlates aux extrémités jaunes, tubuleuses et velues, longues de 2 cm, qui fleurissent tout au long de l'année. Ses feuilles ovales et allongées, mesurant d'environ 5 cm, semblent étouffer les tiges volubiles et filiformes de la plante, que l'on peut cultiver sur treillage de 0,60 à 1,20 m. *M. inflata,* bien qu'identique, possède des fleurs aux parties rouges gonflées.

CULTURE. *M. bicolor* préfère les endroits très légèrement ombragés, les températures nocturnes de 13 à 16°C, et diurnes de

20 à 22°C. *M. inflata* requiert des températures hivernales plus fraîches. Maintenez le sol humide en permanence et fertilisez tous les quinze jours. La multiplication s'opère par bouturage de tiges, en toute saison.

MAXILLARIA
M. tenuifolia
Cette Orchidée, l'une des plus faciles à cultiver, porte des fleurs de longue durée de 4 cm de diamètre seulement, de couleur rouge foncé tacheté de jaune, et dont le parfum rappelle celui de la noix de coco *(photographie, page 60)*. Les fleurs apparaissent en été, isolées sur des tiges basses, au-dessus de feuilles herbacées. Ces plantes peuvent atteindre 25 à 30 cm de haut.
CULTURE. *M. tenuifolia* requiert une lumière vive sans ensoleillement, ou tamisée par un rideau, des températures nocturnes de 13 à 21°C, et diurnes de 20°C ou plus. Plantez-la sur une souche de fougère ou dans un mélange composé de 2 parts de sphagnum ou de racines de fougères pulvérisées et 1 part de tourbe grossière. Placez le pot sur un plateau humidificateur *(page 82)* ou vaporisez de l'eau de temps à autre sur le feuillage; maintenez le terreau humide en permanence. Fertilisez une fois par mois, avec un engrais riche en azote, dilué à raison de 1/4 de cuillerée à café pour 1 litre d'eau.

MUSCARI
M. armeniacum (Muscari d'Arménie); *M. aucheri,* ou *M. tubergenianum; M. botryoides* (tous appelés « Jacinthe grappe de raisin »)
Les muscaris sont des plantes bulbeuses qui produisent, au milieu de l'hiver ou au début du printemps, des grappes denses, de 15 à 20 cm, de petites fleurs campanulées odorantes disposées en épis. Trois espèces — *M. armeniacum* (et son excellent « Heavenly blue »), *M. aucheri* et *M. botryoides* — ont des fleurs bleu foncé; la variété *M. botryoides album* (« Perles d'Espagne ») a des fleurs blanches. Ces plantes atteignent 20 à 30 cm de haut et portent des feuilles bleu-vert allongées et pareilles à de l'herbe, longues de 15 à 20 cm.
CULTURE. Les muscaris requièrent 4 heures par jour au moins d'ensoleillement, des températures nocturnes de 4 à 7°C, et diurnes de 20°C ou moins. Ces plantes s'achètent souvent chez les fleuristes quand elles sont en pleine floraison, au milieu de l'hiver. Vous pouvez néanmoins les cultiver vous-même en mettant en pots les bulbes au début de l'automne en vue de leur floraison hivernale. Dans les deux cas, installez-les dans un local frais et maintenez le sol humide jusqu'à ce que le feuillage fane; ne dispensez aucun engrais. Pendant la période de repos printanier et estival, entreposez les bulbes dans un endroit sec. Au début de leur croissance, vous pouvez les laisser en pots ou les repiquer en pleine terre dans le jardin, à l'automne. La multiplication se fait par séparation des caïeux.

MYSTACIDIUM Voir *Angraecum*

N

NAEGELIA Voir *Smithiantha*

NARCISSUS
Bien que tous deux soient, sur le plan botanique, des narcisses, les grands Narcisses à trompette sont souvent appelés jonquilles et les Narcisses tazetta à bouquets, narcisses.
Deux sortes de narcisses revêtent un intérêt particulier en tant que plantes d'appartement: les variétés que l'on appelle Narcisses à trompette, dont les fleurs atteignent souvent 10 cm ou plus de diamètre et émergent de feuilles lancéolées gris-vert, longues de 25 à 30 cm; et les variétés dites Narcisses tazetta, qui portent sur chaque tige 4 à 8 fleurs odorantes en forme de trompette, de 3 à 5 cm. Tous deux fleurissent généralement en hiver et au prin-

« PLANTE PÉTARD »
Manettia bicolor

MUSCARI D'ARMÉNIE
Muscari armeniacum

EN HAUT: NARCISSE
Narcissus « King Alfred »

EN BAS: NARCISSE TAZETTA
Narcissus tazetta « Soleil d'Or »

« PLANTE APÔTRE »
Neomarica gracilis

temps; certaines fleurs durent pendant 7 à 10 jours. Parmi les hybrides à grosses fleurs, il faut citer « King Alfred » (fleur jaune d'or), « Celebrity » (fleur blanche à trompette jaune tendre) et « Mount Hood » (fleur blanche). Parmi les tazettas se distinguent des types plus robustes comme « Géranium », dont les fleurs blanches ont une couronne centrale écarlate orangé, et « Cheerfulness », variété à fleur double jaune crémeux.

Citons encore parmi les tazettas tendres et odorants « Paper White » (fleur blanche), « Soleil d'Or » (jaune à couronne orange en forme de bol), et « Chinese Sacred Lily » (blanc à couronne jaune d'or en forme de bol).

CULTURE. Les narcisses requièrent une lumière vive sans ensoleillement, ou tamisée par un rideau, quand ils sont en fleur, des températures nocturnes de 4 à 7°C, et diurnes de 16°C ou moins. Les Narcisses tazetta poussent mieux à des températures nocturnes de 13 à 16°C. Plantez-les dans un matériau de culture approprié — cailloux, éclats, sable, tourbe ou un terreau fibreux pour bulbes — à faible profondeur, en enterrant uniquement leurs bases. Maintenez le terreau humide; ne dispensez aucun engrais. Entreposez les bulbes dans un local frais et obscur en attendant le départ de la nouvelle végétation. Quand les plantes auront atteint 10 cm environ de haut, ressortez-les pour les faire fleurir. Jetez les Narcisses tazetta après leur floraison. Les narcisses rustiques se plantent généralement dans des pots ou des cuvettes profondes en vue de leur floraison en intérieur, et se cultivent dans un compost terreux ou un terreau fibreux pour bulbes. Laissez-les dans un local frais où règne une température de 4°C, et dans l'obscurité pendant 9 semaines avant de les exposer à nouveau à la lumière et à une température ambiante de 10°C pour que le feuillage puisse se développer; une température de 16°C leur permettra ensuite de fleurir. Après la floraison, vous pourrez planter les bulbes en pleine terre pour les récupérer plus tard. La multiplication des narcisses est plutôt affaire de spécialistes.

NEOFINETIA

N. falcata, ou *Angraecum falcatum*

Cette Orchidée miniature, à floraison estivale, qui n'atteint que 8 à 15 cm de haut, porte des épis de 5 à 7 fleurs blanches, de 3 cm, à long éperon *(photographie, page 59).* Les fleurs sont particulièrement odorantes la nuit.

CULTURE. *N. falcata* requiert une lumière vive sans ensoleillement, ou tamisée par un rideau, des températures nocturnes de 13 à 18°C, et diurnes de 20°C ou plus. On le cultive sur une souche de fougère ou dans un mélange composé de 2 parts d'écorce de sapin ou de racines de fougères pulvérisées et 1 part de tourbe grossière. Placez le pot sur un plateau humidificateur *(page 82)* ou vaporisez de l'eau fréquemment sur le feuillage; maintenez le terreau humide. Fertilisez une fois par mois du printemps à la mi-automne, avec un engrais riche en azote, dilué à raison d'1/4 de cuillerée à café dans 1 litre d'eau. Ne nourrissez plus cette plante à la fin de l'automne et en hiver.

NEOMARICA

N. caerulea; N. gracilis; N. northiana (tous appelés « Plante apôtre », « Iris marcheur »)

N. gracilis, plante qui ressemble à un iris et atteint 30 à 45 cm de haut, porte des feuilles ensiformes et des fleurs odorantes, dont les 3 pétales externes sont blancs et maculés de jaune et brun à leur base, et les 3 pétales internes, bleus. Chaque fleur, longue de 5 cm, ne dure qu'un jour, mais les plantes fleurissent très longtemps en été. *N. caerulea* atteint 60 à 90 cm de haut; ses fleurs, longues de 5 à 10 cm, ont des pétales externes bleu ciel et des pétales internes d'un bleu plus pâle maculé de jaune et de brun. *N. northiana* a des pétales externes blancs, des pétales internes frangés de violet.

CULTURE. Ces plantes rares mais pleines d'attraits requièrent une lumière vive sans ensoleillement, ou tamisée par un rideau, des températures nocturnes de 10 à 13°C, et diurnes de 20 à 22°C.

Maintenez le sol humide; fertilisez tous les mois. La multiplication s'effectue à partir des jeunes pousses terminales analogues à des stolons *(page 93)*.

NERIUM CORONARIUM Voir *Ervatamia*

NICOTIANA
N. alata «Grandiflora», ou *N. affinis* (Tabac)

Les diverses variétés de tabac — cultivées généralement en pleine terre l'été comme plantes annuelles — peuvent également faire d'agréables plantes d'appartement à floraison hivernale. Elles atteignent 0,30 à 1,20 m de haut, mais les variétés naines restent les plus prisées. Leurs fleurs en forme de trompette, de 5 cm environ de diamètre, ont des coloris qui varient du blanc et rose à l'écarlate; certaines ont même des nuances peu communes, telles que vert citron, chartreuse, rouge lie-de-vin, brun chocolat. Les fleurs, délicieusement parfumées le soir, émergent de feuilles ovales, tendres et velues, longues de 10 à 15 cm.

CULTURE. Le tabac requiert 4 heures par jour au moins d'ensoleillement, des températures nocturnes de 10 à 16°C, et diurnes de 20 à 22°C. Maintenez le sol humide et fertilisez tous les 15 jours.

La multiplication se fait par semis au milieu de l'été, pour que les plantes fleurissent au milieu de l'hiver, en appartement; vous pouvez les déterrer de votre jardin en automne et les tailler à 15 ou 20 cm de haut avant de les rempoter; vous obtiendrez ainsi une ramification plus fournie et une floraison au milieu de l'hiver. Jetez les plantes après la floraison.

TABAC
Nicotiana alata «Grandiflora»

NIDULARIUM
N. fulgens; N. innocentii

Le nidularium, dont le nom signifie en latin «petit nid d'oiseau», est une Broméliacée qui, fidèle à son appellation, produit des fleurs nichées au creux de sa rosette de feuilles, de 45 à 60 cm de diamètre. Plusieurs semaines avant l'apparition de ces fleurs, qui peuvent éclore à n'importe quel moment de l'année, le centre de la rosette devient vivement coloré, généralement rouge. Quant aux fleurs, elles gardent leurs couleurs pendant des mois. *N. fulgens* porte des fleurs violettes formant un petit capitule au milieu de bractées rouge vif aux extrémités vertes, et des feuilles bordées d'épines, vert pâle ponctuées de taches vert foncé; *N. innocentii* «Striatum» a des fleurs blanches et des feuilles larges, striées d'ivoire et bordées d'épines.

CULTURE. Les nidulariums requièrent une lumière vive sans ensoleillement, ou tamisée par un rideau, des températures nocturnes de 16 à 18°C, et diurnes de 21°C ou plus. Plantez-les dans un mélange composé de 2 parts de tourbe, 1 part de compost standard et 1 part de sable granuleux; n'ajoutez pas de calcaire. Maintenez le terreau humide; remplissez constamment d'eau la rosette de feuilles, et fertilisez une fois par mois avec un engrais dosé au quart. La multiplication se fait au moyen des rejets qui se développent au pied de la plante mère après la floraison.

NIDULARIUM
Nidularium fulgens

NOPALXOCHIA Voir *Epiphyllum*

O

ODONTOGLOSSUM
O. pulchellum («Orchidée muguet»)

Les épis floraux de cette Orchidée, qui atteignent presque 30 cm de haut, portent 5 à 10 fleurs de 4 cm, d'aspect cireux (*photographie, page 60*). Les fleurs, blanches et pourvues de labelles jaunes, s'épanouissent en hiver et au début du printemps, durent 6 à 7 semaines, et dégagent un parfum tenace rappelant celui du muguet.

CULTURE. *O. pulchellum* requiert 4 heures par jour d'ensoleillement, mais doit être protégé du soleil à midi. Des températures nocturnes de 13 à 18°C, et diurnes de 20°C, ou plus, sont idéales. La culture se fait dans un mélange composé de 2 parts d'écorce de sapin ou de racines de fougères pulvérisées et 1 part de tourbe grossière.

Placez le pot sur un plateau humidificateur (*page 82*) en été ou vaporisez de l'eau fréquemment sur le feuillage. Laissez le terreau sécher légèrement entre deux arrosages. Fertilisez une fois par mois avec un engrais riche en azote, à raison d'1/4 de cuillerée à café dans 1 litre d'eau.

OLEA Voir *Osmanthus*

ONCIDIUM

O. varicosum var. *rogersii* («Orchidée danseuse»)

Les oncidiums portent des grappes de fleurs délicates de longue durée, dont parfois plus d'une centaine s'épanouissent simultanément. *O. varicosum* var. *rogersii,* qui fleurit en automne et en hiver, a des fleurs jaune vif atteignant 5 cm de diamètre et pourvues de labelles larges et évasés (*photographie, page 58*).

CULTURE. Les oncidiums requièrent 4 heures par jour au moins d'ensoleillement, mais doivent être protégés du soleil de midi par des rideaux ou des stores. Les températures nocturnes de 13 à 18°C, et diurnes de 20°C, ou plus, sont idéales. Plantez-les dans un mélange composé de 2 parts d'écorce de sapin ou de racines de fougères et 1 part de tourbe grossière. Placez le pot sur un plateau humidificateur (*page 82*).

Laissez le terreau sécher légèrement entre deux arrosages pendant la période de croissance, de l'hiver à la fin de l'été; quand les plantes sont au repos, en automne, arrosez-les uniquement pour éviter qu'elles ne se recroquevillent.

Fertilisez une fois par mois pendant la période végétative avec un engrais riche en azote, dilué à raison d'1/4 de cuillerée à café dans 1 litre d'eau.

«FAUX OIGNON DE MER»
Ornithogalum caudatum

«OLIVIER DOUX»
Osmanthus fragrans

ORNITHOGALUM

O. arabicum ((Étoile de Bethléem); *O. caudatum* («Faux oignon de mer»); *O. thyrsoides* (Chinchérinchée, Dame de onze heures)

Ces plantes bulbeuses se remarquent par leurs grappes de fleurs étoilées odorantes, de longue durée, qui apparaissent sur une hampe centrale en hiver et au printemps. *O. arabicum* produit 6 à 12 fleurs blanches de 5 cm de diamètre, au pistil noir et brillant, sur une tige de 30 à 60 cm émergeant de feuilles vertes linéaires, longues de 45 cm.

O. caudatum porte un corymbe d'une cinquantaine ou centaine de petites fleurs blanches dont chaque pétale est veiné en son centre d'une ligne verte; la hampe, de 45 à 90 cm, jaillit d'un bulbe de 8 à 10 cm qui sort presque entièrement du sol. *O. thyrsoides* a des fleurs blanches ou jaunes de 5 cm, sur des tiges de 15 à 45 cm; les fleurs durent souvent plus de 6 semaines.

CULTURE. Ces espèces requièrent 4 heures par jour au moins d'ensoleillement, des températures nocturnes de 10 à 16°C et diurnes de 20 à 22°C.

Laissez le sol sécher légèrement entre deux arrosages et fertilisez tous les mois pendant la période de croissance; n'arrosez pas et cessez tout apport d'engrais quand les bulbes traversent leur période de repos.

Empotez ou rempotez les bulbes dans un compost à base de terre de jardin en automne. La multiplication s'effectue pendant la période de repos par séparation des petits caïeux qui se développent auprès du gros.

OSMANTHUS

O. fragrans, ou *Olea fragrans* («Olivier doux»)

Le parfum d'orange de cet arbrisseau provient des bouquets de fleurs blanc verdâtre, à quatre pétales, presque imperceptibles, de moins de 6 mm de diamètre chacune, qui s'épanouissent parmi de belles feuilles vert foncé, longues de 7 à 8 cm. Ces plantes, qui, en pots, peuvent atteindre 60 à 90 cm de haut, mais dépassent 9 m dans la nature, ont une floraison ininterrompue.

CULTURE. *O. fragrans* prospère dans un endroit bien éclairé et ensoleillé, ou très légèrement ombragé. Les températures nocturnes idéales sont de 10 à 13°C, et diurnes de 20 à 22°C. Maintenez le sol humide et fertilisez tous les mois. La multiplication se fait en été par bouturage de tiges.

OXALIS
O. bowiei, ou *O. bowieana* et *O. purpurata* var. *bowiei; O. brasiliensis; O. pes-caprae,* ou *O. cernua* («Renoncule des Bermudes»); *O. purpurea* «Grand Duchess», ou *O. variabilis* «Grand Duchess»

Ces charmantes plantes bulbeuses, qui n'atteignent que 10 à 15 cm de haut, produisent, au printemps et en été, de nombreuses fleurs satinées de 2 à 4 cm et ont des feuilles de 5 à 10 cm ressemblant à des trèfles. Les fleurs d'*O. bowiei* sont rose pourpré; celles d'*O. brasiliensis,* rouge rosé; *O. pes-caprae* a des fleurs jaunes, simples ou doubles; «Grand Duchess», des fleurs rose vif ou blanches. Ces fleurs ne s'ouvrent que par temps ensoleillé et se referment la nuit et par temps nuageux.

CULTURE. Les oxalis prospèrent en plein soleil ou dans un endroit très éclairé; sinon, leurs fleurs ne s'ouvrent pas correctement. Ils préfèrent des températures nocturnes de 10 à 16°C, et diurnes de 20 à 22°C. Maintenez le sol humide; fertilisez tous les mois pendant la période de croissance. Ne laissez pas ces plantes dans un local surchauffé. Ne les arrosez pas à l'excès car leurs tiges risqueraient alors de s'affaisser. Après que le feuillage a fané, entreposez les bulbes au sec jusqu'en automne. La multiplication s'effectue en automne par séparation des petits caïeux qui se développent auprès des gros.

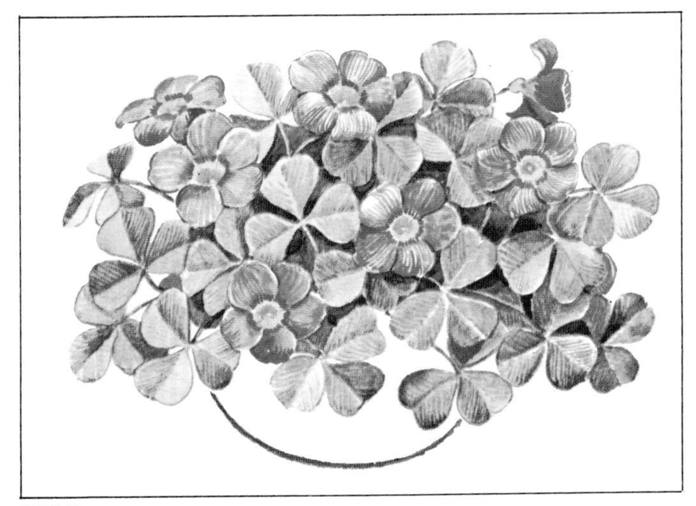

OXALIS
Oxalis purpurea «Grand Duchess»

P

PACHYSTACHYS
P. lutea («Plante sucre d'orge»)

P. lutea, plante d'appartement dont la vogue est relativement récente, devient de plus en plus repandue grâce à sa longue période de floraison, du printemps à l'hiver. C'est un arbuste qui atteint 60 cm environ de haut, aux feuilles longues, ovales et pointues, et aux épis terminaux voyants garnis de fleurs blanches et de bractées brillantes de couleur orange.

CULTURE. Les pachystachys requièrent des températures nocturnes de 10 à 13°C, et diurnes de 18°C ou plus. Arrosez dès que nécessaire, et laissez le sol sécher presque complètement entre deux arrosages.

Fertilisez toutes les trois semaines pendant la période végétative. La multiplication se fait par bouturage des tiges tendres, auxquelles vous ferez prendre racine au printemps ou au début de l'été dans un local bien chauffé.

Illustration de Pamela Freeman

«PLANTE SUCRE D'ORGE»
Pachystachys lutea

PAPHIOPEDILUM, autrefois appelé CYPRIPEDIUM
P. callosum; P. hybride (Sabot de Vénus)

Les paphiopédilums ont des feuilles coriaces semblables à des courroies, parfois ponctuées de taches claires et foncées, parfois vert uni. Les premières sont les plus faciles à cultiver à la chaleur des appartements équipés d'un chauffage central, ou des serres; celles qui ont un feuillage vert clair requièrent des températures trop basses pour pouvoir se prêter à la culture en appartement. *P. callosum,* espèce hors ligne qui fleurit au printemps et en été, porte des fleurs simples de 10 cm sur des tiges dressées de 25 à 40 cm de haut. Leurs pétales vert pâle, aux pointes pourpre rosé, sont verruqueux et velus sur leurs bords supérieurs; le labelle en forme de bourse est pourpre brunâtre; les larges sépales foliacés, blancs veinés de pourpre. Les hybrides n'excèdent généralement pas 40 cm de haut. Ils portent des fleurs de 8 à 12 cm dont les coloris vont du blanc et jaune au rose, vert et brun; chaque fleur est généralement panachée (*photographie, page 57*) et dure souvent plus d'un mois.

CULTURE. Les paphiopédilums à feuilles mouchetées préfè-

FLEUR DE LA PASSION
Passiflora x *alato-caerulea*

GÉRANIUM DES JARDINS
Pelargonium x *hortorum* «Skies of Italy»

rent les endroits partiellement ombragés; une lumière trop vive jaunit les feuilles et réduit la durée de floraison. Les températures nocturnes de 18 à 21° C, et diurnes de 24° C, ou plus, sont idéales. Plantez-les dans un compost composé à parts égales de racines de fougères, de sphagnum et de terre de jardin tamisée. En cas de trop grande sécheresse, placez le pot sur un plateau humidificateur (*page 82*). Fertilisez tous les mois avec un engrais riche en azote, dilué à raison d'1/4 de cuillerée à café dans 1 litre d'eau. La multiplication s'opère par division des touffes.

PASSIFLORA
P. x *alato-caerulea; P. caerulea; P. coccinea; P. edulis* (grenadille); *P. trifasciata* (tous appelés Fleur de la Passion)

Accrochées par leurs vrilles à des treillages ou des tuteurs, ou courant sur un cordon dans l'embrasure d'une fenêtre, les Fleurs de la Passion, plantes grimpantes, ont des fleurs singulières, formées de 10 pétales externes et d'une auréole complexe, émergeant de feuilles profondément lobées. *P. caerulea,* la plus facile à cultiver, a un grand pouvoir d'acclimatation; ses fleurs odorantes bleu et blanc ont 10 cm de diamètre, et ses feuilles 5 à 7 lobes; *P.* x *alato-caerulea,* un hybride de cette espèce, requiert une plus grande chaleur; ses fleurs odorantes pourpres, roses et blanches, ont 10 cm de diamètre; ses feuilles sont lisses et atteignent 10 à 15 cm; *P. coccinea* a des fleurs écarlates de 10 à 12 cm et des feuilles ovales, rêches, de 8 à 15 cm; *P. edulis,* des fleurs pourpre et blanc de 6 cm, suivies de fruits ovoïdes pourpres ou jaunes, et des feuilles brillantes de 10 à 15 cm; *P. trifasciata,* des fleurs odorantes blanc jaunâtre de 3 à 4 cm et des feuilles de 10 à 15 cm, pourpres sur le revers, vert olive ou vert bronze, tacheté de rose argenté, sur la face supérieure.

CULTURE. Les Fleurs de la Passion prospèrent mieux dans des plates-bandes, des serres froides ou chauffées, mais se cultivent également dans des bacs ou de grands pots remplis d'un compost à base de terre de jardin, dans des halls ensoleillés et bien chauffés, ou tout endroit bien éclairé. Elles requièrent 4 heures par jour au moins d'ensoleillement, des températures nocturnes de 13 à 18°C, et diurnes de 20°C ou plus. *P. caerulea* préfère toutefois des températures plus fraîches et se montre résistante en plein air dans de nombreuses régions. Maintenez le sol humide; fertilisez tous les 15 jours pendant la période de croissance. Laissez le sol sécher légèrement quand les plantes sont au repos. Taillez les plantes sur une hauteur de 15 cm en janvier, pour en stimuler la ramification. La multiplication se fait par bouturage de tiges ou par semis en toute saison.

PELARGONIUM
P. crispum; P. denticulatum; P. graveolens; P. odoratissimum; P. tomentosum (tous appelés Géranium à feuilles odorantes); *P.* x *hortorum,* ou *P. zonale* hybride (Géranium des jardins); *P.* x *domesticum,* ou *P. grandiflorum* hybride (Pélargonium des Fleuristes); *P. peltatum* (Géranium à feuilles de Lierre)

Les géraniums font partie des plantes à fleurs les plus cultivées en pots dans le monde. Les variétés qui se prêtent le mieux à la culture en appartement sont celles de *P.* x *hortorum,* dont la hauteur varie de 10 à 90 cm et dont les fleurs, groupées en ombelles de 10 cm de diamètre, sont rouges, blanches, roses ou lavande; la plupart d'entre elles fleurissent du printemps à la fin de l'automne. Leurs feuilles tendres et pelucheuses, en forme de fer à cheval, sont rayées de bandes bronze ou marron; d'autres ont des feuilles maculées ou marginées de rose, de rouge ou de blanc. Les géraniums à feuilles odorantes et à floraison printanière se cultivent également beaucoup en intérieur, notamment *P. crispum* (fleurs violettes dont le parfum rappelle celui du citron), *P. denticulatum* (fleurs lavande à parfum de pin), *P. graveolens* (fleurs pourpre rosé à l'odeur de rose), *P. odoratissimum* (fleurs blanches sentant la pomme), et *P. tomentosum* (fleurs blanches à l'odeur de menthe). Tous ces géraniums s'élèvent à une hauteur de 30 à 90 cm. *P.* x *domesticum* a des couleurs nuancées de rose, blanc et pourpre, généralement veinées ou striées d'autres nuances et parfois marginées de blanc. Atteignant 35 à 60 cm de haut, il a un port buissonnant, de grosses ombelles de fleurs et des feuilles palmées, dentées, vert uni. Les variétés du Géranium à feuilles de Lierre, *P. peltatum,* portent des ombelles de 5 à 8 cm de fleurs blanches, roses, rouges ou lavande, de la fin du printemps à l'automne.

CULTURE. Les géraniums requièrent 4 heures par jour au moins d'ensoleillement, des températures nocturnes de 10 à 13°C, et diurnes de 20 à 22°C ; ils supportent toutefois jusqu'à 18°C la nuit. Laissez le terreau sécher légèrement entre deux arrosages. Fertilisez tous les 15 jours de mars à octobre, une fois par mois le reste de l'année. La multiplication se fait par bouturage de tiges au printemps ou en été.

PENTAS

P. lanceolata, ou *P. carnea* («Étoile égyptienne»)

Ces plantes portent des fleurs de 12 mm, réunies en ombelles de 10 cm de diamètre ; les feuilles ovales et velues, longues de 8 à 10 cm, sont souvent profondément veinées. Le cultivar «Orchid Star» a des fleurs lavande rosé. Il en existe également des roses et des blancs. On maintient généralement ces plantes, à port élancé et buissonnant, à une hauteur de 30 à 45 cm, en pinçant les pousses terminales. Les pentas sont des plantes qui fleurissent à longueur d'année.

CULTURE. Ces plantes requièrent 4 heures par jour d'ensoleillement, des températures nocturnes de 10 à 18°C, et diurnes de 20°C ou plus. Maintenez le sol humide en permanence et fertilisez tous les 15 jours. La multiplication des pentas se fait par bouturage de tiges au printemps.

PETUNIA

P. x *hybrida* (Pétunia hybride)

Les pétunias sont d'excellentes plantes d'appartement bien qu'ils ne durent qu'une seule saison. Les fleurs, qui atteignent 10 cm de diamètre, sont souvent frangées et de couleurs variées allant du blanc et jaune pâle au bleu et pourpre foncé en passant par le rose et le rouge ; certaines variétés sont panachées. Elles sont à la fois simples et doubles. Ces plantes atteignent ou dépassent 15 à 30 cm de haut.

CULTURE. Les pétunias requièrent 4 heures par jour au moins d'ensoleillement, des températures diurnes de 16°C environ. L'hiver, il leur faut des températures nocturnes de 10 à 13°C ; si elles sont plus élevées, les boutons floraux ne pourront pas se développer convenablement. Laissez le terreau sécher légèrement entre deux arrosages. Fertilisez tous les 15 jours. Les meilleures plantes à floraison hivernale proviennent des plants repiqués au milieu de l'été et cultivés, dès le départ, dans un local froid, de préférence à l'extérieur.

Pour obtenir des plantes à port buissonnant, pincez les pousses terminales quand les plantes atteignent 8 à 10 cm de haut ; les plantes cultivées en pleine terre, pincées puis rempotées en septembre, fleurissent parfois tout l'hiver en intérieur.

PHALAENOPSIS

P. amabilis ; P. hybride (tous appelés «Orchidée mite»)

Agrémentant très souvent des bouquets de mariage, ces Orchidées portent des fleurs plates de 8 à 10 cm, blanches, roses, jaunes ou pourpres, souvent maculées ou zébrées de couleurs contrastées. Les fleurs peuvent pousser par douzaines simultanément sur des tiges arquées, souvent ramifiées, de 0,60 à 1,20 m de long. Le feuillage — composé de 5 ou 6 feuilles lustrées, longues de 30 cm sur 5 à 7 cm de large — dépasse rarement 30 cm de haut. La plupart des cultivars cultivés de nos jours sont issus de *P. amabilis,* dont les labelles sont teintés de jaune et tachetés de rouge (*photographie, page 59*). La plupart des espèces fleurissent au printemps, mais certains cultivars peuvent s'épanouir en toute saison, voire à longueur d'année.

«ÉTOILE ÉGYPTIENNE»
Pentas lanceolata «Orchid Star»

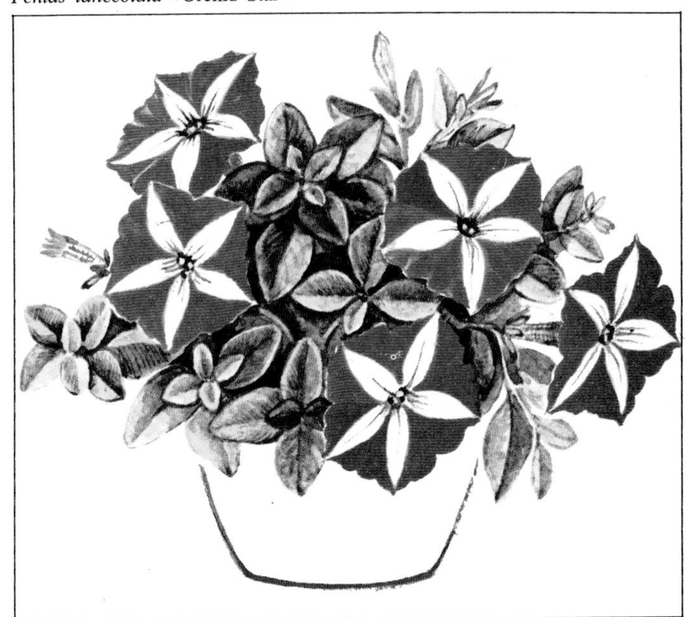

PÉTUNIA
Petunia hybride

CULTURE. Les phalaenopsis requièrent une lumière vive sans ensoleillement, ou tamisée par un rideau, des températures nocturnes de 18 à 24°C, et diurnes de 24°C ou plus. Plantez-les dans un mélange composé à parts égales de sphagnum et de racines de fougères, additionné d'un peu de terreau de feuilles. Placez le pot sur un plateau humidificateur (*page 82*) et maintenez le terreau humide. Fertilisez tous les mois avec un engrais riche en azote, dilué à raison d'1/4 de cuillerée à café dans 1 litre d'eau. Pour favoriser la ramification et la floraison, taillez les tiges au ras de la fleur de base dès que les fleurs ont fané.

PHARBITIS Voir *Ipomoea*

PHYLLOCACTUS Voir *Epiphyllum*

PRIMEVÈRE MALACOÏDE
Primula malacoides

PRIMULA

P. malacoides (Primevère malacoïde); *P. obconica* (Primevère obconique); *P. elatior* hybride (Primevère des jardins)

Ces trois sortes de primevères apportent, en hiver, une note de printemps dans les appartements. La plus gracieuse, *P. malacoides,* porte des fleurs en ombelles superposées, de 2 à 3 cm ou moins de diamètre, de teintes roses, rouges ou blanches, portées sur des hampes grêles de 20 à 25 cm.

Des fleurs plus grosses et odorantes en panicules, atteignant 5 cm de diamètre, ornent les deux autres; *P. obconica* porte des fleurs aux coloris rouges, roses, lavande et blancs (mais dont les feuilles recouvertes de poils urticants peuvent provoquer une inflammation cutanée), et la Primevère des jardins, plus courte, des fleurs blanches, jaunes, roses, rouges, lavande, bleues ou pourpres, simples ou doubles.

Ces trois sortes de primevères s'achètent généralement en fleur chez les fleuristes et se jettent après floraison. Les Primevères des jardins, issues du croisement de *P. vulgaris* et *P. veris* (coucou), toutefois, peuvent se transplanter dans un jardin ombragé en vue de leur floraison au cours des années suivantes en tant que plantes vivaces rustiques.

CULTURE. Les primevères requièrent une lumière vive sans ensoleillement, ou tamisée par un rideau, des températures nocturnes de 4 à 10°C, et diurnes de 20°C ou moins. Maintenez le terreau légèrement humide; fertilisez tous les 15 jours. La multiplication peut s'effectuer par semis en pleine terre, ou en terrine sous châssis froid, dès que les graines sont parvenues à maturation. Faites-les pousser ensuite dans un endroit frais.

GRENADIER NAIN
Punica granatum «Nana»

PUNICA

P. granatum «Nana» (Grenadier nain)

La grenade, l'un des plus vieux fruits cultivés, était connue des Romains sous le nom de «Pomme de Carthage». *P. granatum* «Nana» un cultivar nain, ne dépasse pas 35 cm de haut. Ses fleurs rouge orangé, en forme de clochettes de 2 à 3 cm, s'épanouissent à longueur d'année, mais surtout au printemps et en été, et donnent parfois des fruits rouges comestibles de 5 cm. Il existe aussi un cultivar à fleurs doubles appelé «Pleniflora».

CULTURE. Les grenadiers requièrent 4 heures par jour au moins d'ensoleillement, des températures nocturnes de 13 à 16°C, et diurnes de 20 à 22°C. Maintenez le sol humide et fertilisez tous les 3 ou 4 mois. La multiplication s'effectue par bouturage de tiges ou par semis, en été.

R

RECHSTEINERIA

R. cardinalis («Fleur cardinal»); *R. leucotricha* («Edelweiss brésilien»); *R. verticillata* («Plante deux-ponts»)

Ces Gesnériacées tubéreuses, qui atteignent 30 à 45 cm de haut, font d'excellentes plantes d'appartement à longue floraison, avec leurs fleurs tubuleuses de 2 à 5 cm qui émergent de feuilles velues, généralement en forme de cœur, de 10 à 15 cm. *R.*

cardinalis, rouge vif, fleurit presque toute l'année si l'on supprime les tiges âgées. *R. leucotricha* a des fleurs rose saumon et peut fleurir pendant un mois, de décembre à mai. *R. verticillata,* dont les fleurs pourpres tachetées de rose s'étagent au-dessus du feuillage, fleurit au printemps.

CULTURE. Les Rechsteinérias requièrent une lumière vive sans ensoleillement, ou tamisée par un rideau, mais peuvent être exposés directement au soleil en hiver; *R. cardinalis* et *R. leucotricha* poussent également très bien sous un éclairage artificiel de 14 à 16 heures par jour. Les températures nocturnes de 18 à 21°C, et diurnes de 24°C sont idéales. Plantez-les dans un mélange composé de 2 parts de tourbe, 1 part de compost standard et 1 part de sable granuleux. Placez les pots sur un plateau humidificateur (*page 43*). Arrosez par le bas afin de ne pas mouiller les feuilles ou les fleurs. Laissez le terreau sécher très légèrement entre deux arrosages et fertilisez tous les mois pendant la période de croissance; réduisez vos arrosages et cessez tout apport d'engrais pendant le reste de l'année. La multiplication se fait avec des boutures prélevées au pied de la plante, en conservant une partie attachée au vieux tubercule; enracinez-les dans un mélange composé à parts égales de sable et de tourbe, sous un châssis chaud au début du printemps; ces trois espèces peuvent se reproduire par semis.

«FLEUR CARDINAL»
Rechsteineria cardinalis

RHIPSALIDOPSIS
R. gaertneri, ou *Schlumbergera gaertneri* («Cactus de Pâques»); *R.* x *graeseri; R. rosea*

R. gaertneri, que l'on confond souvent avec *Zygocactus truncatus* *(page 151),* requiert plus de chaleur et d'humidité que cette espèce et fleurit plus tardivement, à partir du mois d'avril. Ses tiges plates et vertes, longues de 5 cm, faisant office de feuilles, s'étagent en séries; elles sont légèrement crantées sur les bords. Ses fleurs étoilées écarlates, longues de 4 cm, durent 8 semaines environ. *R. rosea* est rose, *R.* x *graeseri,* rouge orangé et carmin. Toutes ces espèces atteignent 30 à 45 cm de haut.

CULTURE. Ces Cactées requièrent une lumière vive sans ensoleillement, ou tamisée par un rideau, des températures nocturnes de 10 à 13°C jusqu'à l'apparition des boutons floraux; à cette période la température doit être de 16 à 18°C. Les températures diurnes de 21°C ou plus sont idéales. Cultivez-les dans un compost à base de tourbe, dépourvu de calcaire. Fertilisez les plantes de temps à autre pendant la période de croissance avec un engrais spécial pour cactus. La multiplication de *R. gaertneri* peut s'effectuer par semis ou par bouturage des articles terminaux enracinés en été sur souche chaude.

«CACTUS DE PÂQUES»
Rhipsalidopsis gaertneri hybride

RHODODENDRON
R. simsii (Azalée de l'Inde)

L'Azalée de l'Inde, dont les potées sont familières, porte de petites feuilles persistantes, nettement découpées, et des panaches de fleurs rouges, roses, blanches ou panachées de 2 à 10 cm qui s'épanouissent pendant 2 ou 4 semaines à la fin de l'hiver ou au début du printemps. Ces plantes atteignent 15 à 60 cm de haut.

CULTURE. *R. simsii* requiert 4 heures par jour au moins d'ensoleillement, ou une lumière vive sans ensoleillement, des températures nocturnes de 4 à 13°C, et diurnes de 20°C ou moins. La culture se fait dans un mélange composé de 2 parts de tourbe, 1 part de compost standard et 1 part de sable granuleux; n'ajoutez pas de calcaire. Maintenez le terreau humide. Fertilisez avec un engrais acide tous les 15 jours, dès que le feuillage a fané, au printemps, et jusqu'à l'apparition des boutons à la fin de l'été. Ne dispensez aucun engrais en automne et en hiver, ni lorsque les plantes sont en fleur. Si les feuilles perdent leur riche couleur verte, humectez le sol une fois par mois avec une solution composée de 25 g de sulfate de fer dans 8 litres d'eau, ou un composé à base de fer que vous administrerez conformément aux instructions du fabricant. La multiplication se fait par bouturage des tiges de l'année.

AZALÉE DE L'INDE
Rhododendron simsii (cultivar)

RHYNCHOSPERMUM Voir *Trachelospermum*

RICHARDIA Voir *Zantedeschia*

RODRIGUEZIA

R. venusta

Ces Orchidées miniatures portent des tiges arquées de 15 cm garnies de fleurs odorantes de 4 cm, blanches ou incarnat, avec une tache oblongue jaune sur le labelle *(photographie, page 60)*. Les fleurs s'épanouissent à différentes époques de l'année, normalement en été et en automne, parmi des feuilles allongées de 10 à 12 cm.

CULTURE. Les rodriguézias requièrent une lumière vive sans ensoleillement, ou tamisée par un rideau, des températures nocturnes de 13 à 18°C, et diurnes de 20°C ou plus. Plantez-les dans un mélange composé de 2 parts d'écorce de sapin ou de racines de fougères pulvérisées et 1 part de tourbe grossière, ou cultivez-les à la verticale sur une souche de fougère. Placez le pot sur un plateau humidificateur *(page 82)* et maintenez le terreau humide en permanence. Fertilisez tous les mois avec un engrais riche en azote, qu'il vous faudra diluer à raison d'1/4 de cuillerée à café dans 1 litre d'eau.

ROSIER MINIATURE
Rosa chinensis «Minima»

ROMARIN RAMPANT
Rosmarinus lavandulaceus

ROSA

R. chinensis «Minima», ou *R.* «Roulettii» (Rosier miniature)

Les Rosiers miniatures font d'excellentes plantes d'appartement et fleurissent abondamment toute l'année. Leurs fleurs odorantes de 2 à 4 cm, blanches, nuancées de rose, rouge et jaune, ou panachées, émergent de petites feuilles à 5 folioles. Les nombreux cultivars atteignent à complet développement 15 à 30 cm de haut; certains fleurissent déjà lorsqu'ils n'ont que 8 à 10 cm de haut.

CULTURE. Les Rosiers miniatures requièrent 4 heures par jour au moins d'ensoleillement, des températures nocturnes de 10 à 18°C, et diurnes de 20°C ou plus. Maintenez le sol humide en permanence et fertilisez tous les 15 jours. Pour éviter que des araignées rouges n'en sucent la sève, lavez de temps à autre les feuilles à grande eau — en particulier le revers.

La multiplication s'effectue par bouturage de tiges au milieu de l'été ou par semis — toutefois, ce dernier mode de propagation n'est pas à recommander.

ROSMARINUS

R. officinalis (Romarin); *R. lavandulaceus,* ou *R. officinalis prostratus* (Romarin rampant)

Le romarin, utilisé depuis des siècles comme condiment, fait également bel effet sur un rebord de fenêtre. Ses fleurs odorantes bleu violet à deux lèvres, de 12 à 20 mm de diamètre, s'épanouissent au printemps et en été; les feuilles aromatiques, longues de 2 à 5 cm, sont vert foncé sur la face supérieure et blanches sur le revers. On peut maintenir *R. lavandulaceus,* espèce plus tendre à port ramassé, à 35 cm de haut en pinçant ses pousses terminales (les pousses de cette espèce peuvent également servir en cuisine comme condiment).

CULTURE. Le romarin requiert un ensoleillement, des températures nocturnes de 10 à 13°C, et diurnes de 20 à 22°C. Laissez le sol sécher légèrement entre deux arrosages; fertilisez tous les deux ou trois mois.

La propagation du romarin s'effectue normalement au milieu de l'été par bouturage de tiges attachées à une lamelle de vieux bois. Plantez les boutures sous un châssis froid.

RUELLIA

R. graecizans, ou *R. amoena; R. macrantha*

La ruellie la plus délicate que l'on puisse cultiver en appartement est peut-être *R. macrantha,* plante herbacée de 60 à 90 cm qui porte, en hiver et au printemps, des fleurs rose-rouge, en forme d'entonnoir, de 5 cm, et des feuilles ovales de 10 à 15 cm.

R. graecizans porte des fleurs cramoisies, tubuleuses, de 5 cm, de l'hiver au printemps, couronnant des tiges rameuses atteignant 45 à 60 cm de hauteur.

CULTURE. Les ruellies requièrent une lumière vive sans ensoleillement, ou tamisée par un rideau; des températures nocturnes de 13 à 18°C, et diurnes de 20°C leur conviennent parfaitement. Mettez-les en pot dans un mélange composé de 2 parts de tourbe, 1 part de compost standard et 1 part de sable granuleux. Maintenez le sol humide en permanence et fertilisez tous les mois pendant la période de croissance. Toutefois, réduisez vos arrosages et cessez tout apport d'engrais pendant la période de repos. Les plantes âgées ayant tendance à se dégarnir, nombre de jardiniers en cultivent de nouvelles, obtenues par bouturage de tiges, effectué au printemps ou en été.

RUELLIE
Ruellia macrantha

RUSSELIA

R. equisetiformis, ou *R. juncea* («Plante corail», «Plante fontaine»)

Les rameaux arqués vert vif de *R. equisetiformis,* garnis de fleurs tubuleuses écarlates, longues de 2 à 5 cm, peuvent retomber en cascade sur 90 cm ou plus. Ces plantes se prêtent donc particulièrement bien à la culture en suspensions. Elles fleuriront abondamment durant l'été si vous les placez dans des conditions optimales de culture.

Les rameaux qui, à première vue, semblent dénudés sont en fait couverts de minuscules feuilles semblables à des écailles.

CULTURE. Ces plantes requièrent 4 heures par jour au moins d'ensoleillement, des températures nocturnes de 10 à 13°C, et diurnes de 20 à 22°C. Laissez le sol sécher modérément entre deux arrosages et fertilisez tous les quinze jours avec un engrais dilué durant toute l'année. La multiplication des russélies se fait par bouturage de tiges en été.

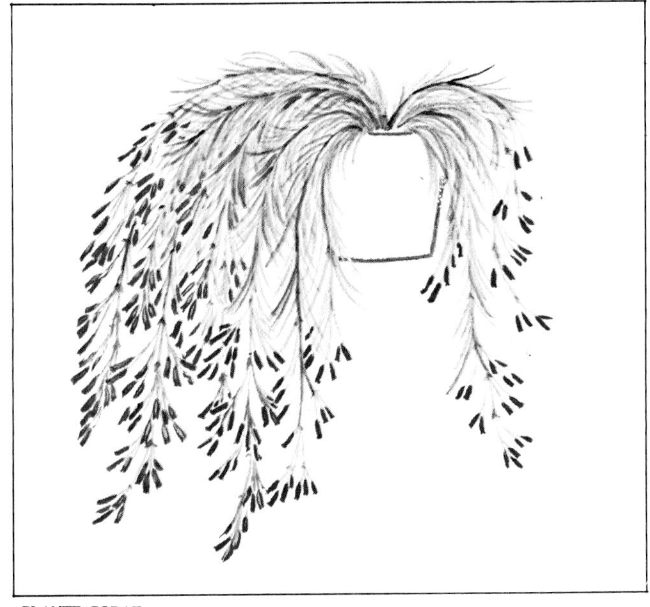

«PLANTE CORAIL»
Russelia equisetiformis

S

SAINTPAULIA

S. ionantha (Violette du Cap)

Les Saintpaulias font partie des plantes d'appartement les plus répandues. Il existe de nombreuses variétés de *S. ionantha* et de nouveaux hybrides ne cessent d'être répertoriés, notamment le groupe «Diana». Bien entretenues, ces Gesnériacées fleurissent presque sans discontinuité, en produisant des ombelles de fleurs veloutées de 3 à 4 cm, roses, bleues ou pourpres comme blanches ou bicolores, pourvues d'étamines proéminentes jaunes. Les fleurs peuvent être simples, à 5 pétales, ou doubles; les bords des pétales sont lisses, festonnés ou crispés. Ces plantes peuvent généralement atteindre 10 à 15 cm de haut, et portent des fleurs qui dépassent de feuilles veloutées variant du vert au bronze et, chez certaines variétés, mouchetées de rose ou de blanc.

CULTURE. Les saintpaulias requièrent une lumière vive sans ensoleillement, ou tamisée par un rideau, ou bien un éclairage artificiel de 14 à 16 heures par jour. Les températures idéales sont de 16 à 18°C ou plus. Ces plantes ne supportent pas une atmosphère chaude et sèche, ni le plein ensoleillement. Plantez-les dans un mélange composé de 2 parts de tourbe, 1 part de compost standard et 1 part de sable granuleux. Placez le pot sur un plateau humidificateur (*page 43*). Arrosez à l'eau douce, de préférence par le bas du pot. Si vous mouillez les feuilles, elles risquent de se maculer et de tomber.

Fertilisez les saintpaulias une fois par mois avec un engrais liquide pour plantes d'appartement faiblement dosé, excepté pendant la période de repos. Dans ce cas, laissez le terreau à peine humide et ne dispensez aucun engrais. La multiplication se fait en été par boutures de feuilles que vous repiquerez par le pétiole, dans de l'eau ou dans un mélange de sable et de compost à base de tourbe. Rempotez ensuite les jeunes pousses dans un terreau approprié. La multiplication par semis, qui se fait au printemps, est plus délicate et donne de moins bons résultats.

VIOLETTE DU CAP
Saintpaulia ionantha hybride

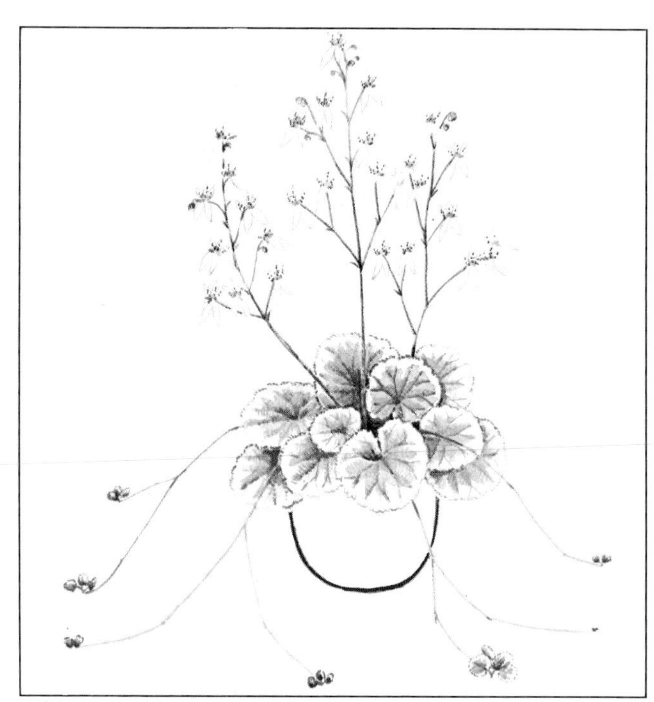

«MÈRE DE MILLIERS»
Saxifraga stolonifera «Tricolor»

SCHIZOCENTRON
Schizocentron elegans

SCILLE DE SIBÉRIE
Scilla siberica «Spring Beauty»

SAXIFRAGA

S. stolonifera, ou *S. sarmentosa* («Mère de milliers»)

S. stolonifera est une plante touffue aux feuilles arrondies et velues de 2 à 4 cm, d'un vert moyen, à revers rougeâtres, et veinées d'argent. De nombreux filets stolonifères rouges retombent sur 45 cm et portent de jeunes plantules à leurs extrémités — caractéristique qui en fait des plantes très décoratives en suspension et en potées montées sur piédestal. Les fleurs blanches apparaissent en été par grappes lâches de 20 à 30 cm, dotées d'1 ou 2 pétales plus gros que les autres.

S. stolonifera «Tricolor» est une plante légèrement plus petite; ses feuilles vert et crème sont pointillées de rose et de rose pourpré sur le revers.

CULTURE. Ces plantes préfèrent les endroits légèrement ombragés; elles requièrent des températures nocturnes de 4 à 7°C (mais supportent jusqu'à 16°C), et diurnes de 20°C ou moins. Laissez le sol sécher légèrement entre deux arrosages. Pour rendre le feuillage encore plus coloré, fertilisez les plantes avec parcimonie tous les trois ou quatre mois. La multiplication s'effectue par séparation des stolons (*page 93*).

SCHIZOCENTRON

S. elegans, ou *Heeria elegans, Heterocentron elegans*

Cette plante rampante ravissante convient particulièrement bien aux suspensions; elle produit d'abondantes fleurs satinées pourpre rosé, de 2 à 3 cm de diamètre, à la fin du printemps ou au début de l'été. Ses feuilles vert foncé, en forme de losange, mesurent environ 12 mm de long.

CULTURE. Le schizocentron préfère les endroits partiellement ombragés, des températures nocturnes de 10 à 13°C, et diurnes de 20 à 22°C. Maintenez le sol humide en permanence et fertilisez tous les mois avec un engrais pour plantes d'appartement. La multiplication s'effectue par division de touffes.

SCILLA

S. siberica (Scille de Sibérie); *S. mischtschenkoana,* ou *S. tubergeniana*

Les scilles, dont les bulbes plantés en pleine terre à l'extérieur fleurissent au début du printemps, sont aussi des plantes d'appartement ravissantes à floraison hivernale; elles produisent une touffe de feuilles vertes, lisses et en forme de ruban, au centre de laquelle naissent des fleurs campanulées d'aspect cireux. *S. siberica* porte des fleurs bleu foncé de 12 à 25 mm de diamètre, réunies en épis de 15 cm, qui émergent au-dessus de feuilles larges de 12 mm et atteignant 20 à 30 cm de haut; la variété «Spring Beauty», qui peut atteindre environ 25 cm de haut, possède des fleurs bleues de 3 à 4 cm. *S. mischtschenkoana* porte des fleurs bleu pâle presque blanc, de 4 cm de diamètre, et mesure environ 15 cm de haut.

CULTURE. Les scilles préfèrent le plein soleil ou un léger ombrage, des températures nocturnes de 4 à 7°C, et diurnes de 20°C ou moins. Mettez les bulbes en pots au début de l'automne et placez-les dans un local frais et obscur pendant 8 à 10 semaines avant de les exposer à la lumière.

Maintenez le sol humide pendant la période de croissance. Ne dispensez aucun engrais. Une fois que les fleurs se sont fanées et que le feuillage s'est flétri, conservez soigneusement les bulbes afin de les mettre en pleine terre la saison suivante.

SENECIO

S. confusus («Flamme mexicaine»); *S. cruentus,* ou *Cineraria cruenta* et *Cineraria* hybride (Cinéraire hybride); *S. mikanioides*

Ces plantes, aux riches coloris, agrémentent très bien des jardins intérieurs, en particulier en hiver et au printemps. *S. confusus,* plante grimpante originale, porte des bouquets de fleurs en forme de marguerite de 4 cm de diamètre, orangé brillant, qui peuvent s'épanouir à tout moment dans l'année. *S. mikanioides* produit des bouquets odorants, de 3 à 8 cm, de fleurs jaunes de

8 mm de diamètre seulement. On peut maintenir ces deux espèces à une taille assez basse, en pinçant l'extrémité des rameaux, pour orner des paniers suspendus. *S. confusus* peut se cultiver sur un treillage de 0,90 à 1,20 m. *S. cruentus* s'apparente aux cinéraires familiers des fleuristes. Toutes ces plantes, à floraison hivernale tardive, portent des fleurs en capitules nombreux, veloutés et semblables à des marguerites, couronnant des feuilles denses de 8 à 10 cm, vertes sur leur face supérieure et pourprées en dessous. Ces fleurs, de 10 cm de diamètre, sont de couleurs variées : blanches, roses, rouges, bleues ou pourpres avec centre bleu ou blanc ; certaines sont cerclées de diverses couleurs.

CULTURE. *S. confusus* et *S. mikanioides* prospèrent mieux dans une serre ; il leur faut 4 heures par jour au moins d'ensoleillement en hiver et une lumière vive tamisée par un rideau le reste de l'année. Les températures nocturnes de 10 à 13°C, et diurnes de 20 à 22°C sont idéales. Maintenez le sol humide et fertilisez une fois par mois. Taillez les plantes dégarnies après la floraison pour en stimuler la croissance. La multiplication se fait par bouturage de tiges. *S. cruentus* s'achète de préférence chez les fleuristes et se jette après que les fleurs ont fané. En pleine floraison cette espèce requiert une lumière vive sans ensoleillement, ou tamisée par un rideau, des températures nocturnes de 4 à 7°C, et diurnes de 20°C ou moins. Maintenez le sol humide ; ne dispensez aucun engrais et veillez à ce que les feuilles ne se dessèchent pas ; évitez-leur une lumière trop vive et manipulez-les avec délicatesse.

SERICOGRAPHIS Voir *Jacobinia*

SINNINGIA
S. pusilla ; S. speciosa (tous deux appelés Gloxinia)

Les plantes extrêmement répandues, considérées généralement comme des gloxinias, sont en fait des cultivars de *S. speciosa*, plante à fleurs tubéreuse qui pousse spontanément au Brésil. Les fleurs veloutées et campanulées de ces Gesnériacées sont très grosses puisqu'elles atteignent 8 à 15 cm de diamètre. Elles peuvent être simples, avec 5 lobes semblables à des pétales, ou doubles et dotées de nombreux lobes. Leurs couleurs sont variées : blanc, rose, rouge foncé, lavande et pourpre ; souvent marginées ou ponctuées de nuances contrastées, elles dépassent légèrement les touffes de feuilles ovales et veloutées de 12 cm. Ces plantes fleurissent en été et en automne, et traversent des périodes de repos. *S. pusilla*, curieux gloxinia miniature, porte des fleurs violettes de 12 mm.

CULTURE. Les sinningias requièrent une lumière vive indirecte, ou tamisée par un rideau, mais prospèrent également sous un éclairage artificiel de 14 à 16 heures par jour. Les températures idéales sont de 18 à 21°C la nuit, et de 24°C ou plus le jour. Placez *S. pusilla* sur un plateau humidificateur (*page 43*). Cultivez ces deux espèces dans un mélange composé de 2 parts de tourbe, 1 part de compost standard et 1 part de sable granuleux. Maintenez le terreau humide et fertilisez tous les mois pendant la période de croissance. Après la floraison, réduisez progressivement vos arrosages jusqu'à complet dépérissement du feuillage. Entreposez les tubercules dans un local sec. Au début du printemps, rempotez-les dans un terreau frais et cultivez-les à nouveau à une température de 21°C. La multiplication de ces deux espèces s'effectue par bouturage de feuilles ou semis.

SMITHIANTHA, autrefois connu sous le nom de NAEGELIA
S. cinnabarina ; S. zebrina ; S. hybride, ou *S.* x *hybrida* (toutes appelées « Cloche du temple »)

Les fleurs tubulées, longues de 4 cm, de ces Gesnériacées, sont blanches, roses, rouges, orange ou jaunes, souvent tigrées ou maculées de couleurs contrastées. Elles fleurissent du milieu de l'été à l'automne. Les feuilles ont la forme d'un cœur, de couleur vert foncé ; elles sont souvent marbrées de rouge et de pourpre et recouvertes de petits poils rouges. *S. cinnabarina* porte

EN HAUT : « FLAMME MEXICAINE »
Senecio confusus

EN BAS : CINÉRAIRE HYBRIDE
Senecio cruentus

GLOXINIA
Sinningia speciosa hybride

de très belles fleurs rouges, roses ou rouge orange.

Les hybrides de *S. zebrina,* espèces à port buissonnant, ont des fleurs tachetées de jaune, de rose et de rouge. Parmi les centaines d'hybrides de smithianthas cultivés au cours de ces dernières années, il faut citer deux variétés exceptionnelles : les « Butcher's Hybrids » britanniques et les « Cornell Hybrids » américains. La variété « Carmel », à fleurs rouges, appartient à cette dernière catégorie. Toutes atteignent 30 cm environ de haut.

CULTURE. Les smithianthas requièrent une lumière vive sans ensoleillement, ou tamisée par un rideau, mais peuvent également prospérer avec un éclairage artificiel de 14 à 16 heures par jour. Les températures nocturnes idéales sont de 18 à 21°C, diurnes de 24°C ou plus.

Plantez-les dans un mélange composé de 2 parts de tourbe, 1 part de compost standard et 1 part de sable granuleux ou de vermiculite. Maintenez le terreau humide ; fertilisez tous les mois pendant la période de croissance. Quand les plantes sont au repos, humectez le sol pour éviter que les rhizomes écailleux et charnus ne se déshydratent.

La multiplication se fait par division des rhizomes après la floraison, ou par boutures de feuilles.

« CLOCHES DU TEMPLE »
Smithiantha hybride « Carmel »

CERISIER DE JÉRUSALEM
Solanum pseudocapsicum

SOLANUM

S. capsicastrum (Cerisier d'amour ; Oranger du Savetier) ; *S. pseudocapsicum* (Cerisier de Jérusalem)

S. capsicastrum peut se cultiver comme plante annuelle, bisannuelle ou vivace. Son principal attrait ne réside pas dans ses fleurs blanches étoilées, de 12 mm, qui s'épanouissent en été, mais dans les fruits globuleux rouges, orange ou jaunes, de la grosseur d'une cerise, qui leur succèdent. Ces plantes sont particulièrement belles au milieu de l'hiver. Les feuilles sont étroites et vert foncé. Il en existe également à feuilles panachées. *S. pseudocapsicum,* espèce à peu près similaire, est plus robuste et porte des fruits plus volumineux. Ces deux espèces atteignent 25 à 30 cm de haut.

CULTURE. Ces deux espèces requièrent 4 heures par jour au moins d'ensoleillement, des températures nocturnes de 4°C, et diurnes de 10°C ou plus. Laissez le sol sécher légèrement entre deux trempages ; fertilisez une fois par mois. En tant que plantes annuelles, leur reproduction se fait généralement à partir de graines semées en février ou en mars. Il faut tailler au printemps, puis, après le départ de la nouvelle végétation, rempoter dans un nouveau compost, les plantes que l'on destine à une seconde végétation. Vous pourrez les laisser à l'air libre en été. Après la formation des baies, pulvérisez une pincée de sulfate de magnésie toutes les trois semaines pour prévenir la chute prématurée des feuilles et des fruits. Pincez les pousses terminales jusqu'à la fin du mois de juin pour épaissir les plantes. Rentrer les plantes à l'intérieur après l'automne.

x SOPHROLAELIOCATTLEYA

Hybrides de *Sophronitis, Laelia* et *Cattleya*

Ces plantes, à port compact, dépassent rarement 30 cm de haut, mais portent des fleurs, dont les coloris varient du lavande au rouge, de 10 à 18 cm de diamètre. Les fleurs peuvent apparaître à n'importe quelle époque et les plantes fleurissent souvent plusieurs fois dans l'année. Parmi les nombreuses variétés, on peut citer « Miami », variété américaine à fleurs écarlates *(photographie, page 58).*

CULTURE. Ces hybrides requièrent une lumière vive sans ensoleillement, ou tamisée par un rideau, des températures nocturnes de 13 à 18°C, et diurnes de 20°C ou plus. Plantez-les dans un mélange composé de 2 parts d'écorce de sapin ou de racines de fougères pulvérisées et 1 part de tourbe grossière. Placez le pot sur un plateau humidificateur *(page 82) ;* laissez le terreau sécher légèrement entre deux arrosages. Fertilisez une fois par mois avec un engrais riche en azote, dilué à raison d'1/4 de cuillerée à café dans 1 litre d'eau.

SPATHIPHYLLUM

S. wallisii («Voiles blanches»); *S.* «Mauna Loa»

Les spathiphyllums portent de belles fleurs blanches foliacées, à longue floraison, appelées spathes, qui virent au vert pomme avec l'âge et ressemblent étroitement aux fleurs des zantédeschias. *S. wallisii,* espèce à port buissonnant, fleurit au printemps et à nouveau en automne; «Mauna Loa», espèce très odorante, à fleurs plus grosses, ne fleurit normalement qu'au printemps, mais plusieurs fois dans l'année si on la cultive dans des pièces très bien chauffées. Ces deux espèces atteignent 30 à 45 cm de haut et ont des feuilles d'un vert foncé luisant, de 20 à 25 cm de long, qui se dressent sur des tiges rameuses et rendent les plantes très attrayantes même lorsqu'elles ne sont pas en fleur.

CULTURE. Les spathiphyllums préfèrent les endroits ombragés, sauf en hiver, période durant laquelle une lumière tamisée par un rideau leur est profitable. Les températures idéales sont de 16 à 18° C, la nuit, et 21° C ou plus le jour. Les spathiphyllums sont des plantes avides exigeant beaucoup d'humidité et d'engrais quand elles sont en pleine croissance, ainsi qu'un rempotage annuel. Plantez-les dans un mélange composé de 2 parts de tourbe, 1 part de compost standard et 1 part de sable granuleux. Maintenez le terreau humide et fertilisez tous les 2 ou 3 mois. La multiplication se fait par division au printemps.

«VOILES BLANCHES»
Spathiphyllum wallisii

SPREKELIA

S. formosissima, ou *Amaryllis formosissima* (Amaryllis Croix St-Jacques)

Au printemps, les sprékélias donnent des fleurs solitaires, semblables à des Orchidées, portées par des hampes florales roses de 30 à 45 cm; généralement, ces plantes bulbeuses ne donnent naissance qu'à une hampe florale, parfois deux. Les fleurs rouge foncé de 10 cm s'épanouissent avant, en même temps, ou après l'apparition des feuilles linéaires vertes, longues de 20 à 30 cm.

CULTURE. Les sprékélias requièrent 4 heures par jour au moins d'ensoleillement, des températures nocturnes de 16 à 18° C, et diurnes de 22° C ou plus, pendant leur période de croissance, de février à septembre, des températures nocturnes de 4 à 7° C, et diurnes de 20° C ou moins, quand ils sont au repos, en automne et au début de l'hiver. Maintenez le sol humide et fertilisez une fois par mois tant que le feuillage reste vert; laissez le terreau sécher et ne dispensez aucun engrais quand les plantes sont au repos. Rempotez tous les 3 ou 4 ans, en veillant à ce que le collet du bulbe émerge du sol. La multiplication peut s'effectuer par séparation des caïeux, mais ces derniers ne commenceront à fleurir qu'au bout de plusieurs années.

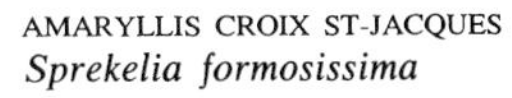

AMARYLLIS CROIX ST-JACQUES
Sprekelia formosissima

«JASMIN DE MADAGASCAR»
Stephanotis floribunda

STEPHANOTIS

S. floribunda («Jasmin de Madagascar»)

Le stéphanotis, longtemps très recherché pour la confection de bouquets de mariée, porte des fleurs blanches extrêmement odorantes sur de belles tiges volubiles, de mai à octobre. Les fleurs tubuleuses et cireuses, de 2 à 3 cm de diamètre environ, sont réunies en bouquets de 10 à 15 cm qu'entourent des feuilles coriaces vert foncé de 7 à 10 cm. Cette plante grimpante peut être palissée sur un petit treillage, conduite sur des fils tendus autour de l'embrasure d'une fenêtre ou cultivée comme plante à port buissonnant en pinçant ses jeunes rameaux.

CULTURE. Les stéphanotis requièrent 4 heures par jour au moins d'ensoleillement, des températures hivernales de 10 à 16° C, et estivales de 21° C ou plus. Ces températures excèdent celles des appartements, mais s'avèrent indispensables pour une riche floraison. Dans un local trop froid, les bourgeons tombent. Une serre chauffée leur convient le mieux. Maintenez le sol humide et fertilisez une fois par mois de mars à octobre. Laissez le terreau sécher légèrement et réduisez vos apports d'engrais de novembre à février. La multiplication s'effectue par bouturage de tiges auxquelles vous ferez prendre racine à des températures voisines de 29° C.

STRELITZIA

S. reginae (Oiseau de paradis)

Modelées comme des têtes d'oiseaux tropicaux, les fleurs magnifiquement colorées, de 15 cm, de cette plante exotique apparaissent généralement en été et en automne, parfois même à d'autres périodes, sur des hampes robustes, et émergent de feuilles lancéolées mesurant 7 cm environ de large sur 30 à 40 cm de long. Ces plantes, à croissance lente, atteignent ensuite une hauteur de 90 à 150 cm.

CULTURE. Les strélitzias requièrent 4 heures par jour au moins d'ensoleillement, des températures nocturnes de 10 à 13°C, et diurnes de 20 à 22°C. Laissez le sol sécher légèrement entre deux arrosages et fertilisez tous les 15 jours. Cultivez-les dans de grands bacs ou des jardinières, placés en plein soleil dans un hall ou une orangerie. Ne procédez à leur division qu'en cas d'absolue nécessité ; les plantes ainsi obtenues ne fleurissent qu'au bout de 2 ou 3 ans. Les plantes obtenues par semis ne donnent des fleurs qu'au bout de 5 à 10 ans.

OISEAU DE PARADIS
Strelitzia reginae

STREPTOCARPUS

S. rexii et hybrides ; *S.* x *hybridus* (« Primevère du Cap ») ; *S. saxorum*

Tirant leur nom de leur feuillage semblable à celui des primevères et de leur habitat naturel proche du cap de Bonne-Espérance, en Afrique du Sud, ces Gesnériacées peuvent se cultiver en vue de leur floraison au printemps, en été ou en automne. Les hybrides de *S. rexii* produisent des fleurs en forme de trompette, de 5 à 12 cm, blanches, roses, rouges, bleues ou pourpres, aux bords souvent crispés et aux gorges panachées. Les feuilles étroites, sans pétioles, gaufrées et oblongues, forment des rosettes, au ras du sol, de 25 à 50 cm de diamètre. Le cultivar anglais « Constant Nymph », de toute beauté, a des fleurs bleu lavande foncé qui s'ouvrent presque toute l'année mais ne produisent aucune graine. Une autre variété renommée porte le nom de « Wiesmoor » hybride. *S. saxorum,* espèce à port retombant, produit des fleurs bleu lavande en forme de trompette, de 3 à 4 cm de diamètre.

CULTURE. Les streptocarpus requièrent une lumière vive, sans ensoleillement, ou tamisée par un rideau, ou éventuellement un éclairage artificiel de 14 à 16 heures par jour. Ils préfèrent les températures nocturnes de 18 à 21°C, et diurnes de 24°C ou plus. Plantez-les dans un mélange composé de 2 parts de tourbe, 1 part de compost standard et 1 part de sable granuleux ou de vermiculite. Maintenez le terreau humide ; fertilisez une fois par mois pendant la période de croissance — toute l'année pour *S. saxorum,* qui n'a pas de période de repos. Dès que les hybrides de *S. rexii* cessent de fleurir, arrosez-les pour éviter que les feuilles ne se flétrissent.

Rempotez dès le départ de la nouvelle végétation — les plantes dorment généralement 2 à 3 mois. La multiplication des hybrides se fait pendant la période de repos par division ou par semis, ou bien par boutures de feuilles en toute saison ; pour *S. saxorum* elle s'effectue par boutures de tiges ou semis.

« BUISSON CONFITURE D'ORANGE »
Streptosolen jamesonii

STREPTOSOLEN

S. jamesonii (« Buisson confiture d'orange »)

Cette plante grimpante s'apprécie surtout pour ses grosses ombelles de fleurs tubuleuses orange vif, de 2 à 3 cm environ de diamètre, qui apparaissent en été et par intermittence toute l'année, parmi des feuilles ovales de 2 à 5 cm. Ces plantes constituent d'excellentes potées en serre ou dans des halls très ensoleillés. Palissées sur un tuteur, elles atteignent plus de 90 cm de haut. La nouvelle plante ainsi obtenue forme un petit arbre qui retombe gracieusement en parapluie.

CULTURE. Les stréptosolens requièrent 4 heures par jour au moins d'ensoleillement en hiver, une lumière vive indirecte, ou tamisée par un rideau, en été. Les températures idéales sont de 10 à 13°C la nuit, et de 20 à 22°C le jour. Maintenez le sol humide en permanence et fertilisez tous les mois avec un engrais pour plantes d'appartement. La multiplication se fait au printemps par boutures à talon ou rejetons.

T

TABERNAEMONTANA Voir *Ervatamia*

TETRANEMA

T. mexicanum («Digitale mexicaine»)

Le tétranéma est une plante d'appartement portant des fleurs de 6 mm de diamètre, dont les coloris varient du rose au pourpre, qui ressemblent à de petites digitales. Ces fleurs délicates et inclinées s'ouvrent en été, mais aussi par intermittence à longueur d'année, au sommet de hampes florales atteignant 15 à 20 cm de hauteur, qui s'élèvent du centre d'une rosette compacte de feuilles coriaces de couleur vert foncé.

CULTURE. Les tétranémas préfèrent les endroits partiellement ombragés, des températures nocturnes de 10 à 13° C, et diurnes de 20 à 22° C. Maintenez le sol humide en permanence; fertilisez tous les 15 jours. La multiplication se fait par division au printemps ou par semis.

«DIGITALE MEXICAINE»
Tetranema mexicanum

THUNBERGIA

T. alata («Thunbergia ailée»)

Bien que vivace, on cultive généralement *T. alata* comme plante annuelle, en Europe septentrionale. Cette plante forme d'excellentes potées, en particulier quand on la fait grimper sur un tuteur ou courir sur des fils légers dans l'embrasure d'une fenêtre; on peut encore la faire retomber en cascade d'un panier suspendu. Ses fleurs, larges de 2 à 5 cm, ont une gorge noire ou pourpre-noir et des pétales blancs, chamois, jaunes ou orange, aussi minces que du papier. Les tiges volubiles atteignent 0,60 à 1,20 m de long et portent des feuilles de 2 à 5 cm.

CULTURE. Semez les graines en mars dans des godets, puis rempotez, dès que possible, trois d'entre elles dans un pot de 15 cm, garni d'un compost additionné d'un peu de calcaire. Si vous ne pouvez procéder à cette opération, achetez des plants chez votre fleuriste. Ces plantes requièrent 4 heures par jour au moins d'ensoleillement des températures nocturnes de 10 à 16° C, et diurnes de 20 à 22° C.

Maintenez le sol humide en permanence et fertilisez tous les 15 jours pendant la période de croissance. Dès qu'elles deviennent dégarnies, taillez ces plantes grimpantes au ras du sol, si vous voulez obtenir une nouvelle végétation. La multiplication des thunbergias s'effectue par semis.

«THUNBERGIA AILÉE»
Thunbergia alata

TILLANDSIA

T. cyanea, ou *T. morreniana* («Penne rose»); *T. lindenii,* ou *T. lindeniana* («Torche à fleurs bleues»); *T.* x *duvalii*

La plupart des tillandsias cultivés comme plantes d'appartement ont des feuilles gris-vert très effilées et incurvées à leurs extrémités, en forme de rosettes lâches; au-dessus de ces rosettes, émergent des épis garnis d'une ou deux fleurs pendant plusieurs semaines au printemps.

T. cyanea produit un épi aplati rouge rosé, en forme de losange, à fleurs bleu foncé, atteignant 20 à 25 cm de haut, et a des feuilles de 15 cm de long.

T. lindenii émet une bractée en forme de pagaie, rose vif à fleurs bleues; sa rosette s'étale sur 30 à 35 cm de diamètre. *T.* x *duvalii* est un hybride de ces deux dernières espèces dont il combine les caractéristiques. Les tillandsias regroupent le genre de Broméliacées le plus vaste, dont la célèbre plante épiphyte connue sous le nom de «Mousse espagnole».

CULTURE. Les tillandsias requièrent une lumière vive sans ensoleillement, ou tamisée par un rideau, des températures nocturnes de 16 à 18° C, et diurnes de 21° C ou plus. Plantez-les dans un mélange composé de 2 parts de tourbe, 1 part de compost

«PENNE ROSE»
Tillandsia cyanea

standard et 1 part de sable granuleux ou de vermiculite, déposé sur une couche de drainage grossière, telle que des tessons de poterie. N'ajoutez pas de calcaire.

Maintenez le sol humide et fertilisez tous les mois avec un engrais dosé au quart, pendant la période de croissance. La multiplication se fait en détachant les rejets qui se développent au pied de la plante mère.

« JASMIN ÉTOILÉ CHINOIS »
Trachelospermum jasminoides

TRACHELOSPERMUM, ou RHYNCHOSPERMUM
T. asiaticum (« Jasmin étoilé japonais »); *T. jasminoides* (« Jasmin étoilé chinois »)

Ces plantes grimpantes à feuilles persistantes et à croissance lente, aux feuilles d'un vert luisant longues de 4 à 6 cm, produisent des fleurs étoilées odorantes de 12 à 25 mm, généralement au printemps et en été. *T. asiaticum* a des fleurs blanc crème. *T. jasminoides* porte des fleurs blanches. Un cultivar surnommé « Variegatum » produit des feuilles marginées et mouchetées de blanc.

Ces plantes peuvent se palisser sur des treillages relativement bas ou se cultiver sous forme buissonnante par pincement des pousses terminales.

CULTURE. Les trachélospermums requièrent 4 heures par jour au moins d'ensoleillement en hiver, une lumière vive sans ensoleillement, ou tamisée par un rideau, le reste de l'année. Les températures nocturnes de 10 à 13°C, et diurnes de 20 à 22°C sont idéales pour leur croissance. Laissez le sol sécher légèrement entre deux arrosages.

Fertilisez tous les 2 ou 3 mois. La multiplication se fait par bouturage de tiges à la fin de l'été.

GRANDE CAPUCINE
Tropaeolum majus

TRICHOCENTRUM
T. tigrinum

Ces Orchidées miniatures, qui atteignent rarement 15 cm de haut, portent des fleurs au parfum suave, à raison d'une ou deux par épi, au printemps et au début de l'été. Jaunes ou vert-jaune, les fleurs sont maculées de taches rouge-pourpre et pourvues d'un labelle très évasé blanc pur, mais à pointe rouge rosé (*photographie, page 60*).

Les feuilles, épaisses, longues de 10 à 12 cm, ont une face supérieure verte et un revers rougeâtre.

CULTURE. Les trichocentrums requièrent une lumière vive sans ensoleillement, ou tamisée par un rideau, des températures nocturnes de 13 à 21°C, et diurnes de 20°C ou plus. On peut les cultiver sur une souche de fougère ou dans un mélange composé de 2 parts d'écorce de sapin ou de racines de fougères pulvérisées et 1 part de tourbe grossière.

Placez le pot sur un plateau humidificateur (*page 82*) et maintenez le terreau humide en permanence. Fertilisez tous les mois avec un engrais riche en azote, dilué à raison d'1/4 de cuillerée à café dans 1 litre d'eau.

TRICHOSPORUM Voir *Aeschynanthus*

TROPAEOLUM
T. majus (Grande capucine)

Ces plantes annuelles, que vous pouvez obtenir pour un prix très raisonnable, fleurissent en été et en automne sur un rebord de fenêtre ensoleillé. Leurs fleurs, de 5 cm de diamètre, simples ou doubles, tendres et délicatement parfumées, pourvues d'un nombre restreint ou important de pétales, s'épanouissent sous des coloris variés allant du blanc, jaune, orange au rose, écarlate, rouge foncé et brun acajou, et sont souvent zébrées ou lavées de teintes contrastées. Elles apparaissent parmi des feuilles peltées de 4 à 6 cm de diamètre.

Les variétés naines atteignent 15 à 25 cm de haut; les types à port retombant ou grimpant sont d'un bel effet en suspensions et peuvent atteindre 1,10 m.

CULTURE. Les capucines requièrent 4 heures par jour au

moins d'ensoleillement, des températures nocturnes de 4 à 13°C, et diurnes de 20°C ou moins. Maintenez le sol humide et fertilisez tous les mois. Protégez ces plantes contre les thrips. Les graines semées à la fin de l'été donnent des plantes à fleurs ravissantes en hiver. Vous pouvez également les multiplier par semis au printemps pour obtenir des fleurs en été.

TULBAGHIA

T. fragrans («Ail doux»); *T. violacea* («Tulbaghia violet»)

Ces plantes bulbeuses fleurissent en été. *T. fragrans* déploie des ombelles de fleurs délicieusement parfumées de 20 à 30 cm, de couleur lavande, coiffant des hampes de 30 à 40 cm de haut. Les feuilles arquées de *T. violacea* dégagent une légère odeur d'ail quand on les froisse; cette espèce a des fleurs violet vif.

CULTURE. Les tulbaghias requièrent 4 heures par jour au moins d'ensoleillement, des températures nocturnes de 4 à 7°C, et diurnes de 20°C ou moins. Maintenez le sol humide et fertilisez tous les mois. Il faut diviser et rempoter les bulbes dès qu'ils deviennent trop à l'étroit dans leur pot.

TULIPA

Plusieurs races et variétés de tulipes à grandes fleurs

Fleurs vendues communément chez les fleuristes en hiver et au printemps, les tulipes présentent toute une gamme de coloris allant du blanc au crème, jaune, orange, rose, rouge, bleu lavande, pourpre, brun, presque noir et même vert. Les cultivateurs professionnels de tulipes reconnaissent dans ce genre 15 catégories, atteignant 8 à 90 cm de haut, aux fleurs de 3 à 18 cm quand elles sont ouvertes. Ces variétés, toutefois, ne poussent pas correctement en appartement. Bien que la plupart des tulipes se prêtent à la culture en potées dans les orangeries, les espèces qui excellent en culture intérieure sont les suivantes: Tulipes simples hâtives comme «Keizerskroon», jaune, rayée de rouge, et «Brilliant Star», écarlate; Tulipes doubles hâtives comme «Scarlet Cardinal», écarlate; Tulipes Triomphe comme «Garden Party», blanche marginée de carmin, et «Merry Widow», rouge foncé marginée de blanc. Si vous désirez avoir des fleurs à une saison plus tardive, vous pouvez cultiver des variétés de Tulipes Darwin comme «Queen of Bartigons», rose et blanc, «Sunkist», jaune d'or, et «Bartigon», rouge; ou encore des Tulipes Perroquet «Fantasy», rose et vert.

CULTURE. Les tulipes achetées en bourgeon ou en fleur, ou plantées dans des pots en automne et cultivées dans un local frais comme les narcisses, requièrent une lumière vive sans ensoleillement, ou tamisée par un rideau, des températures nocturnes de 4 à 7°C, et diurnes de 20°C ou moins. Maintenez le sol humide mais ne dispensez pas d'engrais. Une fois qu'ils ont été forcés chez le fleuriste, en vue d'une floraison en intérieur, les bulbes ne peuvent l'être à nouveau et sont irrécupérables pour cet emploi. Vous pourrez par contre les planter en pleine terre après la floraison, par temps frais, à condition que le feuillage puisse continuer à se développer normalement. Il faut soigneusement maintenir au sec les bulbes mûrs, jusqu'au moment de leur mise en pots, vers le mois de septembre.

VALLOTA

V. speciosa, ou *V. purpurea* («Lis de St-Georges»)

Cette plante bulbeuse porte à la fin de l'été des ombelles de 3 à 10 fleurs écarlates, de 7 à 10 cm de diamètre, coiffant des hampes de 60 cm; les variétés blanches et rose saumon, bien que plus rares, se trouvent néanmoins dans le commerce. Les tiges sont entourées de feuilles persistantes lisses pouvant atteindre 30 à 45 cm de long.

CULTURE. Les vallotas requièrent 4 heures par jour au moins d'ensoleillement, des températures nocturnes de 10 à 13°C, et diurnes de 20 à 22°C. Maintenez le sol très humide et fertilisez

«AIL DOUX»
Tulbaghia fragrans

TULIPE PERROQUET
Tulipa «Fantasy»

«LIS DE ST-GEORGES»
Vallota speciosa

une fois par mois, du printemps à l'automne. Quand les fleurs sont fanées, cessez tout apport d'engrais et arrosez très modérément pour que le terreau reste légèrement sec pendant tout l'hiver. Dès le début de l'été, retirez une partie de l'ancien terreau sans déranger les racines et remplacez-le par un terreau frais.

Rempotez ensuite la plante dans un compost neuf tous les trois ou quatre ans environ. La multiplication des vallotas s'effectue en début d'été par séparation des petits caïeux qui se développent auprès des gros bulbes.

«LIS DES FORÊTS»
Veltheimia capensis

VELTHEIMIA
V. capensis ou *V. glauca* («Lis des forêts»); vendu fréquemment, mais à tort, sous le nom de *V. viridifolia,* plante distincte peu commune en Europe.

V. capensis produit des grappes de 50 à 60 fleurs tubuleuses de 2,5 cm, de couleur rose foncé ou fraise écrasée, mouchetées de blanc ou de vert à leur pointe. Ces fleurs s'épanouissent en hiver au sommet de hampes, hautes de 30 à 60 cm. Les feuilles, joliment arquées depuis la base de la plante, atteignant 30 à 35 cm de long, ont une face supérieure vert vif, un revers glauque et des bords ondulés.

CULTURE. Les veltheimias requièrent 4 heures par jour au moins d'ensoleillement, sauf en période de floraison, où il leur faut une lumière vive indirecte ou tamisée par un rideau. Des températures nocturnes de 4 à 16° C, et diurnes de 22° C ou moins leur conviennent parfaitement. Plantez les bulbes aux deux-tiers dans le sol. Maintenez le terreau à peine humide jusqu'au départ de la nouvelle végétation en automne. Humidifiez-le ensuite en permanence et dispensez de l'engrais tous les mois pendant la période de croissance.

Après flétrissement du feuillage en été, laissez le sol sécher et cessez tout apport d'engrais. La multiplication se fait au printemps par séparation des caïeux.

VRIESEA
V. guttata; V. x «Mariae» («Plume peinte»); *V. splendens* («Épée enflammée»)

Les vriéséas, célèbres Broméliacées, sont surtout connus pour les marbrures exotiques ornant leurs feuilles en rosette de forme évasée, ou leurs inflorescences vivement colorées. Deux espèces possèdent ces deux caractéristiques: *V. guttata,* qui a des bractées en forme de pagaie rose vif de 2 à 5 cm, garnies de fleurs jaune pâle, de la fin de l'hiver au début de l'été, et des feuilles gris-vert couvertes de petites taches marron; *V. splendens,* qui fleurit au printemps et en été, a des bractées en forme de glaive, rouge feu, de 2 à 5 cm, garnies de fleurs jaunes, et des feuilles bleu-vert zébrées de pourpre foncé.

L'hybride «Mariae», variété à floraison estivale, produit des feuilles vert uni mais des bractées éclatantes de 2 à 5 cm, rouge orangé et jaune, garnies de fleurs jaunes. Tous les vriéséas peuvent atteindre 30 cm de haut.

CULTURE. Les vriéséas requièrent une lumière vive sans ensoleillement, ou tamisée par un rideau, des températures nocturnes de 13 à 18° C, et diurnes de 18° C ou plus. Plantez-les dans un mélange composé de 2 parts de tourbe, 1 part de compost standard et 1 part de sable granuleux ou de vermiculite posé sur une couche de drainage, un lit de graviers par exemple. Maintenez le mélange humide et le cœur de la rosette de feuilles rempli d'eau; fertilisez tous les mois.

La multiplication des vriéséas s'effectue au moyen des rejets qui se développent au pied de la plante mère.

VRIÉSÉA «PLUME PEINTE»
Vriesea x «Mariae»

Z

ZANTEDESCHIA
Z. aethiopica (Arum d'Éthiopie); *Z. elliottiana,* ou *Richardia elliottiana* (Zantédeschia doré); *Z. rehmannii,* ou *Richardia rehmannii* (Zantédeschia rose) (tous appelés «Calla»)

Les zantédeschias sont des plantes extrêmement faciles à cultiver, dont les fleurs odorantes déploient des pétales solitaires d'aspect cireux, en forme de cornet béant, appelés communément spathes. Le spadice, qui émerge de la base de chaque spathe, en épi allongé, porte les fleurs. Les feuilles, épaisses, dépassant 20 cm de long et 12 cm de large, en forme de pointes de flèches, sont souvent veinées de blanc. *Z. aethiopica,* blanc pur, a un spadice voyant et doré. La variété «Crowborough», rustique, à croissance lente, mesure 60 cm de haut. Elle fleurit par intermittence du début de l'été au début de l'automne. Parmi les autres types, il faut citer *Z. elliottiana,* qui dépasse 60 cm de haut et porte des fleurs jaunes de 15 cm; et *Z. rehmanii,* haut de 30 à 45 cm, aux spathes roses de 10 cm.

CULTURE. Les zantédeschias préfèrent l'ensoleillement, sauf à midi, où il leur faut une lumière vive indirecte, ou tamisée par un rideau. Les températures idéales sont de 10 à 18°C la nuit, et de 20°C ou plus le jour. Maintenez le sol humide en toute saison; fertilisez tous les mois pendant la période de croissance avec un engrais pour plante d'appartement. Cessez vos arrosages après la floraison.

La multiplication des zantédeschias se fait par division des racines tubéreuses, à la fin de l'été ou au début de l'automne, lorsque vous rempotez vos plantes.

ZEPHYRANTHES

Z. candida («Lis zéphyr d'automne»); *Z. rosea* («Lis zéphyr»)

Les zéphyranthes sont de ravissantes plantes bulbeuses faciles à cultiver. *Z. candida* porte des fleurs blanches semblables à des crocus à la fin de l'été; *Z. rosea,* des fleurs roses de l'été au début de l'hiver. Ces deux espèces ont une hampe élancée garnie d'une fleur isolée et redressée, de 5 cm de diamètre. Il n'est pas rare d'obtenir deux ou plusieurs floraisons dans l'année. Le feuillage forme des touffes pareilles à celles des graminées et atteint 20 à 30 cm de long.

CULTURE. Les zéphyranthes requièrent 4 heures par jour au moins d'ensoleillement. Des températures nocturnes de 4 à 7°C, et diurnes de 20°C ou moins leur conviennent parfaitement. Maintenez le sol humide; fertilisez tous les mois pendant la période de croissance. Après le flétrissement des fleurs et des feuilles, cessez tout arrosage pendant 10 semaines environ pour laisser les plantes se reposer. Recommencez ensuite à arroser et à dispenser de l'engrais. La multiplication se fait par séparation des caïeux; rempotez tous les 3 ou 4 ans.

ZYGOCACTUS

Z. truncatus, ou *Epiphyllum truncatum* et *Schlumbergera truncata* («Cactus de Noël»)

Cette Cactacée connue, qui fleurit à Noël, n'est sans doute cultivée que sous forme d'hybrides et de cultivars, dont on compte un très grand nombre. C'est une plante épiphyte, dont les tiges sont formées d'articles aplatis accolés, qui ressemblent à des pinces de crabe, et portent des fleurs terminales tubuleuses de 5 cm, rouges, carmin, blanches ou roses.

CULTURE. Les zygocactus requièrent une lumière vive sans ensoleillement, ou tamisée par un rideau, des températures hivernales minimales de 13°C avant la floraison. Pour stimuler la formation des boutons floraux, entreposez-les en intérieur dans un local frais, ou en plein air en juillet. Cessez tout arrosage ou apport d'engrais à cette époque. En automne, arrosez légèrement les plantes mais bassinez le feuillage régulièrement jusqu'à l'apparition des bourgeons. Dès cet instant, exposez votre plante pour qu'elle fleurisse et ne la changez plus de place jusqu'à la fin de sa floraison, sinon les boutons risquent de tomber. Dès l'éclosion des boutons, des températures nocturnes de 16°C et diurnes de 21°C sont idéales.

La multiplication se fait par bouturage. Les plantes vendues dans le commerce sont souvent greffées sur deux espèces de Cactacées: *Pereskia,* ou *Hylocereus.*

ZANTEDESCHIA DORÉ
Zantedeschia elliottiana

«LIS ZÉPHYR»
Zephyranthes rosea

«CACTUS DE NOËL»
Zygocactus truncatus

Illustration de Pamela Freeman

Caractéristiques de 150 plantes d'appartement

Les plantes énumérées ci-dessous correspondent aux variétés illustrées au chapitre 6 ainsi que pages 57-60.

	COULEUR DES FLEURS					AUTRES CARACTÉRISTIQUES					HAUTEUR DE LA PLANTE			ÉCLAIRAGE				TEMP. NOCTURNE			PÉRIOD FLORA			
	Blanc	Jaune orangé	Rose-rouge	Bleu pourpre	Multicolore	Odeur	Feuillage coloré	Fruit décoratif	Plante grimpante	Plante rampante	Moins de 30 cm	De 30 à 60 cm	Plus de 60 cm	Ensoleillement direct	Lumière indirecte ou tamisée	Ombre	Éclairage d'appoint	4 à 10°C	10 à 16°C	16 à 21°C	Printemps	Été	Automne	Hiver
ABUTILON MEGAPOTAMICUM «VARIEGATUM» («Érable à fleurs»)					●					●			●	●					●		●	●	●	
ACALYPHA HISPIDA (Plante-chenille)			●										●	●	●					●	●	●	●	●
ACHIMENES (Achimènes hybride)		●	●	●							●				●		●			●	●	●	●	
AECHMEA FASCIATA («Plante urne»)					●		●					●			●					●	●	●	●	●
AESCHYNANTUS LOBBIANUS («Plante bâton de rouge à lèvres»)					●					●			●	●	●					●	●			
AGAPANTHUS AFRICANUS (Agapanthe en ombelle)				●								●		●	●				●			●		
ALLAMANDA CATHARTICA «WILLIAMSII» (Allamanda)		●											●	●						●	●	●		
ANANAS COMOSUS «VARIEGATUS» (Ananas)				●		●	●	●					●	●						●	●	●	●	●
ANGRAECUM DISTICHUM (Orchidée)	●					●					●				●				●	●		●	●	
ANTHURIUM SCHERZERIANUM («Flamant rose»)			●								●				●					●	●	●	●	●
APHELANDRA SQUARROSA «LOUISAE» («Plante zèbre»)		●										●			●					●			●	
ARDISIA CRENATA («Baie corail»)	●							●					●		●				●		●			●
ASTILBE X ARENDSII HYBRIDE (Astilbe)	●		●										●		●				●	●		●	●	
BEGONIA SEMPERFLORENS (Bégonia des jardins)	●		●				●				●	●		●	●				●		●	●	●	●
BELOPERONE GUTTATA «YELLOW QUEEN» (Plante crevette)		●										●		●					●		●	●	●	●
BILLBERGIA «FANTASIA» (Billbergia)			●				●					●		●	●					●		●		
BOUGAINVILLEA BUTTIANA «BARBARA KARST» (Bougainvillée)			●						●					●						●	●	●		
BRASSAVOLA NODOSA («Dame de la nuit»)	●	●				●					●				●				●	●	●	●	●	●
BRASSIA CAUDATA					●	●	●					●		●						●			●	●
BROWALLIA SPECIOSA «MAJOR» (Browallia)				●						●			●	●	●				●			●		●
BRUNFELSIA PAUCIFLORA var. CALYCINA («Plante caméléon»)					●	●								●	●				●		●	●	●	●
CALCEOLARIA X HERBEOHYBRIDA «MULTIFLORA NANA»		●									●				●			●			●			
CALLIANDRA HAEMATOCEPHALA («Houppe à poudre»)			●				●						●	●						●	●			●
CAMELLIA JAPONICA «DEBUTANTE» (Camellia du Japon)	●		●				●						●		●			●	●		●		●	●
CAMPANULA ISOPHYLLA «ALBA» (Campanule «Étoile de Marie»)	●									●	●			●	●				●			●	●	
CAPSICUM ANNUUM (Piment commun)	●							●			●			●						●		●	●	
CARISSA MACROCARPA «NANA COMPACTA» («Prunier du Natal»)	●					●		●				●		●					●	●	●	●	●	●
CATTLEYA LABIATA	●		●	●								●		●	●				●	●			●	
CESTRUM NOCTURNUM («Jasmin nocturne»)	●					●		●				●		●						●	●	●	●	●
CHIRITA LAVANDULACEA («Gentiane d'Hindoustan»)					●							●			●					●	●	●	●	●
CHRYSANTHEMUM FRUTESCENS (Marguerite)	●	●	●									●		●				●	●		●	●	●	●
CHRYSANTHEMUM INDICUM HYBRIDE (Chrysanthème des fleuristes)	●	●	●									●			●			●	●		●	●	●	●
CITRUS TAITENSIS (Oranger)	●					●		●					●	●					●		●		●	
CLERODENDRUM THOMSONIAE (Péragut de Thomson)	●									●			●		●					●	●	●		●
CLIVIA MINIATA (Clivia à fleurs rouge minium)		●										●			●				●					●
COFFEA ARABICA (Caféier d'Arabie)	●					●		●					●		●					●	●	●	●	●
COLUMNEA «YELLOW DRAGON» (Columnéa)		●								●			●		●		●		●	●	●	●	●	●
X CRINODONNA MEMORIA-CORSII (Crinodonna)			●			●							●	●					●			●	●	
CRINUM HYBRIDE (Crinole)			●			●							●	●	●				●			●	●	
CROCUS «PICKWICK» (Crocus)	●	●	●	●							●			●				●			●			●
CROSSANDRA INFUNDIBULIFORMIS (Crossandra)		●									●			●	●					●	●	●	●	●
CRYPTANTHUS BROMELIOIDES «TRICOLOR» («Étoile arc-en-ciel»)	●						●				●				●					●		●		
CUPHEA IGNEA (Cuphéa à fleurs couleur feu)	●		●	●							●			●					●		●	●	●	●
CYCLAMEN PERSICUM (Cyclamen de Perse)	●		●	●			●				●				●			●	●		●		●	●
CYMBIDIUM HYBRIDE (Cymbidium)	●	●	●								●			●	●				●		●		●	●
CYTISUS RACEMOSUS (Genêt)		●				●							●	●				●			●	●		
DAPHNE ODORA («Daphné d'hiver»)	●		●			●						●			●			●					●	●
DENDROBIUM LODDIGESII (Dendrobium)					●	●				●		●			●				●		●			●
DIPLADENIA AMOENA (Dipladénia)			●						●				●		●					●	●	●	●	
DYCKIA FOSTERIANA «SILVER QUEEN» (Dyckia)		●					●					●		●	●	●			●			●		

	COULEUR DES FLEURS					AUTRES CARACTÉRISTIQUES					HAUTEUR DE LA PLANTE			ÉCLAIRAGE				TEMP. NOCTURNE			PÉRIODES DE FLORAISON			
	Blanc	Jaune orangé	Rose-rouge	Bleu pourpre	Multicolore	Odeur	Feuillage coloré	Fruit décoratif	Plante grimpante	Plante rampante	Moins de 30 cm	De 30 à 60 cm	Plus de 60 cm	Ensoleillement direct	Lumière indirecte ou tamisée	Ombre	Éclairage d'appoint	4 à 10°C	10 à 16°C	16 à 21°C	Printemps	Été	Automne	Hiver
EPIDENDRUM COCHLEATUM («Orchidée coque»)					●	●					●				●				●	●	●	●	●	●
EPIPHYLLUM HERMOSISSIMUM («Cactus orchidée»)			●			●						●	●		●				●					●
EPISCIA LILACINA «EMBER LACE» (Épiscia)			●				●			●	●				●		●			●		●	●	
ERANTHEMUM NERVOSUM («Sauge bleue»)				●								●		●		●				●	●			●
ERICA GRACILIS («Bruyère rose»)			●	●							●			●					●	●	●			●
ERVATAMIA DIVARICATA «PLENA» («Jasmin crêpe»)	●					●							●	●						●	●	●	●	●
EUCHARIS GRANDIFLORA («Lis d'Amazonie»)	●					●						●			●					●		●		
EUPHORBIA PULCHERRIMA (Poinsettia)			●									●		●					●	●			●	●
EXACUM AFFINE «MIDGET» («Violette de Perse»)				●		●					●				●					●			●	●
FELICIA AMELLOIDES (Aster du Cap)				●							●			●					●		●	●	●	●
FORTUNELLA MARGARITA («Kumquat ovale»)	●					●		●				●		●					●		●			
FUCHSIA «PINK CLOUD» (Fuchsia)			●										●	●	●				●		●	●	●	●
GARDENIA JASMINOIDES «VEITCHII» (Jasmin du Cap)	●					●							●	●						●	●			●
GAZANIA HYBRIDE (Gazania)	●	●	●								●			●					●			●	●	
GELSEMIUM SEMPERVIRENS (Faux jasmin)		●				●			●	●			●	●		●			●		●			●
GLORIOSA ROTHSCHILDIANA (Gloriosa)					●				●				●	●						●	●	●	●	●
GUZMANIA MONOSTACHYA (Guzmania)			●				●					●			●					●	●	●	●	●
HAEMANTHUS MULTIFLORUS («Fleur de sang»)			●									●		●					●			●		
HELIOTROPIUM ARBORESCENS (Héliotrope du Pérou)				●		●					●	●	●	●					●		●	●	●	●
HIBISCUS ROSA-SINENSIS (Rose de Chine)			●										●	●						●	●	●	●	●
HIPPEASTRUM «FIRE DANCE» (Amaryllis)	●		●		●							●		●						●	●			●
HOYA CARNOSA («Fleur de cire»)	●					●	●						●	●	●					●		●		
HYACINTHUS ORIENTALIS «KING OF THE BLUES» (Jacinthe d'Orient)	●	●	●	●		●					●				●	●		●			●			●
HYDRANGEA MACROPHYLLA (Hortensia commun)	●		●	●								●			●				●		●			
IMPATIENS WALLERIANA «SCARLET BABY» (Balsamine)	●	●	●	●							●				●	●	●			●	●	●	●	●
IPOMOEA «EARLY CALL» (Ipomée volubilis)			●						●				●	●						●		●		
IXORA COCCINEA («Flamme des bois»)			●				●						●	●						●	●	●	●	●
JACOBINIA SUBERECTA (Jacobinia)			●								●			●	●				●	●	●			
JASMINUM POLYANTHUM (Jasmin de Chine)	●					●							●	●					●		●			
KALANCHOË BLOSSFELDIANA «VULCAN» (Kalanchoë)			●								●			●					●					●
KOHLERIA AMABILIS (Kohléria)			●							●		●			●					●	●	●		●
LACHENALIA BULBIFERA («Coucou du Cap»)					●						●			●				●			●			●
LAELIA FLAVA (Laelia)		●										●		●	●				●	●				●
X LAELIOCATTLEYA «EL CERRITO» (Laeliocattleya)		●										●			●				●	●				●
LANTANA CAMARA (Camara)	●	●	●		●	●					●		●	●					●	●	●	●	●	●
LANTANA MONTEVIDENSIS (Lantana de Sellow)			●			●				●			●	●					●	●		●		
LILIUM LONGIFLORUM «CROFT» («Lis de Pâques»)	●					●						●			●			●	●		●			
MALPIGHIA COCCIGERA («Houx Malpighie»)			●					●			●			●	●	●			●			●		
MALVAVISCUS ARBOREUS («Hibiscus endormi»)			●									●		●						●	●	●	●	●
MANETTIA BICOLOR («Plante pétard»)					●				●				●			●			●		●	●	●	●
MAXILLARIA TENUIFOLIA (Maxillaria)					●	●					●				●				●	●		●		
MUSCARI ARMENIACUM (Muscari d'Arménie)				●		●					●			●				●			●			●
NARCISSUS «KING ALFRED» (Narcisse «King Alfred»)		●										●			●			●			●			●
NARCISSUS TAZETTA «SOLEIL D'OR» (Narcisse tazetta)		●				●					●				●			●	●		●			●
NEOFINETIA FALCATA (Neofinétia)	●					●					●				●				●	●		●		
NEOMARICA GRACILIS («Plante apôtre»)					●	●						●			●				●			●		
NICOTIANA ALATA (Tabac)		●				●					●		●	●					●					●
NIDULARIUM FULGENS (Nidularium)			●				●				●				●					●	●	●	●	●
ODONTOGLOSSUM PULCHELLUM («Orchidée muguet»)					●	●					●			●	●				●	●	●			●
ONCIDIUM VARICOSUM var. ROGERSII («Orchidée danseuse»)		●										●		●	●				●	●			●	●

	COULEUR DES FLEURS					AUTRES CARACTÉRISTIQUES					HAUTEUR DE LA PLANTE			ÉCLAIRAGE				TEMP. NOCTURNE			PÉRIODES DE FLORAISON			
	Blanc	Jaune orangé	Rose-rouge	Bleu pourpre	Multicolore	Odeur	Feuillage coloré	Fruit décoratif	Plante grimpante	Plante rampante	Moins de 30 cm	De 30 à 60 cm	Plus de 60 cm	Ensoleillement direct	Lumière indirecte ou tamisée	Ombre	Éclairage d'appoint	4 à 10°C	10 à 16°C	16 à 21°C	Printemps	Été	Automne	Hiver
ORNITHOGALUM CAUDATUM («Faux oignon de mer»)	●					●							●	●					●		●			●
OSMANTHUS FRAGRANS («Olivier doux»)	●					●							●	●	●	●			●		●	●	●	●
OXALIS PURPUREA «GRAND DUCHESS» (Oxalis)	●		●								●			●					●		●	●		
PACHYSTACHYS LUTEA («Plante sucre d'orge»)	●											●							●	●	●	●	●	●
PAPHIOPEDILUM CALLOSUM «BALINESE DANCER» (Sabot de Vénus)					●		●					●			●	●				●	●	●		
PASSIFLORA X ALATO-CAERULEA (Fleur de la Passion)					●	●			●				●	●					●	●	●	●	●	
PELARGONIUM X HORTORUM «SKIES OF ITALY» (Géranium des jardins)			●				●					●		●					●	●	●	●	●	●
PENTAS LANCEOLATA «ORCHID STAR» («Étoile égyptienne»)			●									●		●					●	●	●	●	●	●
PETUNIA HYBRIDE (Pétunia)	●	●	●	●	●						●			●					●					●
PHALAENOPSIS AMABILIS («Orchidée mite»)	●	●	●	●									●		●					●	●			
PRIMULA MALACOIDES (Primevère malacoïde)	●		●								●				●			●			●			●
PUNICA GRANATUM «NANA» (Grenadier nain)			●					●				●		●					●		●	●	●	●
RECHSTEINERIA CARDINALIS («Fleur cardinal»)			●									●			●		●			●	●	●	●	●
RHIPSALIDOPSIS GAERTNERI HYBRIDE («Cactus de Pâques»)			●									●			●				●	●	●			
RHODODENDRON SIMSII (CULTIVAR) (Azalée de l'Inde)	●		●		●							●		●	●			●	●		●			●
RODRIGUEZIA VENUSTA «ANN» (Rodriguézia)					●	●					●				●				●	●		●	●	
ROSA CHINENSIS «MINIMA» (Rosier miniature)	●	●	●		●	●					●			●					●	●	●	●	●	●
ROSMARINUS LAVANDULACEUS (Romarin rampant)				●		●	●					●		●					●		●	●		
RUELLIA MACRANTHA (Ruellie)			●										●		●				●	●	●			●
RUSSELIA EQUISETIFORMIS («Plante corail»)			●							●			●	●					●			●		
SAINTPAULIA IONANTHA HYBRIDE (Violette du Cap)	●		●	●	●						●				●		●			●	●	●	●	●
SAXIFRAGA STOLONIFERA «TRICOLOR» («Mère de milliers»)	●						●			●		●				●		●	●			●		
SCHIZOCENTRON ELEGANS (Schizocentron)			●	●						●	●					●			●		●	●		
SCILLA SIBERICA «SPRING BEAUTY» (Scille de Sibérie)				●							●			●	●	●		●						●
SENECIO CONFUSUS («Flamme mexicaine»)			●						●	●			●	●	●				●		●	●	●	●
SENECIO CRUENTUS (Cinéraire hybride)	●	●	●	●			●					●		●				●			●			●
SINNINGIA SPECIOSA HYBRIDE (Gloxinia)	●		●	●	●						●				●		●		●			●	●	
SMITHIANTHA HYBRIDE «CARMEL» («Cloches du temple»)			●				●				●				●		●		●			●	●	
SOLANUM PSEUDOCAPSICUM (Cerisier de Jérusalem)	●							●			●			●				●	●			●	●	
X SOPHROLAELIOCATTLEYA «MIAMI» (Sophrolaeliocattleya)			●								●				●				●	●	●	●	●	●
SPATHIPHYLLUM WALLISII («Voiles blanches»)	●					●						●			●	●				●	●		●	
SPREKELIA FORMOSISSIMA (Amaryllis Croix St-Jacques)			●									●		●						●	●			
STEPHANOTIS FLORIBUNDA («Jasmin de Madagascar»)	●					●						●	●	●						●	●	●	●	
STRELITZIA REGINAE (Oiseau de paradis)					●								●	●					●			●	●	
STREPTOSOLEN JAMESONII («Buisson confiture d'orange»)		●											●	●	●				●			●		
TETRANEMA MEXICANUM («Digitale mexicaine»)				●							●					●			●		●	●	●	●
THUNBERGIA ALATA («Thunbergia ailée»)					●				●	●			●	●					●				●	●
TILLANDSIA CYANEA («Penne rose»)					●	●					●				●					●	●			
TRACHELOSPERMUM JASMINOIDES («Jasmin étoilé chinois»)	●					●			●	●			●	●	●				●		●	●		
TRICHOCENTRUM TIGRINUM (Trichocentrum)					●	●	●				●				●				●	●	●	●		
TROPAEOLUM MAJUS (Grande capucine)	●	●	●		●				●	●		●	●	●				●	●			●	●	
TULBAGHIA FRAGRANS («Ail doux»)				●		●						●		●				●				●		
TULIPA «FANTASY» (Tulipe perroquet)					●								●		●			●			●			●
VALLOTA SPECIOSA («Lis de St-Georges»)			●									●		●					●			●		
VELTHEIMIA CAPENSIS («Lis des forêts»)				●								●		●	●			●	●					●
VRIESEA X «MARIAE» (Vriesea «Plume peinte»)					●							●			●				●	●		●		
ZANTEDESCHIA ELLIOTIANA (Zantédeschia doré)		●					●					●		●	●				●	●		●	●	
ZEPHYRANTES ROSEA («Lis zéphyr»)			●								●			●				●				●	●	●
ZYGOCACTUS TRUNCATUS («Cactus de Noël»)	●		●							●		●			●				●	●				●

Sources des illustrations

Les sources des illustrations de cet ouvrage sont indiquées ci-dessous. Les indications sont séparées de gauche à droite par des points-virgules, de haut en bas par des tirets.
Couverture — Leonard Wolfe. 4 — Keith Martin avec l'autorisation de James Underwood Crockett; Clem Harris avec l'autorisation de Francis Perry. 6 — Evelyn Hofer avec l'autorisation du Mark Twain Memorial. 10, 11 — (en haut) Giuseppe Mazza; photos 2, 3, 4, Harry Smith Collection; A-Z Collection — (deuxième rangée) A-Z Collection; Harry Smith Collection; A-Z Collection; Harry Smith Collection; Giuseppe Mazza — (troisième rangée) Harry Smith Collection; Harry Smith Collection; Giuseppe Mazza; Giuseppe Mazza; Harry Smith Collection — (rangée d'en bas) toutes de Harry Smith Collection excepté photo 2 Giuseppe Mazza, 13, 15, 16, 17 — Dessins de Vincent Lewis. 19 à 27 — Derek Bayes excepté page 25 Elizabeth Whiting. 28 — Ted Streshinsky, 29, 31, 33, 36, 37 — Dessins de Vincent Lewis. Les sources des pages 38, 39, 40 concernent uniquement les photographies. 38 — En haut, New York Public Library Picture Collection — Bibliothèque Nationale, Paris; Hunt Botanical Library Collection, Carnegie-Mellon University, Pittsburg, Pa. 39 — Hunt Botanical Library Collection, Carnegie-Mellon University, Pittsburgh, Pa; Bettmann Archive — Hunt Botanical Library Collection, Carnegie-Mellon University, Pittsburgh, Pa.; New York Public Library Picture Collection. 40 — New York Public Library Picture Collection excepté en bas centre gauche Staatbibliothek, Berlin Bildarchiv (Handke). 42, 45 — Dessins de Vincent Lewis. 46 — Peter Gautel avec l'autorisation du Badisches Landesmuseum, Karlsruhe. 48, 50, 52, 53, 54, 55 — Dessins de Vincent Lewis. 57 — Propriété de l'American Orchid Society Inc. excepté à droite la seconde à partir du haut Phil Brodatz. 58 — Rutherford Platt excepté en bas à gauche propriété de l'American Orchid Society Inc. 59 — Phil Brodatz; propriété de l'American Orchid Society Inc. excepté la troisième à partir du haut Don Richardson. 60 — Propriété de l'American Orchid Society Inc. excepté en haut à gauche Orchid Jungle. 62, 63 — Dessins de Vincent Lewis. 64, 65, 66 — Illustrations de Rebecca Merrilees. 68 — Avec l'autorisation de sa Gracieuse Majesté, la reine Elisabeth II. 71 — Dessins de Vincent Lewis. 73 à 75 — Patrick Ward. 76, 78, 80, 82 — Dessins de Vincent Lewis. 84 — Richard Jeffrey. 87, 89, 90, 91, 93 — Dessins de Vincent Lewis. 96 à 151 — illustrations d'Allianora Rosse, sauf indication contraire mentionnée aux côtés des illustrations.

Remerciements

Pour l'aide qui lui a été apportée dans la réalisation de cet ouvrage, l'équipe de rédaction remercie vivement la secrétaire de rédaction Lizzie Boyd, Kingston-on-Thames, Grande-Bretagne. Ses remerciements vont également aux personnes et organismes dont les noms suivent: Airguide Instrument Company, Chicago, Ill.; Mme Iris August, Bayshore, N.Y.; Podesta Baldocchi, San Francisco, Calif.; Mme Ernesta Drinker Ballard, directeur, Pennsylvania Horticultural Society, Philadelphie, Pa.; Mme Robert I. Ballinger Jr.; Villanova, Pa.; Mme Pearl Benell, présidente, American Begonia Society, Whittier, Calif.; Theodore W. Bossert, conservateur des portraits, Carnegie-Mellon University, Pittsburgh, Pa.; Gunn Brinson, Londres, Grande-Bretagne; Mike Brown, Londres, Grande-Bretagne; M. et Mme William Crane, New York City; M. et Mme Warren F. Cressy, Falls Village, Conn.; Edith Crockett, bibliothécaire, Horticultural Society of New York, New York City; Mme Muriel C. Crossman, bibliothécaire, Massachusetts Horticultural Society, Boston, Mass.; Gene Daniels, Camarillo, Calif.; Marie Eaton, Seattle African Violet Club, Seattle, Wash.; M. et Mme David Eisendrath, Brooklyn, N.Y.; Mme Wanda Elin, Fullerton, Calif.; Audre Fiber, Fiber Jehu Inc., New York City; The Gazebo, New York City; Marie Giasi, bibliothécaire, Brooklyn Botanic Garden, Brooklyn, N.Y.; The Green Thumb, New York City; Dr. Arthur Grove, Houston, Texas; Elizabeth Hall, bibliothécaire en chef, Horticultural Society of New York, New York City; Ben Heller, New York City; Mme Hugh Hencken, Newton, Mass.; Merle Hernandez, Londres, Grande-Bretagne; M. et Mme Harold Howard, Los Angeles, Calif.; Colin Hunt, Londres, Grande-Bretagne; Donald Leaver, Bromley, Grande-Bretagne; M. et Mme Paul Lee, San Diego, Calif.; Mlle Lornie Leete-Hodge, Devizes, Grande-Bretagne; Emory Leland, Seattle, Wash.; Mme Sheila Macqueen, Hemel Hempstead, Grande-Bretagne; Mark Marko, Monrovia Nurseries, Azusa, Calif.; The Neal Street Shop, Londres, Grande-Bretagne; Ronnie Nevins, Fullerton, Calif.; New York Botanical Garden Library, Bronx, N.Y.; Mme Thelma O'Reilly, La Mesa, Calif.; Desmond Paul, The House of Rochford, Broxbourne, Grande-Bretagne; Mme Henry Parish H.; Hadley-Parish, Inc., New York City; Mme Ruth Pease, directrice conseillère, American Begonia Society, Los Angeles, Calif.; Walter Pease, ex-président, American Begonia Society, Los Angeles, Calif.; Mme William Piel Jr., New York City; Plantamation Inc.; New York City; M. et Mme Herbert H. Plever, Jamaïque, N.Y.; Mme Diane Powers, San Diego, Calif.; C. Rassell Ltd., Londres, Grande-Bretagne; Sylvania Lighting Centre, Danvers, Mass.; Charles Tagg, ex-président, American Begonia Society, Fullerton, Calif.; Wills and Segar Ltd., Londres, Grande-Bretagne; Alma Wright, rédactrice, *Gesneriad Saintpaulia News*, Knoxville, Tenn.; Rudolf Ziesenhenne, directeur de la nomenclature, American Begonia Society, Santa Barbara, Calif.

Bibliographie

Ballard, Ernesta D., *Garden in Your House*. Harper & Row, 1958.

Brooklyn Botanic Garden, *Gardening in Containers*. Brooklyn Botanic Garden, 1958.

Brooklyn Botanic Garden, *Handbook on Propagation*. Brooklyn Botanic Garden, 1965.

Brooklyn Botanic Garden, *House Plants*. Brooklyn Botanic Garden, 1965.

Brooklyn Botanic Garden, *Plants & Gardens: Gardening Under Artificial Light*. Brooklyn Botanic Garden, 1970.

Cherry, Elaine, *Fluorescent Light Gardening*. Van Nostrand Reinhold Company, 1965.

Crusco, Thalassa, *Making Things Grow*. A. A. Knopf, Inc., 1969.

Elbert, George et Edward Hyams, *House Plants*. Funk & Wagnalls, 1968.

Everett, Thomas, *How to Grow Beautiful House Plants*. Arco Publications, 1953.

Fennell, T.A. Jr., *Orchids for Home and Garden*. Holt, Rinehart et Winston, 1959.

Free, Montague, *All About African Violets*. The American Garden Guild et Doubleday & Company, Inc., 1951.

Free, Montague, *All About House Plants*. The American Garden Guild et Doubleday & Company, Inc., 1946.

Free, Montague, *Plant Propagation in Pictures*. The American Garden Guild et Doubleday & Company, Inc., 1957.

Graf, Alfred Byrd, *Exotic Plant Manual*. Roehrs Company, 1970.

Kains, M.G., *Plant Propagation*. Orange Judd Publishing Company, 1931.

McDonald, Elvin, *World Book of House Plants*. The World Publishing Company, 1963.

McDonald, Elvin, *Complete Book of Gardening Under Lights*. Doubleday & Company, Inc., 1965.

Moore, Harold E., *African Violets, Gloxinias and Their Relatives*. The Macmillan Company, 1957.

Nehrling, Arno et Irene, *Propagating House Plants*. Hearthside Press, 1962.

Northern, Rebecca Tyson, *Home Orchid Growing*. Van Nostrand Reinhold Company, 1962.

Rector, Carolyn, *How to Grow African Violets: A Sunset Book*. Lane Books, 1962.

Schuler, Stanley, *1001 House Plant Questions Answered*. Van Nostrand Reinhold Company, 1963.

Selsam, Millicent E., *How to Grow House Plants*. William Morrow and Company, 1960.

Sunset Books, *How to Grow House Plants*, Lane Books, 1968.

Sutcliffe, Alys, *House Plants for City Dwellers*. E.P. Dutton & Co., Inc., 1964

Wilson, Helen Van Pelt, *African Violet Book*. Hawthorn Books, Inc. 1970.

Index

Les chiffres en italique signalent une photographie ou un dessin se rapportant au sujet mentionné.

D

E

F

G

H

I

J

K

L

M

Composition photographique par Photocompo Center, Bruxelles, Belgique.
Imprimé en Yougoslavie par Mladinska Knjiga Printing House, Ljubljana.
Dépôt légal: mars 1989.